व्यवहार परिवर्तन संचार और पत्रकारिता

हेना नक़वी

प्रकाशन विभाग
सूचना एवं प्रसारण मंत्रालय
भारत सरकार

प्रथम संस्करण: 2016 (शक 1938)
द्वितीय पुनर्मुद्रण: मई, 2024 (शक 1946)

ISBN : 978-81-19936-92-2
M&C-HIN-REP-030-2024-25

मूल्य: ₹ 115.00

अपर महानिदेशक, प्रकाशन विभाग, सूचना एवं प्रसारण मंत्रालय, भारत सरकार, सूचना भवन, सी.जी.ओ. कॉम्प्लेक्स, लोदी रोड, नई दिल्ली-110 003 द्वारा प्रकाशित

वेबसाइट: www.publicationsdivision.nic.in

संपादन: प्रियंका सिंह/डॉ. ममता रानी

आवरण: राजिन्द्र कुमार

विक्रय केंद्र: प्रकाशन विभाग: पुस्तक दीर्घा, सूचना भवन, सी.जी.ओ. कॉम्प्लेक्स, लोदी रोड, **नई दिल्ली-110 003;** 701, सी-विंग, 7वीं मंजिल, केंद्रीय बेलापुर, **नवी मुंबई-400 614;** 8, एस्प्लेनेड ईस्ट, **कोलकाता-700 069;** 'ए' विंग, राजाजी भवन, बेसेंटनगर, चेन्नई-600090; प्रेस रोड, निकट गवर्नमेंट प्रेस, **तिरुअनंतपुरम-695 001;** कमरा नं. 204, द्वितीय तल, सीजीओ टावर्स, कवाड़ीगुड़ा, **हैदराबाद-500 080;** प्रथम तल, 'एफ' विंग, केंद्रीय सदन, कोरामंगला, **बेंगलुरु-560 034;** बिहार राज्य सहकारी बैंक बिल्डिंग, अशोक राजपथ, **पटना-800 004;** हॉल नं. 1, द्वितीय तल, केंद्रीय भवन, सेक्टर-एच, अलीगंज, **लखनऊ-226 024;** गुजरात- 4 सी, नेप्च्यून टावर, चौथी मंज़िल, आश्रम रोड, **अहमदाबाद**, गुजरात, असम खादी एंड विल्लेज इंडस्ट्रीज़ बोर्ड कॉम्प्लेक्स, पो.- सिलपुखुरी, चांदमारी, **गुवाहाटी-781003**

टाइप सेट: प्रिंटो-वर्ल्ड, 2568, मंदिर वाली गली, शादीपुर, नई दिल्ली-110 008
मुद्रक: राज प्रिंटर्स, ए-9, सेक्टर बी-2, ट्रोनिका सिटी, लोनी, गाज़ियाबाद (यू.पी)

विषय-सूची

प्रस्तावना v

1. संचार क्या है? 1
2. क्या है व्यवहार परिवर्तन संचार? 8
3. व्यवहार में बदलाव के लिए उपयुक्त संचार 22
4. व्यवहार परिवर्तन संचार की प्रक्रिया 32
5. व्यवहार परिर्वतन संचार के शत्रु 43
6. कौन करेगा व्यवहार परिवर्तन? 57
7. व्यवहार परिर्वतन के लिए माध्यम सम्मिश्रण 66
8. पल्स पोलियो अभियान का अचूक हथियार: व्यवहार परिवर्तन संचार 81
9. 'स्वच्छ भारत अभियान' में व्यवहार परिवर्तन संचार का प्रयोग 88
10. दिमागी बुखार की रोकथाम में व्यवहार परिवर्तन संचार का प्रयोग 96
11. कुपोषण दूर करने में व्यवहार परिवर्तन संचार की भूमिका 107
12. मातृ-शिशु स्वास्थ्य में व्यवहार परिवर्तन संचार की भूमिका 113
13. व्यवहार परिवर्तन संचार की रणनीति का विकास 123
14. व्यवहार परिवर्तन संचार और पत्रकारिता 137

प्रस्तावना

यह संचार का दौर है। जनसंचार के माध्यमों के निरंतर बढ़ते प्रभाव का दौर है। आज आम जन की पहुंच छोटे से लेकर बड़े जनसंचार माध्यमों तक आसान हो गई है। संचार के मामले में विशेषज्ञता का एक नया दौर शुरू हुआ है। इसी के साथ **"व्यवहार परिवर्तन संचार"** की एक नई अवधारणा बनी है। यानी, संचार के माध्यम से लोगों के व्यवहार या आदतों में बदलाव लाना और फिर इसके माध्यम से विकास के सपनों को साकार करना। इस दिशा में सबसे बड़ा काम है, लोगों की हर काम के लिए सरकार पर आश्रित रहने की आदत को बदलकर विकास की प्रक्रिया में जन-भागीदारी को बढ़ावा देना। दरअसल इससे ही 'जनता के लिए, जनता की सरकार' की लोकतांत्रिक भावना बलवती होगी।

भारत एक विकासशील देश है। इसके राज्य अलग-अलग गति से विकास की ओर बढ़ रहे हैं। यदि रघुराम राजन समिति (सितम्बर, 2013) की रिपोर्ट की बात करें तो इसके अनुसार विकास के संदर्भ में भारत के राज्यों को तीन श्रेणियों में बांटा गया है–सबसे कम विकसित (*लीस्ट डेवलप्ड*), कम विकसित (*लेस डेवलप्ड*)और अपेक्षाकृत विकसित (*रिलेटिवली डेवलप्ड*)। सबसे कम विकसित राज्यों में ओडीशा, बिहार, उत्तर प्रदेश, मध्यप्रदेश, झारखण्ड, छत्तीसगढ़ और राजस्थान जैसे राज्य हैं, जो हमेशा से किसी न किसी कारणवश विकास की दौड़ में पिछड़े रहे हैं। कम विकसित राज्यों की गिनती में पश्चिम बंगाल, कर्नाटक और गुजरात जैसे राज्य हैं जिन्होंने विकास के बेहतर प्रयासों से दूसरी श्रेणी में स्थान पाया है। अपेक्षाकृत विकसित राज्यों में गोवा, पंजाब, महाराष्ट्र, हरियाणा, केरल एवं तमिलनाडु जैसे राज्य हैं जो विकास के अपेक्षाकृत बेहतर प्रयासों के कारण इस वर्गीकरण में प्रथम श्रेणी के राज्य घोषित किए गए हैं। यहां यह भी समझने वाली बात है कि विकास के भरपूर प्रयासों के बावजूद इन राज्यों को 'पूर्ण विकसित' राज्यों का दर्जा नहीं दिया गया, न ही इस श्रेणीकरण में 'संपूर्ण विकसित' राज्यों की कोई श्रेणी बनाई गई है। कारण यह हो सकता है कि विकासशीलता एक गतिशील एवं सतत् प्रक्रिया है। समय के अनुसार विकास के मुद्दे बदल सकते हैं, विकास

के पैमाने बदल सकते हैं, नई अवधारणाएं उभर सकती हैं, नए लक्षित समूह सामने आ सकते हैं। इसीलिए, देश के सबसे अधिक विकसित राज्यों को अपेक्षाकृत विकसित राज्यों की श्रेणी में डालकर उक्त समिति ने भविष्य की विकास प्रक्रिया की आवश्यकता की ओर इशारा कर दिया है।

इसका यही अर्थ है कि किसी-न-किसी रूप में देश में विकास की प्रक्रिया चलती ही रहेगी। अब बात करें उन राज्यों की जो कम विकसित और सबसे कम विकसित माने गए हैं। विकास की दौड़ में बढ़त लेने के लिए इन राज्यों को बहुत अधिक मेहनत और समय की आवश्यकता होगी। साथ ही ज़रूरत है, एक बेहतर रणनीति की, जिसके ज़रिए पिछड़ेपन को पछाड़ा जा सके।

पिछड़ेपन के कारकों में एक बड़ा हिस्सा सामाजिक और आर्थिक स्थिति का होता है। कभी-कभी आर्थिक उन्नति का रास्ता सामाजिक परिवर्तन से होकर गुज़रता है। सामाजिक आचार-व्यवहार में बदलाव सामाजिक परिवर्तन के लिए ज़रूरी है और इस तरह सामाजिक परिवर्तन के लिए लोगों के व्यवहार में परिवर्तन एक महत्वपूर्ण रणनीति हो सकती है। व्यवहार परिवर्तन की आवश्यकता इसलिए उभरी है क्योंकि विकसित राज्यों का श्रेणीकरण गरीबी जैसे पैमाने के अतिरिक्त लिंग अनुपात, महिला साक्षरता दर, मातृ मृत्यु दर, शिशु मृत्यु दर, कुपोषण जैसे पैमानों के आधार पर भी किया गया है जिनका वास्ता केवल सरकारी सुविधाओं या बुनियादी संरचनाओं से ही नहीं, बल्कि बहुत हद तक लोगों, समुदायों अथवा लक्षित समूहों से भी है। यदि बेहतर रूप से समझा जाए तो एक छोर पर सरकार है जिसकी जिम्मेदारी मूलभूत सुविधाएं अथवा सेवाएं उपलब्ध कराना है, ताकि लक्षित समूह अथवा समुदाय उन सेवाओं/सुविधाओं तक पहुंच सके। यह हुआ आपूर्ति पक्ष। दूसरे छोर पर समुदाय अथवा लक्षित समूह हैं जिनके लिए सरकार सुविधाएं अथवा सेवाएं मुहैया कराती है। समुदाय एक प्रकार से मांग पक्ष प्रस्तुत करता है। अक्सर होता यह है कि मांग होने पर आपूर्ति की जाती है लेकिन यदि भारत के विकास के परिप्रेक्ष्य में देखा जाए तो समुदाय की ओर से मांग अक्सर ही नगण्य अथवा कमज़ोर होती है। इसे एक उदाहरण से ऐसे समझा जा सकता है कि सरकार ने वृहद् स्तर पर टीकाकरण कार्यक्रम चला रखा है ताकि गर्भवती स्त्रियां एवं 5 वर्ष तक के बच्चे अनेक जानलेवा बीमारियों से बच सकें। लेकिन वास्तविकता यह है कि लोग टीकाकरण कार्यक्रम तक नहीं पहुंच पाते क्योंकि या तो उन्हें जानकारी नहीं है, या उन्हें टीकाकरण पर विश्वास नहीं है या फिर यह भी समझा जा सकता है कि उन्हें टीकाकरण के बिना जीवन गुजारने की आदत पड़

चुकी है। कुछ ऐसी ही स्थिति संस्थागत प्रसव के मामले में है। मातृ मृत्यु दर एवं शिशु मृत्यु दर में कमी के लक्ष्य को हासिल करने के लिए सरकार ने संस्थागत प्रसव को बढ़ावा देने का उद्देश्य निर्धारित किया है जिस तक पहुंचने के लिए उसने सामुदायिक स्वास्थ्य केंद्रों, उप-केंद्रों, प्राथमिक स्वास्थ्य केंद्रों, जिला अस्पतालों जैसे संस्थानों का बड़ा संजाल तैयार कर रखा है। यही नहीं, संस्थागत प्रसवों के बारे में लोगों को सूचित एवं प्रोत्साहित करने के लिए राष्ट्रीय स्वास्थ्य मिशन के तहत आशा कार्यकर्त्रियां तैनात हैं किंतु आज भी देश के ग्रामीण एवं पिछड़े क्षेत्रों में संस्थागत प्रसवों के बारे में समुदाय, विशेषकर ग्रामीण समुदाय की पहल बहुत सकारात्मक नहीं है। कारण अनेक हो सकते हैं– लोगों की सोच, संस्थाओं के प्रति अविश्वसनीयता, परंपरागत प्रसव के तरीकों में विश्वास या फिर परंपरागत प्रसव के तरीकों के साथ जीवन जीने की आदत।

विकास का मुद्दा कोई भी हो, जब देश के पिछड़े क्षेत्र के समुदायों अथवा लक्षित समूहों की बात आती है तो कहीं न कहीं उनकी ओर से मांग की कमी भी सामने आती है। यह कमी भी अनेक कारकों से उपजती है जिनमें लोगों की सोच, आदत, विश्वास, धारणा, मुख्य रूप से शामिल होते हैं। कुल मिलाकर इन सबको 'व्यवहार' का नाम दिया जाता है। यह लोगों का व्यवहार ही है जो उन्हें उन सेवाओं तक पहुंचने नहीं देता जो सरकार ने उनके लिए मुहैया करा रखी हैं। आपूर्ति और मांग के इस असंतुलन एवं लोगों में वांछित व्यवहार की कमी का ख़ामियाज़ा प्रत्यक्ष रूप से लक्षित समूह स्वयं तो भुगतते ही हैं, उनके साथ-साथ उनका राज्य और उनका देश भी भुगतता है, 'पिछड़ों' की श्रेणी में शामिल होकर। कुल मिलाकर यदि देश विकास की दौड़ में पिछड़ता है तो उसकी जड़ में अन्य मुद्दों के साथ समुदाय का व्यवहार भी शामिल होता है।

शायद इसीलिए व्यवहार परिवर्तन संचार को विकास रणनीति के मुद्दों में स्थान दिए जाने की आवश्यकता है क्योंकि लोगों का व्यवहार रातों-रात सपने देखकर परिवर्तित नहीं हो सकता। इसके लिए समुचित संचार प्रक्रिया की आवश्यकता होगी, ऐसी प्रक्रिया जो लोगों के दिमाग में घुसकर बैठी नकारात्मकता को दूर कर सके, उनकी नकारात्मक सोच, धारणाओं, रीतियों एवं आदतों को सकारात्मक ढंग से बदल सके। मौजूदा समय में हमारे देश

के विकास परिदृश्य के अनगिनत मुद्दे हैं। इनमें शिक्षा, स्वास्थ्य, स्वच्छता, मातृ-शिशु सुरक्षा, पोषण, खाद्य सुरक्षा, क्षमता वृद्धि, वित्तीय समावेशन, नारी सशक्तीकरण, पर्यावरण संतुलन, सूक्ष्म उद्यम कुछ ऐसे मुद्दे हैं जिन पर काम किया जा रहा है और आगे भी किया जाएगा। लेकिन इन सबके साथ व्यवहार परिवर्तन संचार को भी विकास के एक अहम मुद्दे के रूप में जोड़े जाने की आवश्यकता है क्योंकि यदि उक्त मुद्दे साध्य हैं तो व्यवहार परिवर्तन संचार एक साधन है। स्वाभाविक है, साधन के बिना साध्य की प्राप्ति नहीं की जा सकती। इसीलिए विकास के सभी सरकारी एवं गैर-सरकारी कार्यक्रमों, अभियानों एवं परियोजनाओं में **व्यवहार परिवर्तन संचार** को प्रमुखता से स्थान दिए जाने की आवश्यकता है। व्यवहार परिवर्तन संचार लोगों की सोच बदलने के लिए किया गया संचार है। इसका लक्ष्य लोगों को एक बड़े परिवर्तन की बुनियादी इकाईयों के रूप में विकसित करना है। चूंकि यहां सरोकार लोगों से होता है, मशीनों से नहीं, इसलिए इस संदर्भ में संचार प्रक्रिया को पूरी तरह से जन-केंद्रित अथवा जनोन्मुखी होने की आवश्यकता है। लोगों के मुद्दे, उनकी समस्याएं, उनकी संस्कृति, तौर-तरीके, उनकी आदतें, सबकुछ लोगों के दृष्टिकोण से देखे जाने की जरूरत है क्योंकि अंततः लोगों की आदतें बदलकर उनकी समस्याएं हल की जानी हैं। ऐसी परिस्थिति में विकास कार्यकर्ता अथवा संचार कर्मियों की भूमिका 'सहजकर्ता' की होनी चाहिए जिसमें प्रभावकारी व्यवहार परिवर्तन संचार की महत्वपूर्ण भूमिका होगी। यदि समस्या समुदाय की है और समुदाय के लोगों ने अपनी समस्या की पहचान कर ली है, तो इसका अर्थ है कि उक्त समस्या का हल खोज निकालने का दमखम भी उनमें मौजूद होगा। उस दमखम को बाहर निकालने का काम करेगा, व्यवहार परिवर्तन संचार जो कि केवल संचार मात्र नहीं है बल्कि अपने-आप में एक विकास अभिगम है या शायद विकास अभिगम से भी आगे बढ़कर सशक्तीकरण अभिगम क्योंकि इसके माध्यम से (सहजकर्ता की थोड़ी सी सहायता से) लोग अपने मुद्दे पहचान सकते हैं, अपनी समस्याओं का हल खोज सकते हैं और उन समस्याओं के हल के रूप में अपने व्यवहार में भी वांछित परिवर्तन ला सकते हैं। व्यवहार में आए परिवर्तन को टिकाकर जीवन का एक अंग बनाने का काम भी व्यवहार परिवर्तन संचार से ही हो सकता है, किसी ज़ोर-ज़बर्दस्ती से या कुछ थोपकर नहीं।

हाल के दिनों में लोगों की आदतें बदलने का एक प्रयास किया जा रहा है **'स्वच्छ भारत अभियान'** के रूप में। इसका उद्देश्य लोगों में स्वच्छता संबंधी अच्छी आदतों का विकास कर उन आदतों को उनके जीवन का अभिन्न अंग बनाना है। इन आदतों में हाथ धोने जैसी बुनियादी आदतों से लेकर शौचालय का निर्माण एवं उनका नियमित प्रयोग भी शामिल है। स्वच्छता की आदत अपनाने से लोगों को अनेक रोगों से बचाने में मदद मिलेगी। सही ढंग से हाथ धोकर अनेक रोगों से बचा जा सकता है, इस मामूली सी दिखने वाली बात की जानकारी अक्सर लोगों को नहीं होती। लेकिन मामूली जानकारी का यह अभाव आगे चलकर बड़ी-बड़ी स्वास्थ्य समस्याओं को जन्म दे सकता है। एक अन्य उदाहरण है - बेटियों के प्रति लोगों की सोच में बदलाव यानी **''बेटी बचाओ-बेटी पढ़ाओ''** अभियान। छोटी- छोटी बातों पर ध्यान देकर, छोटे-छोटे साधन अपना कर हम सूचना की बड़ी खाई को पाट सकते हैं और एक बड़ा लक्ष्य हासिल कर सकते हैं।

लोगों अथवा लक्षित समुदाय की आदतों में बदलाव का लक्ष्य लेकर किया जाने वाला संचार ही अब संचार की एक नई शाखा ''व्यवहार परिवर्तन संचार'' का रूप ले चुका है। सरकार और विकास संगठनों ने संचार की इस शाखा का इस्तेमाल शुरू भी कर दिया है। विकास की दौड़ में आगे रहने के लिए संचार की भूमिका हमेशा अग्रणी रही है। व्यवहार परिवर्तन संचार से बड़े लक्ष्य हासिल किये जा सकते हैं, यह ''पल्स पोलियो'' और ''स्वच्छ भारत अभियान'' जैसे उदाहरणों से साबित भी हो रहा है। इसलिए हम यह कह सकते हैं कि आगे चलकर व्यवहार परिवर्तन संचार, जनसंचार की विभिन्न शाखाओं में अपना अग्रणी स्थान बना सकेगा। आवश्यकता इस बात की है कि लोगों से बातचीत या संचार करने से पहले हम उनके ''व्यवहार'' को समझें और उनकी नकारात्मक आदतों में बदलाव का लक्ष्य लेकर समुचित संदेशों का निर्माण करें।

यह पुस्तक **"व्यवहार में बदलाव से विकास"** के लक्ष्य को समर्पित है। आशा है कि इसके माध्यम से हमारे देश में व्यवहार परिवर्तन संचार से संबंधित पठन-पाठन का मार्ग प्रशस्त होगा, साथ ही इसमें वर्णित विचारों एवं उदाहरणों की सहायता से देश के विभिन्न राज्यों में विकास की प्रक्रिया को गति दी जा सकेगी।

-हेना नक़वी

अध्याय 1

संचार क्या है?

संसार का हर जीवित प्राणी जीवन के हर क्षण किसी-न-किसी प्रकार का संचार करता है। यदि इसे एक आम इंसान की दिनचर्या से जोड़कर देखें तो सुबह नींद टूटते ही ईश्वर को याद करना, बगल में सो रहे जीवन साथी या बच्चे को जगाना, दूध वाले, अखबार वाले से झिकझिक, दफ्तर में बॉस एवं सहकर्मियों से काम की बातें, फिर भोजन अवकाश में हंसी-मज़ाक, लौटते समय सड़क पर गाड़ी में धक्का लगने पर किसी मोटर सायकिल वाले से झगड़ा, सब्जी खरीदते समय सब्जी वाली से मोलभाव, घर लौटकर बच्चों की कठिन पढ़ाई सरल कर उनके दिमाग में घुसाने की कोशिश, रात के खाने के समय परिवार जनों से हल्की-फुल्की बातें एवं अगले दिन की तैयारी अर्थात् जीवन का कोई क्षण ऐसा नहीं है जब हम किसी-न-किसी से किसी-न-किसी रूप में संचार नहीं कर रहे होते हैं। यहां तक कि सपनों में भी एक प्रकार का संचार होता है जो केवल एक ही व्यक्ति तक सीमित होता है अर्थात् केवल उस व्यक्ति तक जो उस सपने को देख रहा होता है। चुप रहकर सोच-विचार करना भी एक प्रकार का संचार है जो केवल उसी व्यक्ति तक सीमित होता है, जिसके दिमाग में यह सोच-विचार चल रहा है। दुधमुंहा बच्चा बोल नहीं पाता किंतु रोकर अपनी मां तक संदेश पहुंचा देता है कि उसे भूख लगी है। पशु-पक्षी भी एक विशिष्ट ढंग से संदेश अपने साथी अथवा बच्चों तक पहुंचाते हैं। कहा जाता है कि भूकम्प या फिर कोई अन्य प्राकृतिक आपदा आने के पहले पक्षी एक अलग प्रकार की आवाज में शोर मचाने लगते हैं जिससे खतरे को भांपा जा सकता है। यह एक प्रकार से पक्षियों द्वारा इंसानों को खतरे का संदेश देना है। यह भी संचार का एक प्रकार है।

कुल मिलाकर यह कहा जा सकता है कि सुबह से लेकर रात तक और जन्म से लेकर मरण तक, जीवन के हर कदम पर संचार चल रहा होता है, कभी लिखकर, कभी बोलकर, कभी पलकें झपकाकर, कभी गर्दन हिलाकर, यहां तक कि चुप रहकर भी हम अपना संदेश गंतव्य अर्थात् लक्षित प्राप्तकर्ता तक पहुंचा ही देते हैं। एक आम आदमी के दृष्टिकोण से की गई इस परिचर्चा के माध्यम से संचार के तकनीकी आयामों को समझना सरल

होगा। लेकिन तकनीकी आयामों पर विस्तार से चर्चा करने से पूर्व एक बार संचार की बुनियादी परिभाषा पर चर्चा करना बेहतर होगा। 'संचार' शब्द संस्कृत की 'चर' धातु से निर्मित है जिसका अर्थ है, 'चलना'। सड़क पर चलने वाले वाहन अथवा आसमान में उड़ने वाले वायुयान सभी एक निश्चित स्थान तक जाते हैं और अपने मूल स्थान तक वापस आ जाते हैं। इसीलिए यहां पर भी संचार शब्द का ही प्रयोग किया जाता है जैसे सड़क संचार, वायु संचार, जल संचार, दूर संचार आदि। इसी परिप्रेक्ष्य में संचार प्रक्रिया को ऐसे समझा जा सकता है कि यह संदेश भेजने और प्राप्त करने की प्रक्रिया है जैसा कि दुधमुंहे बच्चे द्वारा रोकर दूध मांगने और मां द्वारा उसका संदेश समझकर उसे दूध पिलाने के उदाहरण से समझ में आता है। उसी प्रकार किसी वस्तु के एक स्थान से दूसरे स्थान तक जाने और आने की प्रक्रिया को संचार कहा जा सकता है। प्राचीन भारत में भरतमुनि द्वारा लिखे गए 'नाट्यशास्त्र' में एक शब्द 'साधारणीकरण' आया है। भरतमुनि के अनुसार, 'साधारणीकरण' एक ऐसी सामाजिक प्रक्रिया है जो केवल सहृदयी लोगों के बीच ही हो सकती है। यहां पर सहृदयी का अर्थ समान हृदय वाले से बढ़कर समान विचार वाले लोगों से लगाया जा सकता है। इसका एक और पहलू यह भी हो सकता है कि दोनों पक्ष एक-दूसरे के प्रति ऐसी अनुभूति रखें जिसके माध्यम से एक पक्ष दूसरे पक्ष की भावनाओं, विचारों अथवा मुद्दों को उसके दृष्टिकोण से समझ सके, केवल अपने दृष्टिकोण से नहीं।

अब चलते हैं, संचार शब्द के अंग्रेजी समकक्ष '*कम्यूनिकेशन*' की ओर जो एक प्रचलित शब्द है। *कम्यूनिकेशन* शब्द एक अन्य अंग्रेजी शब्द *कॉमननेस* (अर्थात् समानता या सामान्यता) पर आधारित है। 'कॉमननेस' को भरत मुनि के 'नाट्यशास्त्र' में वर्णित सहृदयी से जोड़कर देखा जाए तो यह बात समझ में आती है कि संचार की प्रक्रिया में समानता या सामान्यता का पुट अत्यंत आवश्यक है। सामान्यता ही वह बुनियादी तत्व है जो संदेश देने वाले को संदेश प्राप्त करने वाले से जोड़ता है। इस तत्व के बिना संदेश देने वाला और संदेश प्राप्त करने वाला कभी एक धरातल पर नहीं आ सकते और न ही उनके बीच संचार हो सकता है।

यहां यह भी समझना आवश्यक है कि इस काम के लिए संदेश देने वाले और संदेश पाने वाले का एक साथ एक धरातल पर उपस्थित होना आवश्यक नहीं है। हो सकता है दोनों पक्ष किसी माध्यम से एक-दूसरे से जुड़े हों। जैसे टीवी, रेडियो अथवा समाचार पत्र-पत्रिकाएं। यह माध्यम मशीनी

अथवा तकनीकी माध्यमों से संदेश देते हैं जिनके ग्रहणकर्ता लाखों हो सकते हैं। व्यावहारिक तौर पर ये सभी एक भौतिक धरातल पर एक साथ नहीं आ सकते। इन माध्यमों के मामले में संदेश ग्रहणकर्ता के अतिरिक्त संदेश दाता भी अदृश्य ही होता है (टीवी और रेडियो के कुछ जीवंत सहभागी कार्यक्रमों में मेज़बान और मेहमान एक साथ उपस्थित होते हैं)। इसीलिए, इन माध्यमों की सहायता से किए जा रहे संचार में अक्सर फीडबैक का तत्व अनुपस्थित होता है। उपस्थित हुआ भी, तो या तो अप्रत्यक्ष होगा या विलम्बित होगा जैसे किसी लोकप्रिय टीवी कार्यक्रम के संबंध में दर्शकों के प्रशंसा पत्र अथवा उक्त कार्यक्रम की सोशल मीडिया पर प्रशंसा अथवा '*लाइक*'।

यदि परिभाषा पर जाएं, तो संचार को कई ढंग से परिभाषित जा सकता है। किंतु एक आम व्यक्ति के दृष्टिकोण से संचार को एक ऐसी प्रक्रिया के रूप में समझा जा सकता है जिसमें विचारों, भावनाओं या सूचनाओं का आदान-प्रदान होता है। एक अन्य परिभाषा यह भी हो सकती है कि संचार की प्रक्रिया में अनेक तरीकों और माध्यमों की सहायता से विचारों को एक स्थान से दूसरे स्थान तक पहुंचाया जाता है जिनका उद्देश्य किसी-न-किसी रूप में बदलाव लाना होता है। यह समस्त प्रक्रिया अनेक उप-प्रक्रियाओं जैसे सुनने, विश्वास सृजन, ज्ञान/अनुभवों के आदान-प्रदान, वाद-विवाद एवं सीखने-सिखाने आदि से मिलकर बनी होती है।

परिभाषा जो भी हो, कुल मिलाकर संचार प्रक्रिया का लक्ष्य विचारों का आदान-प्रदान ही होता है। इस आदान-प्रदान के बिना संचार पूर्ण नहीं हो सकता।

परिभाषा के अतिरिक्त संचार की अवधारणा एवं प्रक्रिया को निम्नांकित चित्र की सहायता से भी समझा जा सकता है:

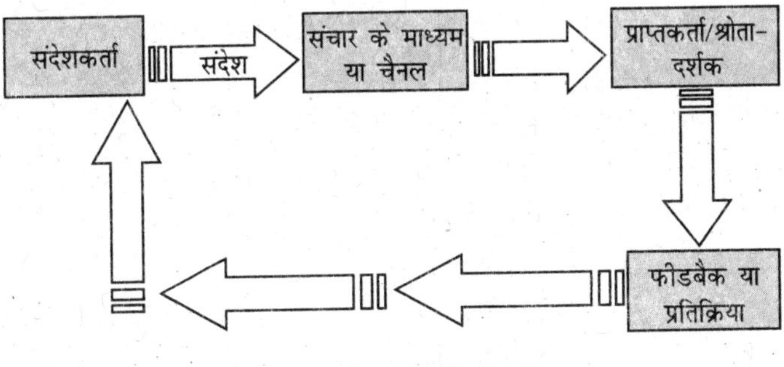

संचार की प्रक्रिया का रेखीय चित्र

चित्र के माध्यम से देखा-समझा जा सकता है कि किस प्रकार संचार प्रक्रिया का प्रवाह बनता है। इस प्रक्रिया में दर्शाए गए तत्वों के बिना संचार संभव नहीं है। इसलिए, आगे बढ़ने से पहले इन तत्वों पर एक दृष्टि डाल लेना बेहतर होगा।

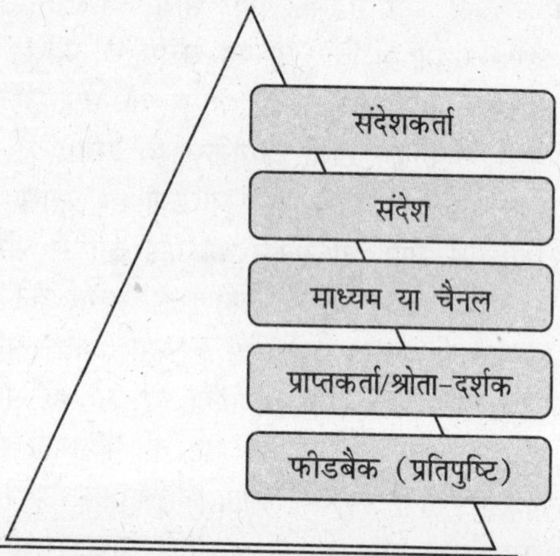

संचार प्रक्रिया के बुनियादी तत्व

संदेशकर्ता-संदेशकर्ता वह स्रोत है जहां संदेश की उत्पत्ति होती है। संदेशकर्ता अपने संदेश को इस तरह निर्मित करता है, जिससे कि वह प्राप्तकर्ता को आसानी से समझ में आ सके। इसके लिए वह हमेशा संदेश प्राप्तकर्ता की सामाजिक-आर्थिक स्थिति व उससे जुड़े अन्य पहलुओं को ध्यान में रखता है। प्राप्तकर्ता की प्रकृति के अनुरूप संदेश निर्माण करने की यह प्रक्रिया '*एनकोडिंग*' यानी संदेश को कूटबद्ध किया जाना भी कहा जाता है। प्राप्तकर्ता उपयुक्त संचार माध्यम या चैनल का चयन करता है। चैनल की उपयुक्तता का निर्णय करते समय भी संदेशकर्ता, संदेश प्राप्तकर्ता की प्रकृति और उसकी स्थिति को ध्यान में रखता है। वह यह देखता है कि जिस भी संचार माध्यम से वह अपना संदेश भेज रहा है, प्राप्तकर्ता की उस माध्यम (*चैनल*) तक पहुंच है या नहीं। या फिर, उस चैनल तक पहुंचने में उसे कोई बाधा तो नहीं है। जैसे-दृष्टिबाधित लोगों को समाचारपत्रों या टेलीविज़न के माध्यम से संदेश नहीं दिये जा सकते। संदेश उपयुक्त चैनल के ज़रिए ही प्राप्तकर्ता तक जाता है। प्राप्तकर्ता को '*डीकोडर*' यानी संदेश को समझने

वाला भी कहा जाता है। संदेश प्राप्तकर्ता को समझ में आया या नहीं, यह प्राप्तकर्ता की प्रतिक्रिया से पता चलता है, जो वापस घूमकर संदेशकर्ता तक पहुंचती है। 'फीडबैक' या प्रतिक्रिया प्राप्त करने की व्यवस्था भी संदेशकर्ता ही करता है। इस प्रकार संदेशों के आदान-प्रदान का यह चक्र हमेशा चलता रहता है। यदि इन तत्वों की कोई कड़ी टूटती है, तो संदेश बाधित होता है। जब संदेश बाधित होता है तो संदेशकर्ता और प्राप्तकर्ता के बीच संवादहीनता की स्थिति पैदा होती है और भ्रम फैलता है। इस प्रकार संचार दो-तरफा (टू-वे) और सतत् प्रक्रिया है।

संदेश–संदेश वह विचार, सूचना, भावना अथवा जानकारी है जो संदेशकर्ता, संदेश पाने वाले तक पहुंचाना चाहता है। दिए जा रहे संदेश का कोई भी रूप हो सकता है, मौखिक, लिखित, इशारे, भावभंगिमा आदि। संदेशकर्ता संदेश का निर्माण, चैनल का चुनाव और संदेश भेजने का काम करता है। प्राप्तकर्ता अपनी ग्रहण क्षमता के अनुरूप संदेश को समझता है और उसी आधार पर प्रतिक्रिया (फीडबैक) अर्थात् अगला संदेश देता है। संचार की प्रक्रिया निर्बाध रूप से चलाने के लिए आवश्यक है कि संदेश में स्पष्टता हो। इसलिए संदेश की *एनकोडिंग* करते समय संदेश को अपनी सुविधा या क्षमता के अतिरिक्त ग्रहणकर्ता की सुविधा या क्षमता का भी ध्यान रखना चाहिए ताकि प्राप्तकर्ता संदेश का वही अर्थ समझे जो संदेशकर्ता का आशय था। संदेश देने अथवा समझने में थोड़ी सी भी चूक हुई तो संचार में व्यवधान उत्पन्न हो सकता है और समस्त प्रक्रिया बाधित हो सकती है।

माध्यम–एनकोडिंग के बाद जब संदेश तैयार होता है तो संदेशकर्ता उसे किसी-न-किसी माध्यम से प्राप्तकर्ता तक पहुंचाता है। माध्यम नहीं होगा तो संदेश प्रेषक के पास ही पड़ा रहेगा, प्राप्तकर्ता तक नहीं पहुंच पाएगा। माध्यम के द्वारा संदेशकर्ता और ग्रहणकर्ता एक-दूसरे से जुड़ते हैं। यह माध्यम किसी भी रूप में हो सकता है। मौखिक शब्द वायु के ज़रिए, लिखित शब्द लिपि के ज़रिए, इशारों/भावभंगिमा, शारीरिक मुद्राओं (*बॉडी लैंग्वेज*) के ज़रिए संदेशकर्ता से प्राप्तकर्ता तक पहुंचते हैं।

प्राप्तकर्ता–संचार की समस्त प्रक्रिया को अगर एक डोर में बांधा जाए तो डोर के एक सिरे पर संदेशकर्ता होता है तो दूसरी ओर संदेश को पाने वाला। ये दोनों किसी माध्यम से एक-दूसरे से जुड़ते हैं और उनमें संदेशों का आदान-प्रदान होता है। इस क्रम में अक्सर संदेश उत्पत्ति के बाद के चरण

में संदेशकर्ता और संदेश प्राप्तकर्ता की भूमिकाएं आपस में बदलती रहती हैं अर्थात् कभी संदेश दाता, संदेश प्राप्तकर्ता बनता है तो कभी प्राप्तकर्ता संदेश दाता बनता है। केवल शुरुआत में अर्थात् संदेश उत्पत्ति के क्रम में संदेश दाता की भूमिका संदेशकर्ता की होती है। भूमिकाओं की अदला-बदली अक्सर उस स्थिति में होती है जब संचार की प्रक्रिया लंबी हो।

प्राप्तकर्ता–जब संदेश किसी माध्यम (*चैनल*) से गुज़रकर प्राप्तकर्ता तक पहुंचता है तो वह उस संदेश को *डीकोड* करता और समझता है। इन दोनों कामों को एक साथ '*डीकोडिंग*' कहा जाता है। इसे एक उदाहरण की सहायता से ऐसे समझा जा सकता है कि लोगों से भरे किसी सभागार में कोई कार्यक्रम चल रहा है, काफी शोरशराबा है। तभी पीछे की पंक्ति में बैठे एक व्यक्ति को कुछ लिखने के लिए कलम की आवश्यकता होती है लेकिन कलम उसके पास नहीं है। इसलिए वह बगल में बैठे व्यक्ति से कलम लेना चाहता है लेकिन शोर के कारण मुंह से न बोलकर वह लिखने का इशारा कर कलम मांगता है। बगल में बैठा व्यक्ति जब उस इशारे (कलम मांगने के संदेश) की डीकोडिंग करता है तो उसे समझ में आता है कि उसके पड़ोसी को कलम चाहिए। दुर्भाग्यवश कलम उसके पास भी नहीं है और वह हाथ से कलम नहीं होने का इशारा करता है जिसकी डीकोडिंग कर वह पहला व्यक्ति (संदेशकर्ता) समझ जाता है कि कलम उसके पास भी नहीं है। यहां दोनों ही संदेशों में इशारों का प्रयोग किया गया है लेकिन मौखिक अथवा लिखित संदेश की भी डीकोडिंग अर्थात् अपने ढंग से समझे जाने की ज़रुरत होती है। एनकोडिंग और डीकोडिंग का इस्तेमाल माध्यम यानी चैनल भी करते हैं। उदाहरण के लिए रेडियो पर संदेश देने के लिए ध्वनि ऊर्जा को पहले विद्युत ऊर्जा में परिवर्तित किया जाता है और फिर रेडियो का ट्रांसमीटर उन विद्युत तरंगों को रेडियो तरंगों में बदल कर रेडियो सेट तक पहुंचाता है। रेडियो सेट इन तरंगों को प्राप्त करता है और उसमें लगा डायोड रेडियो तरंगों को वापस विद्युत ऊर्जा में परिवर्तित करता है और फिर रेडियो में लगा स्पीकर उसे वापस ध्वनि ऊर्जा में बदल देता है और हमें वह आवाज़ सुनाई देती है, जो स्टूडियो में बैठा संदेशकर्ता हमें (प्राप्तकर्ता/श्रोता को) सुनाना चाहता है। इसी प्रकार समाचारपत्रों में स्याही से छपे शब्द 'एनकोडिंग' है। इसकी डीकोडिंग वही प्राप्तकर्ता (पाठक) कर सकता है जिसे समाचारपत्र में छपे अक्षर पढ़ने आते हों। इसलिए, प्राप्तकर्ता की समझ/ग्रहण करने की क्षमता और चैनल तक उसकी पहुंच को ध्यान में रखकर ही माध्यम का चुनाव किया जाता है।

फीडबैक–यदि संदेश की ठीक प्रकार से डीकोडिंग हो जाती है तो ग्रहणकर्ता द्वारा मूल संदेश के आधार पर उसका उपयुक्त जवाब या प्रतिक्रिया तैयार की जाती है जिसे '*फीडबैक*' का नाम दिया गया है। यह फीडबैक उपलब्ध माध्यम/चैनल की सहायता से संदेशकर्ता (प्रथम संदेश देने वाले) तक पहुंचता है। इस प्रकार संदेश/फीडबैक लेनदेन का यह सिलसिला सुचारु रूप से चलता रहता है, किसी आंतरिक अथवा बाह्य कारक द्वारा रुकावट उत्पन्न होने तक। किसी रुकावट के कारण उत्पन्न व्यवधान को 'संचार व्यवधान' कहा जाता है (इस विषय पर विस्तृत चर्चा एक अलग अध्याय में की गई है)।

संचार के यह सभी तत्व एक-दूसरे पर इस प्रकार से निर्भर होते हैं कि एक के बिना दूसरा अधूरा है। संदेश देने वाले का महत्व इसलिए है क्योंकि कहीं कोई उस संदेश को पाने वाला मौजूद है। संदेश तभी अपने गंतव्य तक पहुंच सकता है जब कोई माध्यम उसे पहुंचाए। संदेश तभी सही ढंग से दिए और समझे जा सकेंगे जब उनकी समुचित एनकोडिंग और डीकोडिंग की जाए। ग्रहणकर्ता तक पहुंचने के बाद यदि संदेश पर कोई कार्यवाही न हो, कोई फीडबैक मूल संदेश देने वाले तक नहीं पहुंच सके तो संचार की प्रक्रिया आगे नहीं बढ़ सकती। इन तत्वों में से किसी एक की भी अनुपस्थिति में संचार प्रक्रिया आगे नहीं बढ़ सकती। इसलिए सभी तत्व अपने-आप में महत्वपूर्ण हैं और इन सभी पर ध्यान दिए जाने की आवश्यकता है।

❑❑❑

अध्याय 2

क्या है व्यवहार परिवर्तन संचार?

व्यवहार परिवर्तन, यानी लोगों की कुछ आदतों, सोचने तथा काम करने के तौर-तरीकों और कुछ मामलों में रूढ़ियों में बदलाव, जिससे समाज में सकारात्मक बदलाव हों और अंततः इससे समाज विकास की ओर बढ़ चले। इस बदलाव के लिए लोगों को प्रेरित करने वाले संदेशों और उसके लिए अपनाए जाने वाले तरीक़ों को ही व्यवहार परिवर्तन संचार की संज्ञा दी गयी है। यह संचार भी संचार के सामान्य सिद्धांतों से ही संचालित होता है। जनसंचार के जो भी माध्यम लक्षित जनता को उपलब्ध हैं, वही इसमें भी काम आएंगे।

मौजूदा समय में व्यवहार परिवर्तन संचार की बातें बहुत जोर-शोर से हो रही हैं। इसकी आवश्यकता इसलिए उभरी, क्योंकि हर वह क्षेत्र जहां सीधे जनता से वास्ता है, या जहां जनाधारित लक्ष्य है, वहां जन का व्यवहार उतना ही अधिक महत्वपूर्ण है जितना जन स्वयं। वैसे भी, अब विकास के क्षेत्र में गतिविधि आधारित परिवर्तन का जमाना नहीं है, अब ज़माना है, परिणाम आधारित परिवर्तन का जिसमें व्यवहार परिवर्तन संचार की अत्यंत महत्वपूर्ण भूमिका है। सामाजिक या विकास क्षेत्र में काम करने के दौरान अक्सर ही यह समझ में आता है कि एक सामाजिक कार्यकर्ता का काम विकास का संदेश देकर ही खत्म नहीं हो जाता। विकास संदेश प्रदान करना तो दरअसल विकास प्रकिया अथवा सामाजिक बदलाव की शुरुआत, एक बहुत ही छोटी सी शुरुआत भर है। इन संदेशों के बाद क्रम शुरू होता है एक लम्बी, अत्यंत लम्बी प्रक्रिया का, जिसका लक्ष्य होता है लक्षित समाज में लक्षित बदलाव लाना। कभी-कभी तो यह प्रक्रिया निरंतर चलती ही रहती है और समुदाय स्तर पर बदलाव लाने का सिलसिला भी चलता ही रहता है क्योंकि सामाजिक बदलाव के मुद्दे आपस में ऐसे गुंथे होते हैं कि उन्हें अलग करना और अलग-अलग लक्षित करना उचित भी नहीं और शायद संभव भी नहीं है। मगर इतना तय है कि इसं समेकित प्रक्रिया से उभरने वाले परिणाम ज़रूर ही वांछित मुद्दों पर वांछित परिणाम लाएंगे और यह समस्त वांछित परिणाम कुल मिलाकर एक बड़ा बदलाव लाने की क्षमता रखते हैं

और वह है-समुदाय का समेकित विकास जो लोगों के व्यवहार में आए परिवर्तन का नतीजा है। समुदाय के व्यवहार में उभरे इस सकारात्मक परिवर्तन में अक्सर ही प्रभावकारी संचार का हाथ होता है जिसे 'व्यवहार परिवर्तन संचार' की संज्ञा दी गई है।

यहां संचार और व्यवहार परिवर्तन संचार के भेद को इस प्रकार समझा जा सकता है कि एक आम व्यक्ति के दृष्टिकोण से सामान्य संचार एक ऐसी प्रक्रिया है जिसमें अनेक तरीकों और माध्यमों की सहायता से विचारों और सूचनाओं को एक स्थान से दूसरे स्थान तक पहुंचाया जाता है जिनका उद्देश्य किसी-न-किसी रूप में बदलाव लाना होता है। यह समस्त प्रक्रिया अनेक उप-प्रक्रियाओं जैसे सुनने, विश्वास सृजन, ज्ञान/अनुभवों के आदान-प्रदान, वाद-विवाद एवं सीखने-सिखाने आदि से मिलकर बनी होती है। यदि संचार की इस परिभाषा को व्यवहार परिवर्तन संचार से जोड़ा जाए तो यह समझ में आता है कि विभिन्न तरीकों और माध्यमों से किया गया वह संचार जिसका उद्देश्य लक्षित व्यक्ति, समूह अथवा समुदाय के व्यवहार में परिवर्तन लाना होता है, 'व्यवहार परिवर्तन संचार' कहा जा सकता है। सामान्य संचार की ही तरह इस विशिष्ट संचार में भी विश्वास सृजन, ज्ञान एवं अनुभवों के आदान-प्रदान, चर्चा-परिचर्चा, सीखने-सिखाने एवं उक्त सीख को व्यवहार में अपनाने की अत्यंत महत्वपूर्ण भूमिका होती है।

व्यवहार परिवतन संचार को प्राचीन भारत में भरत मुनि द्वारा लिखे गए 'नाट्यशास्त्र' में वर्णित '**साधारणीकरण**' एवं '**सहृदयीकरण**' नामक तत्वों से जोड़कर देखा जा सकता है, जिसकी चर्चा पूर्व के अध्याय में भी की गई है। समानता और विचारों के मेल के बिना संचार तो कतई नहीं हो सकता। व्यवहार परिवर्तन संचार के संदर्भ में तो इन तत्वों की अनिवार्यता और अधिक बढ़ जाती है क्योंकि यहां वास्ता एक ऐसे समुदाय से होता है जो अज्ञानता, अशिक्षा, संसाधनहीनता अथवा किसी भी अन्य कारण से किसी समस्या से जूझ रहा होता है और उस समस्या से मुक्ति दिलाने के लिए ही समाधान के रूप में व्यवहार परिवर्तन संचार की आवश्यकता सामने आई है। ऐसी परिस्थिति में यदि संदेशकर्ता (विकास कार्यकर्ता, अभिप्रेरक अथवा व्यवहार परिवर्तन कार्यकर्ता) समुदाय के स्तर से ऊपर उठकर 'साहबों' की तरह आदेश अथवा 'बाबाओं' की तरह उपदेश देने लगे तो सारे के सारे संदेश धराशायी हो जाएंगे क्योंकि दोनो पक्षों के स्तरों में बहुत अधिक भिन्नता है।

समानता स्थापित करने अथवा एक स्तर पर आने के लिए कोई भी समुदाय रातोंरात तो अपना स्तर ऊंचा नहीं कर सकता लेकिन संदेशकर्ता जरूर अपना स्तर नीचा कर सकता है। संचार की भाषा में इसे '*लेवलिंग*' कहते हैं क्योंकि इसके द्वारा दोनों पक्ष समान स्तर पर आ जाते हैं और दोनों के बीच संवाद स्थापित होना संभव हो जाता है। सहृदयीकरण नामक तत्व को एक ऐसी अनुभूति के रूप में समझा जा सकता है जिसकी मदद से विकास कार्यकर्ता अथवा अभिप्रेरक, समुदाय की समस्याओं एवं मुद्‌दों को समुदाय की दृष्टि से देख सके और समुदाय को होने वाली पीड़ा को महसूस कर सके। इस विशेष प्रकार की अनुभूति के बाद समुदाय के साथ जो संवाद स्थापित होगा, वह सचमुच प्रभावी होगा क्योंकि समस्याओं का निराकरण समुदाय के दृष्टिकोण से होगा, विकास कार्यकर्ता अथवा अभिप्रेरक के दृष्टिकोण से नहीं।

यदि गहराई में जाएं तो 'व्यवहार परिवर्तन संचार' लंबे समय तक चलने वाली एक ऐसी सहभागी प्रक्रिया है जिसमें समुदाय स्तर पर लोगों की संस्कृति, परिवेश, उनकी दिनचर्या से जुड़ी अवांछित या हानिकारक रीतियों की पहचान कर विभिन्न माध्यमों की सहायता से उनकी सोच, आदतों, प्रथाओं व तौर-तरीकों में वांछित परिवर्तन लाने के प्रयास शामिल होते हैं। इस प्रक्रिया का संचार द्विपक्षीय (कभी-कभी बहुपक्षीय) होता है। इसका प्रवाह पहले नीचे से ऊपर की ओर (समुदाय की आदतों व तौर-तरीकों को जानने के लिए) होता है और फिर ऊपर से नीचे की ओर (समुदाय को जागरूक बनाने, समुदाय की समस्याओं के समाधानों पर परामर्श देने एवं परामर्श को अपनाए जाने के लिए प्रेरित करने के लिए)।

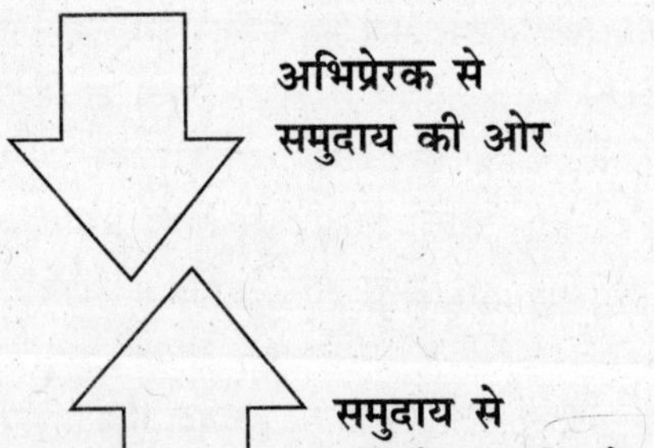

व्यवहार परिवर्तन संचार में दो-तरफा संचार प्रवाह

इस द्विपक्षीय संचार प्रवाह में एक समय आता है जब दोनों पक्ष एक धरातल पर आकर समानांतर संचार करते हैं। यह कुल मिलाकर 'साधारणीकरण' वाली ही स्थिति है जिसमें दोनों पक्ष समान होंगे, कोई ऊंचा-नीचा नहीं होगा।

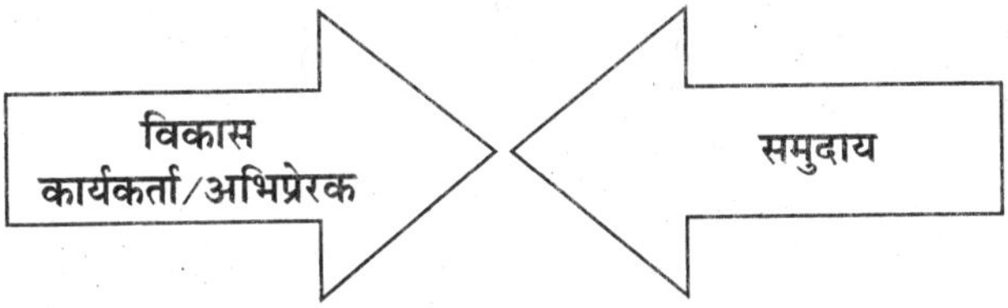

साधारणीकरण अथवा समान धरातल पर आने की प्रक्रिया

इस प्रक्रिया में अक्सर इन तौर-तरीकों अथवा आदतों में परिवर्तन में आड़े आने वाली बाधाओं व अड़चनों की पहचान व उन्हें दूर करने के उपाय खोज निकालना तक शामिल होते हैं। इस मुद्दे पर काम करने के लिए इस शब्द-समूह के तीनों शब्दों के सामंजस्य को इस प्रकार समझा जा सकता है:

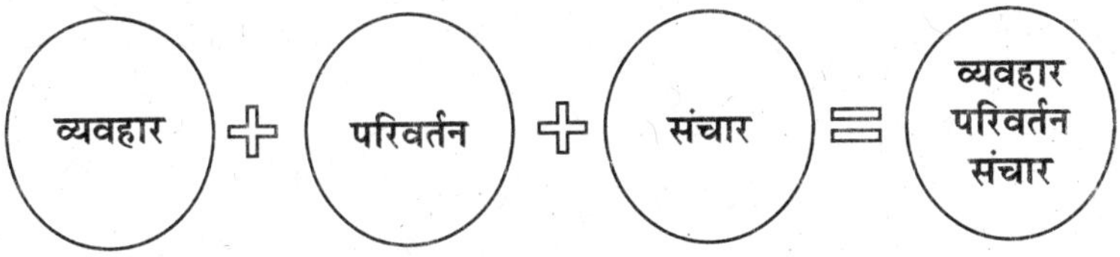

इस चित्र के अनुसार व्यवहार परिवर्तन संचार ऐसा संचार है, जिसके माध्यम से लोगों के व्यवहार में वांछित व समुचित परिवर्तन लाए जा सकें; ऐसे परिवर्तन जो लंबे समय से चली आ रही गलत रीतियों या गलत दिशा में चल रही रीतियों अथवा तौर-तरीकों को बदलकर लाए जा सकें। इसका अंतिम लक्ष्य है-बदलाव, जो कि लोगों के व्यवहार में हो और ऐसा संचार जो व्यवहार को लक्षित करते हुए उस में परिवर्तन लाए।

यहां 'व्यवहार' से तात्पर्य केवल तौर-तरीके या रीति से ही नहीं है बल्कि इसमें हम निम्नलिखित संघटक भी शामिल कर सकते हैं :

- सोच/धारणा
- आदतें
- आचार, तौर-तरीके, रीतियां व परंपराएं (कुल मिलाकर-व्यवहार)

इन संघटकों को समझने के लिए भारत के पिछड़े ग्रामीण क्षेत्रों में बच्चों व गर्भवती महिलाओं के टीकाकरण का उदाहरण लेते हैं। हमारे देश के पिछड़े क्षेत्रों में अक्सर लोगों की सोच होती है कि बीमारियां ईश्वर का प्रकोप होती हैं, टीका लगाने से बेवजह पीड़ा होती है, फायदा कुछ नहीं क्योंकि बीमारी के रूप में पापों का फल भुगतना भाग्य में लिखा होता है जिसे कोई दवा या टीका ठीक नहीं कर सकते, टीकों से अक्सर आगे चलकर बच्चों की संतानोत्पत्ति की क्षमता पर बंरा प्रभाव पड़ता है, आदि। कुछ और भी भ्रांतियां उन्हें सताती हैं कि टीका लगाने के लिए एक ही सूई का बार-बार प्रयोग किया जाता है। इस नकारात्मक सोच का प्रभाव यह होता है कि टीकाकरण करने वाले स्वास्थ्यकर्मियों को देखते ही लोग कन्नी कटाने लगते हैं। कुल मिलाकर इस मामले का अंतिम परिणाम यह होता है कि उस क्षेत्र में (जहां कहीं भी ऐसी सोच और ऐसी आदतें होगीं), टीकाकरण का प्रतिशत बहुत कम होता है जिसके कारण मातृ-शिशु मृत्यु दर अधिक होती है।

इस संदर्भ में एक और उपयोगी उदाहरण हो सकता है, पिछड़े क्षेत्रों में नवजात शिशु को मां का पहला दूध (खिरसा/खीस/पीयूष/अंग्रेज़ी में '*कोलस्ट्रम*') पिलाने का। आज भी देश के अधिकतर हिस्सों में लोग यह सोचते हैं कि मां का पहला दूध उसकी छातियों में जमा हुआ होता है और उसकी तासीर ठंडी होती है जिससे बच्चे को नुकसान हो सकता है। इस नकारात्मक सोच या भ्रांति के कारण मां का पहला दूध निकालकर फेंक दिया जाता है। यह बच्चे का दुर्भाग्य है कि समस्त प्रकार के पोषक तत्वों से भरपूर और बच्चे की प्रतिरोधक क्षमता बढ़ाने वाला पहला दूध उसे नहीं मिल पाता। इस ग़लत आदत के कारण ऐसे समुदाय में नवजात शिशु को शहद या बकरी का दूध पिलाने की ग़लत रीति भी प्रचलित है। एक ओर तो बच्चे को अमृत समान पहले दूध से वंचित रखकर आवश्यक पौष्टिक तत्वों से दूर कर दिया जाता है तो दूसरी ओर शहद या बकरी के दूध के सेवन से बच्चे का शरीर संक्रमित हो जाता है, उसे दस्त होने लगते हैं। सही देखभाल नहीं हो, तो ऐसे संक्रमण जानलेवा भी साबित हो सकते हैं।

व्यवहार बदलने की प्रक्रिया पर यदि ध्यान दिया जाए तो पता चलता है कि गलत या अवांछित व्यवहार की पहली कड़ी है-सोच। यह सोच कहां से आती है? जानकारी की कमी, जागरूकता का अभाव या वर्षों पुरानी परंपरा (जो एक बार फिर गलत सोच, व जानकारी की कमी का परिणाम होती है) जिसे जाने-समझे बिना लोग पीढ़ी दर पीढ़ी निभाते रहते हैं। एक तरह से

अगर देखा जाए, तो यहां यह समझना कठिन है कि सोच से परंपराएं बनती हैं या परंपराओं से सोच।

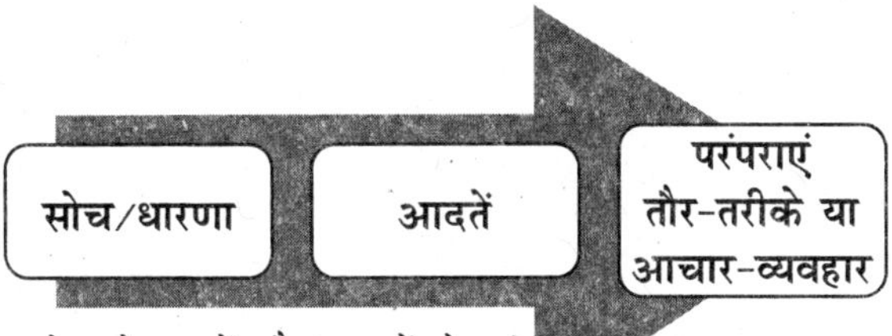

सोच से आदतें और आदतों से परंपराएं या आचार-व्यवहार बनने का क्रम

शायद जमीनी स्तर पर यह भी हो सकता है कि परंपराओं से सोच बनती हो। इस नाते यह क्रम ऊपर दर्शाए गए क्रम से बिल्कुल विपरीत होगा।

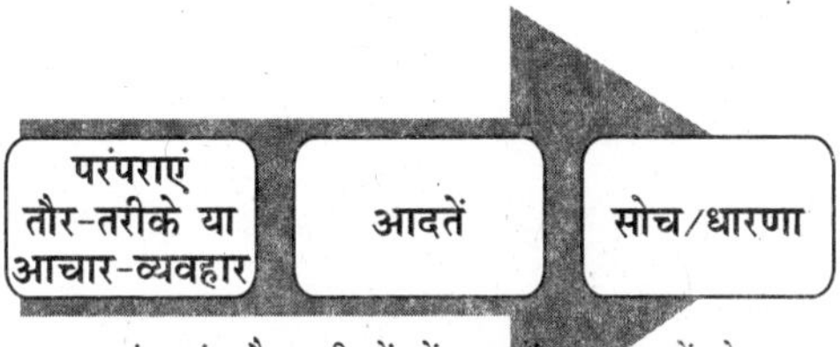

परंपराएं, तौर-तरीकों में आदतें व आदतों से सोच बनने का क्रम

यह बिल्कुल वही स्थिति है कि पहले अंडा आया या मुर्गी? इस सदियों पुरानी पहेली का जवाब तो हमारे पास नहीं है मगर व्यवहार परिवर्तन के संदर्भ में हमारे लिए यह समझना आवश्यक है कि सोच से परंपराएं बनी हैं अथवा परंपराओं से सोच? अंडे और मुर्गी वाली पहेली की तरह इसका हल खोजना भी उतना ही कठिन है। इसलिए इसे ऐसे समझ लें कि सोच और परंपराएं एक दूसरे का कारण और परिणाम हैं अर्थात् सोच धीरे-धीरे परंपराओं का रूप ले लेती है ठीक उसी तरह जैसे वर्षों पुरानी परंपराओं को लोग अपनी सोच अथवा धारणा में शामिल कर लेते हैं और उसी ढंग से सोचते अथवा व्यवहार करते हैं।

व्यवहार में परिवर्तन के लिए सबसे पहले सोच बदलने की आवश्यकता है क्योंकि परंपराओं को बदलना शायद उतना सरल नहीं होगा। यहां यह भी माना जा सकता है कि यदि सोच या धारणाएं बदलीं तो आदतें बदलेंगी और आदतों में बदलाव से धीरे-धीरे परंपराएं और रीतियां अर्थात् लोगों का व्यवहार बदलेगा। सोच बदलने के लिए इसके कारणों को समझने की ज़रूरत है।

जैसा हमने ऊपर देखा कि अवांछित धारणा अथवा गलत सोच के मुख्य कारण हैं–जानकारी की कमी, जागरूकता की कमी (जो कहीं-न-कहीं जानकारी की कमी की उपज है) और परंपराएं (यदि हम व्यवहार निर्माण के दूसरे क्रम को लें, तो)। परंपराओं को एक झटके में बदलना किसी भी विकास कार्यकर्ता अथवा संस्था के लिए संभव नहीं है क्योंकि यह अपने-आप में अत्यंत संवेदनशील मुद्दा है। इसके लिए आवश्यक है कि पहले लोगों को संबंधित मुद्दों पर जानकारी देकर उन्हें जागरूक बनाएं व संवेदित करें ताकि धीरे-धीरे उन्हें समझ में आए कि जो कुछ भी अभी तक होता आ रहा था, वह गलत या अवांछित है, उसे बदलना चाहिए। यही समझ उनकी सोच बदलने में मदद करेगी। सोच बदली तो फिर आदतें, परंपराएं व व्यवहार बदलने में समय नहीं लगता। इस चर्चा से यह सामने आता है कि व्यवहार परिवर्तन की शुरुआत ज्ञान अथवा जानकारी देने से होती है। जानकारी के फलस्वरूप सोच (धारणाएं, रीतियां, तौर-तरीके आदि) बदलती है। यदि आवश्यकता हुई तो बदली हुई सोच को व्यावहारिक रूप देने के लिए कौशल भी प्रदान किए जाते हैं। इस प्रक्रिया का अंत होता है जानकारी लेने, सोच बदलने, नवीन कौशल को जीवन में अपनाने की प्रेरणा लेने से। इस प्रकार, व्यवहार परिवर्तन संचार की निम्नलिखित भूमिकाएं हो सकती हैं:

- संबंधित विषय पर नवीन और उपयोगी जानकारी प्रदान करना/ज्ञान स्तर में वृद्धि।
- उक्त जानकारी के माध्यम से सोच में सकारात्मक बदलाव लाना।
- बदली हुई सोच को व्यवहार में उतारने के लिए कौशल प्रदान करना।
- कौशल को जीवन में अपनाने के लिए अभिप्रेरित करना।

दूसरे शब्दों में, व्यवहार परिवर्तन संचार का काम यह समझाना है कि 'क्या है', 'क्या होना चाहिए', 'क्या करना है,' 'क्यों होना चाहिए', 'क्यों करना है' और 'कैसे करना है'? यदि समुदाय की सहभागिता अच्छी रही तो इसी क्रम में यह भी निर्धारित हो जाएगा कि 'कब करना है और कौन करेगा'? व्यवहार परिवर्तन संचार की प्रक्रिया एक लचीली प्रक्रिया है जो परिस्थिति के अनुसार बदल सकती है। इसीलिए इसके दायरे में कभी केवल जानकारी देना हो सकता है तो कभी जानकारी देने से लेकर सोच बदलने, कौशल प्रदान करने और उसे जीवन में उतारने के लिए अभिप्रेरित करने तक की एक लंबी प्रक्रिया शामिल हो सकती है।

व्यवहार परिवर्तन संचार की भूमिकाओं के संदर्भ में एक अत्यंत सरल सा उदाहरण लेते हैं। कोई ऐसा गांव है जहां बार-बार बच्चे दस्त के शिकार हो रहे हैं। कारण यह है कि लोगों को स्वच्छ पेयजल के प्रयोग के बारे में जानकारी नहीं है। जब जानकारी नहीं है तो जागरूकता कैसे हो सकती है? उस क्षेत्र में कार्यरत स्वयंसेवी संस्था लोगों के इस व्यवहार को बदलकर उनके बच्चों को दस्त से बचाना चाहती है। विभिन्न माध्यमों से उन्हें स्वच्छ पेयजल के प्रयोग एवं रखरखाव पर जानकारी दी जाती है। यह हुआ जानकारी प्रदान करने या ज्ञान स्तर में वृद्धि लाने का काम। इसी क्रम में लोगों को यह भी पता चल जाएगा कि स्वच्छ पेयजल का प्रयोग क्यों करना चाहिए। हो सकता है, यह पहले ही बता दिया जाए कि उनके बच्चों को क्यों बार-बार दस्त होता है। इस बिंदु पर संवेदित करने के बाद भी स्वच्छ पेयजल पर जानकारी दी जा सकती है। यह क्रम परिस्थिति के अनुसार बदल सकता है। इस मामले में 'क्या' और 'क्यों' के बाद बारी आती है, सोच में बदलाव की। अबतक मिली जानकारी के आधार पर यदि लोग यह समझ लेते हैं कि गंदे पानी के प्रयोग से उनके बच्चों को बीमारियां दबोच रही हैं और अब से उन्हें स्वच्छ पेयजल का ही प्रयोग करना चाहिए। उनके दिमाग में उभरी यह नई बात ही उनकी सोच में आए बदलाव को दर्शाती है। इस बदली हुई सोच को व्यवहार में उतारने के लिए अभिप्रेरक संस्था उन्हें स्वच्छ पेयजल पर कौशल प्रदान करती है जैसे पेयजल स्रोत (नलकूप/कुंआ आदि) से पानी निकालकर छानने या उबालने के बाद ठंडा कर साफ बर्तन में रखना। यह एक प्रकार का कौशल है। दूसरा कौशल होगा उस पेयजल को सही ढंग से परोसना। उबाले या छाने गए पानी को साफ बर्तन में ढंककर रखना, लंबी डंडी वाले छोटे बर्तन से साफ गिलासों में भरकर बिना अंगुलियां डुबाए परोसना आदि। यह साधारण बात है लेकिन अक्सर लोग इसपर ध्यान नहीं देते। इसीलिए इसे एक कौशल के रूप में प्रभावित समुदाय को सिखाया जा सकता है। इस क्रम में एक और कौशल होगा, दस्त प्रभावित बच्चों में पानी की कमी रोकने के लिए ओ.आर.एस. घोल बनाना। यदि लोगों को सही मात्रा में और सही ढंग से इस घोल को बनाना और उपयुक्त तरीके से सेवन करना सिखाया जाए तो यह कौशल हमेशा उनके काम आएगा। इस कौशल को आगे भी इस्तेमाल करने के लिए लोगों को अभिप्रेरित करते रहने का काम विकास कार्यकर्ताओं द्वारा व्यवहार परिवर्तन संचार के अंतर्गत किया जाता है।

जानकारी प्रदान करने, सोच बदलने एवं बदली हुई सोच को जीवन में उतारने के एक प्रयास का अनुभव मुझे उत्तरप्रदेश के गोरखपुर में एक स्वयंसेवी संस्था के साथ काम करते हुए हुआ। संस्था द्वारा शराबबंदी के काफी प्रयास गए। लोगों को यह समझाया गया कि इससे स्वास्थ्य खराब होता है, परिवार उजड़ते हैं। मगर वर्षों से वहां के पुरुष शराब पीते आ रहे थे, इसलिए उन्हें इसमें कुछ गलत नहीं लगा। ऐसा करने के पीछे उनकी पुरुषवादी सोच थी कि पुरुषों को शराब पीने की छूट है क्योंकि वह श्रम करते हैं और परिवार के लिए कमाते हैं। इस सोच के पीछे उनकी पुरुषात्मक प्रवृत्ति तो थी ही, उनके पास जानकारी का अभाव भी था। उन्हें पता नहीं था कि शराब पीने से स्वास्थ्य पर बुरा प्रभाव पड़ता है। महिलाओं की भी यही सोच थी कि पुरुष कमाते हैं, इसलिए पी सकते हैं। ऐसा सोचने की यह परंपरा वर्षों से चली आ रही थी। साथ में चली आ रही थी, एक और परंपरा- शराब के नशे में घर की महिलाओं व बच्चों को पीटने की। लाख समझाने पर भी उन नासमझ पुरुषों को यह समझ में नहीं आया कि शराब उनके स्वास्थ्य और उनके घरों को उजाड़ रही है।

संस्था को अब तक यह समझ में आ चुका था कि इस व्यवहार में परिवर्तन के लिए लक्षित समूह पुरुष नहीं हो सकते हालांकि परिवर्तन उन्हीं में लाया जाना था। संस्था ने अब महिलाओं को अपना लक्षित समूह बनाते हुए अपने व्यवहार परिवर्तन संचार की रणनीति में परिवर्तन किए। इसके तहत महिला मंडलों की मासिक बैठकों में यह मुद्दा नियमित रूप से उठाया जाने लगा। महिलाओं विशेषकर उन महिलाओं को जिनके घरों में नशाखोरी का आतंक कुछ अधिक ही था, यह समझाया गया कि शराबबंदी क्यों उनके और उनके बच्चों के भविष्य के लिए आवश्यक है। ग्राम व पंचायत स्तर पर कठपुतली नाच आयोजित किए गए। लोगों की सुविधा को देखते हुए शाम के समय इस तरह के कार्यक्रम आयोजित किए गए जिनमें स्त्रियों, पुरुषों, बच्चों अर्थात् हर आयु वर्ग को शामिल किया गया।

इन कार्यक्रमों में जो कहानी दिखाई गई थी, वह इस प्रकार थी-एक गांव में तीन बच्चों के साथ माता-पिता सुखपूर्वक जीवन व्यतीत कर रहे होते हैं। पिता मजदूरी कर बच्चों का पेट पालता और उन्हें पढ़ने भी भेजता। इसी बीच गलत संगत में पड़कर उसे शराब की लत लग जाती है। वह अपने गाढ़े पसीने की कमाई शराब में फूंक देता और शराब के नशे में कभी पत्नी, तो कभी बच्चों को पीटता। पहले घर के बच्चे शाम को अपना समय पढ़ाई-लिखाई में लगाते थे, अब उनका समय मां को और खुद को पिता की पिटाई से बचाने

और रोने-धोने में बर्बाद होता। धीरे-धीरे पैसों की तंगी से पहले तो उनकी पढ़ाई बंद हुई, फिर तीन समय का भोजन घटकर एक समय का हो गया। पिता सारे पैसे शराब में फूंक जो आता था। शराब की अति के कारण उसे क्षय रोग हुआ और एक दिन खून की उल्टियां करते हुए उसकी मृत्यु हो गई।

परिवार सड़क पर आ गया और भीख मांगने लगा। कठपुतलियों के माध्यम से कही गई इस कहानी में बड़े ही प्रभावशाली ढंग से पिता को खून की उल्टियां करते और फिर उसका *राम-नाम-सत्य* दिखाया गया था। शुरुआती कहानी में काफी हास्य भी था ताकि लोग उसमें दिलचस्पी लें और कहानी के अंत तक बैठे रहें और ऐसा सचमुच हुआ भी। मगर कहानी में बढ़ती हुई संजीदगी के साथ लोग भी संजीदा हो जाते और सीटियां/तालियां बजनी बंद हो जातीं। यही नहीं, अंत में महिलाएं रो पड़ती थीं। भीख मांगते हुए बच्चों को दिखाकर यह कार्यक्रम समाप्त हो जाता मगर उसके साथ ही परिचर्चाएं आयोजित की जातीं जिनमें लोगों से पूछा जाता कि इसके बाद उन बच्चों का क्या हुआ होगा? भांति-भांति के दुखी करने वाले जवाब आते। कोई कहता, सारा परिवार बिछड़ गया होगा। कोई कहता, भुखमरी के कारण सब के सब मर गए होंगे। यहां तक तो जवाब अलग-अलग आते मगर जैसे ही पूछा जाता कि परिवार की बर्बादी का कारण क्या था तो एकमत में जवाब आता-'शराब'। अंत में उनके मुंह से यह निकलवा ही लिया जाता कि नशाखोरी की जानलेवा आदत जड़ से उखाड़ फेंकनी चाहिए।

इस तरह के कार्यक्रम से यह लाभ हुआ कि बहुत ही रोचक ढंग से दिए गए संदेश ने गांववालों की आत्मा तक को झकझोर दिया। उन्हें शराब से होने वाली तबाही अच्छे से समझ में आ गई। कुछ पुरुषों ने तो शराब छोड़ दी (भले ही उन्हें तकलीफ हुई) और जो छोड़ नहीं पा रहे थे, उनके घरों की महिलाओं ने एक साहसी कदम उठाया। इस कदम का निर्धारण हुआ महिला मंडलों की बैठकों में। निर्धारित दिन और समय संस्था के सभी समीपवर्ती गांवों के महिला मंडलों की सदस्याएं लाठियों और डंडों के साथ क्षेत्र की शराब भट्टी पर पहुंचीं और वहां रखी सारी कच्ची शराब बहा दी, शराब की कोठियां तोड़ दीं और भट्टी को भी लाठियों से पीट-पीटकर तोड़ डाला। वह भट्टी अवैध रूप से चल रही थी इसलिए भट्टी मालिक की हिम्मत नहीं हुई कि वह मामले की शिकायत पुलिस से करे (यहां यह भी जानने योग्य है कि उस क्षेत्र में कच्ची शराब और अवैध भट्टी बहुत आम बातें हैं और लोग इस समस्या से बुरी तरह त्रस्त हैं)।

एक बार टूटी भट्टी दोबारा शुरू नहीं हो सकी। बहुत दूर होने के कारण पुरुषों के लिए दूसरी भट्टी पर जाना संभव नहीं था। जाना चाहते तो भी घर की महिलाओं व बच्चों का आक्रामक रवैया देखकर (जो कठपुतली शो के माध्यम से दिए गए संदेश का नतीजा था) बची-खुची हिम्मत हार जाते। धीरे-धीरे उन्होंने भी परिस्थितियों से समझौता कर लिया और उनकी शराब की लत छूट गई (मजबूरी में ही सही)।

शराबबंदी के लिए पहले भी समझाने-बुझाने जैसे प्रयास किए गए थे लेकिन उन प्रयासों का अंजाम वही हुआ जो आमतौर पर ऐसे प्रयासों का होता है। इसीलिए यहां उपदेश से बढ़कर दुखती नस पर हाथ रखने की आवश्यकता थी जिसकी तकलीफ पूरे शरीर को हो और तकलीफ महसूस करने वाला व्यक्ति यह सोचने पर मजबूर हो जाए कि आज तो केवल एक काल्पनिक परिवार के साथ ऐसा हुआ है, कल को कहीं उसका परिवार वास्तव में किसी ऐसी परिस्थिति का शिकार न हो जाए। ऐसा उन महिलाओं ने सोचा जिनके पतियों को शराब की लत थी। शराब पीने वाले कुछ पुरुष भी ऐसा सोचने पर मजंबूर हुए क्योंकि दिखाई गई समस्या को उन्होंने खुद से जोड़कर देखा। इसके पहले लोगों की सोच शराब के घातक अंजाम तक नहीं पहुंच पा रही थी किंतु कठपुतली की कहानी के माध्यम से लोगों की सोच बदली, उन्हें समझ में आया कि शराब जानलेवा भी हो सकती है। सोच बदली तो शराबी पतियों की पत्नियों की आदत बदली, चुपचाप सबकुछ सहन करने की आदत। उन्होंने तय कर लिया कि बरसों से तो वह पति की गंदी लत के कारण पैसे की बर्बादी, पति के स्वास्थ्य की बर्बादी, बच्चों के भविष्य की बर्बादी चुपचाप सहन करती आई हैं लेकिन अब चुप रहने से शायद उनके परिवार के साथ भी वही हो सकता है, जो उस कठपुतली परिवार के साथ हुआ। उसी प्रकार कुछ पुरुषों ने भी शराब पीने की आदत कम करने के प्रयास किए। फिर आया व्यवहार में बदलाव जो महिलाओं ने शराब की भट्टी तोड़कर और पुरुषों ने मजबूरी में ही सही, शराब की लत छोड़कर दर्शाया।

व्यवहार परिवर्तन संचार की आवश्यकता

व्यवहार परिवर्तन संचार की आवश्यकता इसलिए पड़ती है क्योंकि लोगों को अक्सर जानकारी नहीं होती। जानकारी की कमी के कई कारण हो सकते हैं। संसाधनों का अभाव, जानकारी के माध्यमों तक पहुंच का अभाव, सुदूर या कठिन क्षेत्र (दूरी, मौसम अथवा भौगोलिक दृष्टिकोण से) या फिर अन्य

कोई कारक जिनसे जानकारी का प्रवाह लोगों तक पहुंचने में बाधा होती हो। जानकारी हो भी तो उन्हें इससे अपने जीवन पर पड़ने वाले प्रभाव का एहसास नहीं होता। एहसास हो भी तो उस कुप्रभाव को दूर करने के लिए वह कदम नहीं उठा पाते। कदम उठाना भी चाहें तो रास्ता दिखाने वाला चाहिए। रास्ता दिखाने वाला कोई हो भी तो आंतरिक इच्छा होनी चाहिए। यही काम करता है व्यवहार परिवर्तन संचार। पहले तो इसके माध्यम से जानकारी मिलती है और फिर जानकारी से जुड़ी संवेदनशीलता के कारण उसके अच्छे-बुरे पहलू समझ में आते हैं। अच्छे-बुरे का यही भेद उक्त जानकारी के जुड़े निर्णय लेने में सहायता करता है। तर्क के प्रयोग (जो हर इंसान में मौजूद होता है लेकिन परिस्थितिवश कभी-कभी इस शक्ति का प्रयोग कम हो जाता है) की प्रेरण ा मिलती है जो बाद में भी काम आती है। इसीलिए अक्सर ऐसा होता है कि जिन क्षेत्रों में व्यवहार परिवर्तन संचार का कोई अभियान सफल होता है, वहां बाद में विकास के कार्य भी तेजी से होते हैं। ऐसा इसलिए कि लोगों के व्यवहार में किसी एक क्षेत्र में आया परिवर्तन वहीं टिककर नहीं रह जाता बल्कि अनेक परिवर्तनों की शुरुआत का उत्प्रेरक बनता है। एक तरह से यह भी कहा जा सकता है कि व्यवहार परिवर्तन संचार पर आधारित कोई भी सफल अभियान एक तरह से अन्य सुखद परिवर्तनों का दरवाज़ा खोल देता है। व्यवहार परिवर्तन संचार के साथ जानकारी, विश्लेषण का कौशल एवं तर्क शक्ति के बेहतर प्रयोग के अतिरिक्त इसके साथ कुछ और भी आयाम हासिल होते हैं। वे हैं, रास्ता दिखाने वाले का साथ एवं अनुभव। यह आवश्यक नहीं है कि एक अभियान संचालित करने वाले लोग आगे भी उस समुदाय के साथ बने रहें, लेकिन उनके साथ बना संबंध उपयोगी होगा।

सामाजिक कार्यकर्ता के रूप में व्यवहार में परिवर्तन हेतु समुचित संचार की आवश्यकता मुझे तब समझ में आई जब वर्ष 1996 में अपनी सूक्ष्म शोध परियोजना के लिए मैं पूर्वी उत्तर प्रदेश के देवरिया जिले के एक छोटे से गांव में गई। गांववालों ने बहुत सम्मान दिया और इज्जत से बिठाया। वहां तक तो सब ठीक था मगर जैसे ही हमारे सामने गिलासों में पानी परोसा गया, हम सब असमंजस में पड़ गए क्योंकि एक ओर था गांववालों द्वारा हमें दिया गया सम्मान, तो दूसरी ओर अंगुलियां डूबे (पानी परोसने वाली महिला की) पानी वाला गिलास। केवल उस गांव ही नहीं, बल्कि उस समस्त क्षेत्र में पानी उसी ढंग से पेश किया जाता था। हमारी टीम ने जरा मज़ाकिया लहजे में पानी पीने से इंकार कर दिया, यह कहकर कि हमें पानी पीकर बीमार नहीं पड़ना।

'पानी पीकर बीमार पड़ना' गांववालों के गले नहीं उतर रहा था क्योंकि उनके हिसाब से तो पानी केवल प्यास बुझा सकता है, बीमार कैसे कर सकता है? गांववालों के मुंह से यह सुनकर हमें आसानी से समझ में आ गया कि कहीं कुछ कमी है। वह कमी थी-जानकारी की और जानकारी के अभाव में जागरूकता की कमी। इसी बिंदु के सहारे गांववालों के साथ हमारा वार्तालाप आगे बढ़ा और हमने उन्हें समझाया कि कैसे पानी में अंगुलियां डूबने के कारण नाखून व अंगुलियों की पोरों में बैठे रोगाणु पानी के साथ बड़े आराम से हमारे पेट में पहुंचकर पूरे शरीर को बीमार डाल देते हैं। दिखाने के लिए तो गांववालों ने हमारी हां में हां मिला ली कि उन्हें यह बात समझ में आ गई है मगर उनके चेहरों पर झलक रहे असमंजस ने हमें समझा दिया कि 'दिल्ली' अभी बहुत दूर है।

सचमुच हमारी दिल्ली बहुत दूर साबित हुई क्योंकि समुदाय स्तर पर समुचित परिवर्तन में वर्षों का समय लगा। ऐसा इसलिए हुआ क्योंकि:

- समुदाय को वर्षों से ऐसा करने की आदत थी **(आदत का प्रभाव)**।
- समुदाय को लगता था कि इस ढंग से पानी परोसने में कुछ भी गलत नहीं है **(सोच का प्रभाव)**।
- समुदाय सदस्यों को पानी परोसने की पुरानी रीति को छोड़ने और नई रीति सीखने में दिक्कत हुई जिस कारण इतना समय लगा **(रीतियों/प्रविधियों का प्रभाव)**।

मैं जिस स्वयंसेवी संस्था के कार्यकर्ताओं के साथ उस गांव में गई थी, उस संस्था ने इस प्रक्रिया का परिणाम पाने में उतनी ही प्रतीक्षा की जितनी कि एक मां अपनी संतान को पाल-पोसकर योग्य बनाने के लिए करती है। संतान को योग्य बनाने के लिए प्रतीक्षारत किसी मां की तरह संस्था को भी पता था कि इस दिशा में परिणाम जल्दी नहीं आएंगे और अगर जल्दी मचाई गई तो परिणाम उल्टे भी हो सकते हैं, जैसे कि समुदाय के साथ संबंधों पर बुरा प्रभाव। यह बुरा प्रभाव इस रूप में सामने आ सकता था कि समुदाय के लोग संस्था के लोगों को देखकर घरों में छिप सकते थे या फिर उनकी बातों को बिना कोई अहमियत दिए टाल सकते थे। मगर ऐसा कुछ नहीं हुआ क्योंकि संस्था ने बहुत ही सिलसिलेवार ढंग से अपने संदेश दिए, लोगों को यह एहसास भी नहीं होने दिया कि उन्हें उपदेश पिलाया जा रहा है।

अनेक वर्षों तक महिला मंडल, स्वयं सहायता समूहों की बैठकों में तथा गृह भ्रमण के माध्यम से लगातार प्रयास किए गए, केवल स्वच्छ पेयजल ही नहीं

अन्य प्रासंगिक मुद्दों पर भी संदेश लगातार दिए गए। इसके लिए संस्था के कार्यकर्ताओं ने बातचीत के क्रम में बहुत ही सहज व सरल तरीके से समुदाय के लोगों विशेषकर महिलाओं को समझाया कि अंगुलियां डाले बगैर कैसे पानी से भरे गिलास थाली में रखकर परोसे जा सकते हैं? लगातार इस तरह के प्रयासों को देख-देखकर लोगों को पानी परोसने के इस ढंग की आदत पड़ गई और उन्हें समझ में भी आ गया कि यही सही तरीका है। अंततः समुदाय ने यह आदत अपना ही ली। फिर समय आया उस परिवर्तन के विस्तार अथवा प्रसार का जब धीरे-धीरे यह आदत आसपास के गांवों में भी जा पहुंची और संस्था के समस्त कार्यक्षेत्र में पेयजल परोसने का तरीका ही बदल गया। अब लोग गिलासों को थाली में रखकर परोसते, जल निकालने के लिए भी लम्बी डंडी वाले गिलास या कटोरी का प्रयोग किया जाने लगा। कुल मिलाकर अब जल परोसने वाले के नाखून जल में नहीं डूबते थे। यह कमाल उस क्रमबद्ध प्रक्रिया का था जिसे आज के समय में व्यवहार परिवर्तन संचार का नाम दिया गया है।

व्यवहार परिवर्तन संचार का सूत्र

व्यवहार परिवर्तन संचार का सूत्र भी एक तरह से विज्ञापन संचार के सिद्धांत-*एडका* (AIDCA) पर आधारित है। एडका अंग्रेजी भाषा के पांच शब्दों-*अट्रैक्शन* (आकर्षण), *इंटेरेस्ट* (रुचि), *डिज़ायर* (इच्छा), *कन्विक्शन* (रज़ामंदी/विश्वास) तथा एक्शन (कार्य) का संक्षिप्त रूप है। इस सूत्र के अनुसार विज्ञापन संचार का उद्देश्य देखने वाले को विज्ञापित उत्पाद अथवा सेवा के प्रति आकर्षित कर, उस (विज्ञापित उत्पाद अथवा सेवा) के प्रति रुचि तथा इच्छा जगाकर उसे उक्त उत्पाद के प्रयोग के लिए राज़ी करना व उसे प्राप्त करने के लिए समुचित कदम उठाना (खरीदना अथवा खरीदने का ऑर्डर देना) होता है। कुल मिलाकर विज्ञापन संचार का उद्देश्य देखने वाले को उक्त उत्पाद अथवा सेवा का प्रयोगकर्ता बना छोड़ना होता है।

इसी प्रकार व्यवहार परिवर्तन संचार का उद्देश्य दिए जा रहे संदेश के प्रति समुदाय को आकर्षित करना, उस संदेश के प्रति रुचि जगाना, उस संदेश को अपनाए जाने की इच्छा जागृत करना, उसे व्यवहार में लाने के प्रति पूरी तरह से राज़ी करना तथा उस तक अपनी पहुंच बनाने के लिए समुचित कदम उठाना है।

❑❑❑

अध्याय 3

व्यवहार में बदलाव के लिए उपयुक्त संचार

व्यवहार परिवर्तन संचार के मुद्दे पर काम करते समय केवल संचार माध्यमों अथवा संदेशों पर ध्यान देना ही काफी नहीं होता। किसी खास उद्देश्य के लिए संचार भी विशेष प्रकार का होगा। इसके लिए संदेश बनाते समय कुछ खास बातों का ध्यान रखना होगा। इसके लिए यह समझना आवश्यक है कि संचार की प्रकृति अपने-आप में किस प्रकार की है, उसमें प्रयुक्त तत्व व्यवहार परिवर्तन के लिए उपयुक्त हैं या नहीं। किसी भी संदर्भ में जब हम संचार की बात करते हैं तो उसकी प्रकृति में कुछ बुनियादी और कुछ विशिष्ट तत्वों का रहना ज़रूरी होता है।

बुनियादी तत्व संचार की बुनियादी शर्तें पूरी करते हैं जबकि विशिष्ट तत्वों के समावेश से संचार किसी खास उद्देश्य के लिए उपयुक्त बनता है। यहां इस बात को ऐसे समझा जा सकता है कि किसी भी साधारण भवन के निर्माण के लिए बुनियादी तत्व हैं-ईंट, सीमेंट, गारा, छड़ें, लकड़ी, रंगाई-पुताई का सामान, आदि। लेकिन इसी भवन में जब एक विद्यालय की स्थापना करनी हो तो उसमें विद्यालय के अनुरूप वस्तुओं का प्रबंध करना होगा, जैसे- ब्लैक बोर्ड, बच्चों के लिए बेंच, शिक्षकों के लिए मेज़, कुर्सी आदि। इन विशिष्ट तत्वों के समावेश से ही एक साधारण भवन विद्यालय भवन बन पाता है। उसी प्रकार सामान्य संचार के कुछ बुनियादी तत्व होते हैं जैसे संदेश, चैनल अथवा माध्यम, संदेशकर्ता, संदेश ग्रहणकर्ता, फीडबैक आदि। लेकिन इन तत्वों के बावजूद कुछ विशिष्ट तत्वों की उपस्थिति से ही वह सामान्य संचार विषय-मूलक संचार का रूप ले पाता है अथवा दिए गए संदर्भ के अनुसार स्वयं को ढाल पाता है। ठीक वैसे ही, जैसे शिक्षा से जुड़ी सामग्रियों की व्यवस्था के बाद ही कोई भवन, विद्यालय बनता है।

यदि मामला आदतों में बदलाव का हो तो इसके लिए किए जाने वाले संचार में बुनियादी तत्वों के अतिरिक्त ऐसे तत्वों का समावेश किया जाना आवश्यक है जिनसे व्यवहार परिवर्तन की प्रक्रिया आसान बन सके और लक्षित समूहों के व्यवहार में वांछित परिवर्तन लाए जा सकें। इन तत्वों को समझने के लिए शुरुआत करते हैं, सरलता से। व्यवहार में परिवर्तन तभी लाया जा

सकता है जब दिए जा रहे संदेश में स्पष्टता हो, सरलता हो, भाषा लच्छेदार न हो बल्कि बात सीधे-सादे ढंग से कही गई हो ताकि लोग आसानी से इसे ग्रहण कर सकें। इसे निम्नलिखित उदाहरणों से समझा जा सकता है-

1. 'भोजन के पहले और बाद में हाथ साबुन या राख से अच्छी तरह धोएं, ताकि बीमारियां दूर रहें'-स्पष्ट संदेश
2. 'गंदे हाथों से भोजन करने का मतलब है बीमारियों को बुलावा देना'-पेचीदा संदेश

यहां देखा जा सकता है कि कैसे पहले उदाहरण में बात को बिना घुमाए स्पष्ट और सटीक ढंग से कहा गया है। सरलता और स्पष्टता के कारण ऐसे संदेश ग्रहण करना समुदाय विशेषकर ग्रामीण समुदाय के लिए सरल होता है। वहीं दूसरे संदेश में स्पष्टता की कमी है, बात को लच्छेदार ढंग से कहा गया है। इसलिए ऐसे संदेश की ग्राह्यता की संभावना कम हो जाती है। जब संदेश (जहां से व्यवहार परिवर्तन की शुरुआत होती है) ही समुदाय तक नहीं पहुंचेगा तो व्यवहार परिवर्तन की आशा कैसे की जा सकती है?

उक्त उदाहरण के संदर्भ में संदेश स्पष्ट न होने के कारण लोगों को पता ही नहीं चलेगा कि भोजन के पहले साबुन अथवा राख से अच्छी तरह हाथ नहीं धोने के कारण अंगुलियों के पोरों एवं नाखून में बैठे हानिकारक रोगाणु भोजन के साथ शरीर में प्रवेश कर शरीर को बीमार बना सकते हैं। जानकारी की कमी के कारण गंदे हाथों से भोजन करने का सिलसिला चलता रहेगा और साथ ही चलता रहेगा लोगों के बीमार होने का सिलसिला। इस समस्या की जड़ है, दिए जा रहे संदेश में स्पष्टता की कमी। यही संदेश सरल एवं सटीक होता तो लोगों को बेहतर ढंग से समझ में आता, उनमें भोजन के पहले और बाद में तथा शौच के बाद अच्छी तरह से हाथ धोने की आदत विकसित होती और बड़ी सरलता से उन्हें अनेक बीमारियों से छुटकारा मिल जाता।

सरलता से ग्राह्य होने के लिए ज़रूरी है कि संदेश ऐसी भाषा में हों जो आसानी से समझ में आ सकें। बेहतर यही है कि संदेश उसी समुदाय की भाषा में बनाए जाएं जो समुदाय की मातृभाषा हो, संपर्क भाषा नहीं क्योंकि जैसी आत्मीयता समुदाय को अपनी मातृभाषा से होगी, वैसी किसी अन्य भाषा से नहीं, भले ही वह संपर्क भाषा क्यों न हो। निर्वाचन आयोग ने लोकसभा चुनाव, 2014 में इस बात का ध्यान रखा था कि मतदाता जागरूकता के संदेश स्थानीय भाषाओं में ही दिए जाएं। यहां मनुष्य का मनोविज्ञान काम करता है कि जो कुछ भी उससे जुड़ा होता है, उसे वह अपना समझता है। मातृभाषा में दिए जाने के कारण संदेशों की ओर अधिक ध्यान तो जाता ही है, उन संदेशों की ग्राह्यता भी बढ़ जाती है। इसलिए उस प्रचार अभियान की सफलता की संभावना अधिक है, जो समुदाय की अपनी भाषा में हो।

लेकिन, केवल मातृभाषा में संदेश दिया जाना संदेश ग्रहण किए जाने की गारंटी नहीं हो सकती। यदि दिए गए संदेश का बौद्धिक स्तर समुदाय के बौद्धिक स्तर से काफी ऊपर हुआ तो फिर उक्त संदेश का मुंह के बल गिरना तय है। इसके लिए एक बराबरी या सामान्यता (जिसे अंग्रेजी में *कॉमननेस* कहते हैं) जरूरी है अर्थात् एक ऐसा धरातल तैयार हो जहां संदेश देने वाले तथा ग्रहण करने वाले दोनों का बौद्धिक स्तर समान हो। चूंकि समुदाय का स्तर एक झटके में ऊपर नहीं किया जा सकता, इसलिए संदेश देने वाले (सामाजिक कार्यकर्ता अथवा संस्था) को अपना बौद्धिक स्तर थोड़ा नीचा करना होगा ताकि समुदाय के साथ एकरूपता अथवा समानता स्थापित हो सके। सुरक्षित मातृत्व का प्रचार करने के लिए यदि सास-बहू सम्मेलनों का आयोजन किया जाता है तो इस मंच पर सास-बहू दोनों एक ही स्तर पर आ जाती हैं, अर्थात् उनके बीच समानता स्थापित होने से उनके रिश्तों का साधारणीकरण हो जाता है (कुछ देर के लिए उस मंच तक ही सही)। इसलिए उस मंच पर सास-बहू खुलकर एक-दूसरे से सुरक्षित मातृत्व के विषय पर बात कर सकती हैं। यह समानता उस सम्मेलन के साथ ही समाप्त हो जाती है और सास-बहू के बीच वही परंपरागत दूरी वापस आ जाती है किंतु ऐसा माना जा सकता है कि सम्मेलन के मंच पर स्थापित हुई समानता का कुछ तो प्रभाव बना रहेगा और सास को यह याद रहेगा कि प्रसव के पहले गर्भवती बहू की एवं प्रसव के बाद मां-बच्चे की देखभाल कैसे करनी है? इस सम्मेलन के प्रभाव के रूप में बहू कुछ हद तक अपनी समस्याएं सास को बता पाएगी और सास भी बेहतर ढंग से बहू की बातें सुन पाएगी। इससे

सास और बहू दोनों के व्यवहार में परिवर्तन आएगा, जो उन्हें एक मंच पर लाने यानी **साधारणीकरण** का ही परिणाम है।

व्यावहारिक रूप से साधारणीकरण को ऐसे समझा जा सकता है कि कोई कृषि वैज्ञानिक किसी पिछड़े ग्रामीण क्षेत्र में कृषकों को उन्नत कृषि के लाभ बताने गया है। उसकी वेशभूषा बिल्कुल 'साहबों' जैसी है। साहब बड़ी गाड़ी से उतरते हैं जहां ज़मीन पर बैठे किसान उनकी प्रतीक्षा कर रहे हैं। वह किसानों के बीच में न बैठकर सामने रखी कुर्सी पर बैठते हैं और वहीं से बातचीत (अंग्रेज़ी मिश्रित हिंदी में) शुरू करते हैं। बातचीत में उनकी स्वयं की उपलब्धियों का बखान अधिक हैं और किसानों की समस्याओं की ओर ध्यान कम। ऐसी स्थिति में बेचारे किसान, साहब की बात सुनना तो दूर, उनसे स्वयं को एक क्षण के लिए भी जोड़ नहीं पाएंगे क्योंकि साहब उनके लिए अप्रासंगिक हैं, किसी दूसरे 'ग्रह' से आए हुए लगते हैं (अपनी वेशभूषा, भाषा और व्यवहार के कारण)। संचार के अबाध प्रवाह के लिए आवश्यक है कि संदेश प्राप्त करने वाले स्वयं को संदेश देने वाले से जोड़ सकें। यह तभी संभव है जब संदेशकर्ता प्रासंगिक हो अर्थात् संदेश प्राप्त करने वाले के अनुरूप हो। दूसरे शब्दों में, साधारणीकरण की स्थिति हो अर्थात् ऊंचे स्तर वाला अपने स्तर को साधारण बनाए और दोनों एक धरातल पर, एक स्तर पर आएं। इतनी शर्तें पूरी करने के बाद ही '*मीटिंग ऑफ माइंड्स*' या दिल से दिल मिलने की स्थिति (सहृदयीकरण) की अपेक्षा की जा सकती है।

इसी उदाहरण में कृषि वैज्ञानिक यदि साधारण वेशभूषा में गांव में प्रवेश करता, बातचीत कुर्सी पर न बैठकर किसानों के बीच बैठकर होती, भाषा अत्यंत सरल होती तो किसान उसे साहब नहीं समझते बल्कि अपने जैसा समझते। उसकी बातों पर ध्यान देते क्योंकि यह साधारणीकरण की स्थिति होती। रेल यात्रा के दौरान एक डिब्बे में बैठे यात्रीगण आपस में बहुत घुलमिल जाते हैं क्योंकि उनके बीच एक बात सामान्य (अर्थात् कॉमन) होती है, वह रेल यात्रा। मगर यहां भी डिब्बों की श्रेणी बीच में आती है। यात्री अपने-अपने डिब्बे की समानता से बंधे होते है। इसलिए वातानुकूलित डिब्बे के यात्री प्राय: साधारण श्रेणी के यात्रियों से नहीं घुलते-मिलते, न ही साधारण कक्ष के यात्रीगण वातानुकूलित कक्ष के यात्रियों से क्योंकि उनके बीच श्रेणियों की असमानता है। उसी प्रकार का एक श्रेणी-आधारित व्यवधान इस संदर्भ में भी सामने आ जाता है कि जमीन पर बैठे कृषक कुर्सी पर ठाठ-बाठ में बैठे कृषि वैज्ञानिक को अपने से ऊंची श्रेणी का समझ

बैठते हैं हालांकि दोनों पक्षों में एक समानता है- दोनों उन्नत कृषि पर चर्चा में प्रतिभागी हैं, किंतु कृषि वैज्ञानिक द्वारा जाने-अनजाने उत्पन्न किए गए व्यवधान के कारण यह समानता समाप्त हो जाती है।

किसी भी सामाजिक अथवा विकास कार्यकर्ता को इन बातों का ध्यान रखना जरूरी है कि वे कौन से कारक हैं जिनकी सहायता से साधारणीकरण स्थापित किया जा सकता है या कौन से कारक साधारणीकरण की प्रक्रिया बाधित करते हैं?

व्यवहार परिवर्तन के संदेश देते समय ध्यान में रखी जाने वाली सबसे महत्वपूर्ण बात यह है कि यह सारी प्रक्रिया, संदेश, सारा तामझाम, सब कुछ उस समुदाय के लिए है जिसके व्यवहार में परिवर्तन लाया जाना है और यही समुदाय हमारा केंद्र बिंदु है। समुदाय ही हमारी 'लक्षित जनता' है, इसलिए यह समस्त प्रक्रिया 'समुदाय-केंद्रित' होनी चाहिए। इसका व्यवहारिक आयाम यह है कि संदेश देने में समुदाय के समय व सुविधा का भी ध्यान रखा जाए। हमारी टीम एक बार क्षेत्रीय प्रचार निदेशालय, भारत सरकार के साथ मिलकर पूर्वी उत्तर प्रदेश के गांवों में 'छोटा परिवार, सुखी परिवार' के प्रचार अभियान पर काम कर रही थी। धान रोपनी का समय था और दिन में लोगों के पास हमारी बात सुनने के लिए बिल्कुल समय नहीं था। अभियान टाला भी नहीं जा सकता था और सबसे ऊपर जिस बात को रखना था, वह यह थी कि अभियान लोगों के लिए है और हमारे लिए लोग सबसे महत्वपूर्ण हैं। समस्या का हल निकाला गया, रात के समय यह काम करने का। दिन में खेती-किसानी के काम करने के बाद रात में ग्रामीण समुदाय अच्छा समय बिताना चाहता है और इसके लिए फिल्म (फीचर फिल्म तथा ग्रामीण विकास पर विषयमूलक फिल्में) से अच्छा माध्यम कोई और नहीं हो सकता था। समुदाय की सुविधा के अनुरूप कार्यक्रम का समय निर्धारित करने का नतीजा यह हुआ कि उक्त फिल्म-शो में लोगों की अच्छी-खासी सहभागिता रही। उन्हें ज्ञान के साथ मनोरंजन भी मिला और हमारा लक्षित कार्य भी सफलतापूर्वक संपन्न हुआ।

संदेश की ग्राह्यता बहुत हद तक इस बात पर निर्भर करती है कि संदेश कौन दे रहा है, विचार कौन रख रहा है। यदि लोगों की भलाई पर आधारित संदेश देने के लिए गलती से किसी ऐसे व्यक्ति का चयन कर लिया जाए जिसकी छवि उस क्षेत्र में अच्छी नहीं है तो ऐसा संदेश कभी सफल नहीं हो सकता। इस संदर्भ में विख्यात संचारविद् मार्शल मैकलूहन का कथन-'*मीडियम*

इज़ मैसेज' (माध्यम ही अपने-आप में संदेश है), याद आता है। दुर्योधन को विचार मिले शकुनि से, अर्जुन को श्रीकृष्ण से। अंतिम परिणाम क्या हुआ सब जानते हैं। यहां हम माध्यम की बात कर रहे हैं कि संदेश यदि उपयुक्त माध्यम से पहुंचे तो उसकी उपयुक्तता बढ़ जाती है। उदाहरणार्थ, यदि किसी क्षेत्र में इलेक्ट्रॉनिक माध्यम बहुत अधिक प्रचलित न हों तो वहां इन माध्यमों से संदेश देने का जोखिम नहीं उठाया जा सकता। ऐसी स्थिति में वैकल्पिक माध्यमों का पता लगाया जाना चाहिए। ऐसा भी हो सकता है कि वहां के लोगों को कोई भी जानकारी स्थानीय हाट-बाजार से या फिर उस क्षेत्र में नियमित रूप से भ्रमण करने वाली स्वास्थ्य कार्यकत्री से मिलती हो। माध्यम मिश्रण तैयार करने से पहले किया गया सर्वेक्षण इस तरह की जानकारी जुटाने में सहायता कर सकता है। यदि महत्वपूर्ण माध्यमों के रूप में हाट-बाजार/चाय की दुकान, स्वास्थ्य कार्यकत्री अथवा ऐसे ही किसी वैकल्पिक माध्यम का पता लगता है तो उक्त माध्यम का प्रयोग अवश्य करना चाहिए। उदाहरण के लिए शौचालय के निर्माण एवं उसके नियमित प्रयोग के बारे में एक पिछड़े समुदाय को जागरूक बनाना है। वहां के लोगों की इलेक्ट्रॉनिक माध्यमों तक अधिक पहुंच नहीं है मगर स्थानीय हाट में लोगों का अच्छा जमावड़ा होता है। इसी हाट में पर्चे बांटकर, नुक्कड़ नाटक करके या बैठक कर शौचालय और स्वच्छता से संबंधित संदेश दिए जा सकते हैं। दिए गए संदेश की ग्राह्यता सुनिश्चित करने के लिए स्वास्थ्य कार्यकत्री की सहायता ली जा सकती है। कितना अच्छा होगा जब हर घर में जानी-पहचानी स्वास्थ्य कार्यकत्री घर-घर घूमकर लोगों को शौचालय बनवाने और इस्तेमाल करने का संदेश दे। हाट या नुक्कड़ पर स्थित चाय की दुकान में दिया गया संदेश जब स्वास्थ्य कार्यकत्री द्वारा दोहराया जाएगा तो उसका महत्व बढ़ जाएगा। किसी छोटे से कस्बे की कोई युवती यदि राष्ट्रीय स्तर की खिलाड़ी बन जाती है तो निश्चित रूप से उस क्षेत्र में उसका बहुत अधिक मान-सम्मान होगा। वही युवती यदि अपने क्षेत्र में 'बेटी बचाओ, बेटी पढ़ाओ' का संदेश देती है तो उसके संदेश पर जन-सामान्य का ध्यान भी जाएगा और वह यथोचित कदम भी उठाएंगे। इसी प्रकार संदेश देने के लिए ऐसे लोगों का पता लगाना चाहिए जिनकी क्षेत्र में अच्छी साख या प्रतिष्ठा हो। ऐसे लोग डॉक्टर, इंजीनियर, नेता, खिलाड़ी, अभिनेता किसी भी रूप में हो सकते है। संचार अभियान पर काम शुरू करने के पहले किए गए सर्वेक्षण के दौरान ऐसे सशक्त माध्यमों का पता लगाकर उनके साथ तालमेल बनाने की आवश्यकता है ताकि उनकी प्रतिष्ठा की सहायता से कोई अच्छा काम किया जा सके।

व्यवहार परिवर्तन संचार में एक और महत्वपूर्ण शर्त है, संदेश का निरंतर एवं अबाध प्रवाह। किसी भी विषय पर बदलाव लाना है तो उस बदलाव को लाने में निरंतर प्रयासों की आवश्यकता होगी क्योंकि बदलाव एक दिन में या रातोंरात नहीं आ सकता। यदि बदलाव आने में सालों का समय लगने की संभावना है तो संचार प्रयासों और संदेशों को भी लम्बे समय तक जारी रखने की आवश्यकता है। संदेशकर्ता ने आज एक बैठक कर ली, कल एक रैली निकाल दी, अगली बैठक के लिए दो महीने के बाद का समय चुना, फिर अगले चार महीनों तक झलक नहीं दिखाई दी तो ऐसे में लक्षित समुदाय का विश्वास उस संदेशकर्ता से उठ जाएगा, उसके बारे में लोगों के मन में भ्रम उत्पन्न होगा, उसकी बातों को कोई गंभीरता से नहीं लेगा। फिर एक दिन ऐसा भी आएगा कि उक्त क्षेत्र में प्रवेश करना उसके लिए मुश्किल हो जाएगा। इसलिए व्यवहार परिवर्तन संचार को निरंतर, अबाध एवं सुगम रूप से तब तक जारी रहना चाहिए जब तक उद्देश्य की प्राप्ति न हो जाए। समुदाय के लोगों के पास पहले से ही अपने काम होते हैं। यदि उन्हें कोई सामाजिक संदेश दिया जा रहा है तो इसके लिए उन्हें अलग से समय निकालना पड़ेगा। ऐसी स्थिति में यदि संचार निरंतर नहीं होकर अनियमित या टुकड़ों में हो तो लोगों को इस बात पर क्रोध आएगा कि उन्होंने इस तरह के संदेश देखने-सुनने में व्यर्थ अपना समय गंवाया। यही क्रोध उन्हें अगली बार संदेश दाता की बात सुनने से रोकेगा।

निरंतरता की कमी के कारण उत्पन्न ग्रहणकर्ताओं का क्रोध यदि यहां संचार की प्रक्रिया रोकता है तो उनकी कमजोर स्मरण शक्ति भी संचार प्रक्रिया के लिए किसी बाधा से कम नहीं है। संदेशों का प्रवाह यदि अनियमित होगा तो पहले के सारे संदेश लोगों की स्मृति से बाहर हो जाएंगे और पिछले सारे प्रयास विफल हो जाएंगे। इसके विपरीत यदि संचार नियमित एवं निरंतर हो तो पिछले सारे संदेशों की पुनरावृत्ति होती रहेगी और लोगों का ध्यान उन बातों पर बना रहेगा। नियमितता एवं निरंतरता होने से व्यवहार परिवर्तन की प्रक्रिया भी सुगम बनी रहेगी।

व्यवहार परिवर्तन के लिए प्रयासरत कार्यकर्ता को संदर्भ का भी ध्यान रखना चाहिए। किसी बड़े अधिकारी ने अपने सहायक को बुलाकर कहा-''वह फाइल ले आओ''। किसी भी कार्यालय में ढेरों फाइलें होती हैं। सहायक यह कैसे समझ सकता है कि साहब को कौन सी फाइल चाहिए? इसके विपरीत साहब अगर फाइल के बारे में एक-दो बातें बता देते तो सहायक के लिए

संदर्भ आसान हो जाता। अधिकारी के दिमाग में तो यह स्पष्ट होगा कि उन्हें कौन सी फाइल चाहिए लेकिन उनके दिमाग में बैठी बात कैसे उनके सहायक तक पहुंच सकती है, वह भी बिना पृष्ठभूमि के? बिना किसी माध्यम के एक इंसान से दूसरे इंसान तक बात पहुंचाने वाले संचार के दौर में अभी हम नहीं पहुंचे हैं। ऐसे में अपने दिमाग में बैठी बात दूसरों तक पहुंचाने के लिए संदर्भ अथवा पृष्ठभूमि की स्पष्टता का ध्यान रखा जाना आवश्यक है। इसी प्रकार समुदाय के साथ काम करते समय संदर्भ स्थापित करना (की जाने वाली चर्चा की पृष्ठभूमि) बेहद जरूरी है।

विकास संचार की प्रक्रिया में संदर्भ स्थापित करने के अलावा संदर्भ में बने रहना भी उतना ही आवश्यक है। यदि कुपोषण के मुद्दे पर समूह चर्चा करनी है तो ध्यान कुपोषण पर ही होना चाहिए। हो सकता है कि परिचर्चा के दौरान कुपोषण से अप्रत्यक्ष रूप से जुड़े अन्य मुद्दे जैसे स्वच्छता, बाल विवाह, प्रजनन स्वास्थ्य, लिंग आधारित भेदभाव जैसे मुद्दे भी चर्चा में उभरते जाएं लेकिन संदेशकर्ता को यह ध्यान रखना होगा कि चर्चा का केन्द्र बिंदु कुपोषण ही हो और बाकी के मुद्दे बारी-बारी से चर्चा में उभरकर वापस लौट जाएं। इसके लिए संदेशकर्ता को चतुराई से चर्चा को वापस मुख्य मुद्दे पर लाना होगा क्योंकि समुदाय में ऐसे 'कठिन' लोग भी होते हैं जो बुरी नीयत से चर्चा में व्यवधान डालते हैं। ऐसे में चर्चा को क्षणिक विराम देकर कठिन परिस्थिति या क़ठिन लोगों को संभालने की आवश्यकता होगी। इस काम में समुदाय के लोगों का सहयोग लेना ही श्रेयस्कर होगा। उदाहरणार्थ यदि किसी समूह चर्चा में कोई व्यक्ति बार-बार अनावश्यक प्रश्न पूछकर, परिचर्चा में व्यवधान डाले तो ऐसी समस्या का हल स्वयं समुदाय से ही निकलवाना चाहिए। इस प्रकार की स्थिति को प्रतिभागियों के सामने इस प्रकार से प्रस्तुत किया जा सकता है:

''*भाइयो और बहनो*, आपके यह भाई बहुत देर से कुछ प्रश्नों का उत्तर पाना चाह रहे हैं, मेरे पास तो इनके प्रश्नों का उत्तर नहीं है। कृपया इस मामले में हमारी सहायता करें।''

अथवा

''*भाइयो और बहनो*, आपकी यह दीदी शायद नहीं चाहतीं कि आपका गांव आगे बढ़े। क्या इन्हें समझाने में आप हमारी सहायता कर सकते हैं?''

इस तरह से समुदाय के हाथों में बागडोर सौंपने से समस्या का हल भी समुदाय के लोग स्वयं ही निकाल देंगे। निश्चित तौर पर उक्त चर्चा के प्रतिभागी उस 'कठिन व्यक्ति' को समझा-बुझाकर शांत कर देंगे और आगे भी ध्यान रखेंगे कि इस तरह का व्यवधान दोबारा न हो।

जिन वंचित लोगों का व्यवहार परिवर्तित किया जाना है, उनकी समस्या का हल किसी-न-किसी रूप में उनके पास पहले से मौजूद होता है। जागरूकता की कमी उन्हें उस समाधान के समुचित प्रयोग से रोकती है। यहां 'घर की मुर्गी दाल बराबर' वाली कहावत लागू होती है। यदि यहां समुदाय आधारित आपदा प्रबंधन (विशेषकर बाढ़) का उदाहरण लें तो प्रति वर्ष बाढ़ की विभीषिका झेलने वाले ग्रामीण क्षेत्रों में स्थानीय समुदाय के पास कोई-न-कोई ऐसी व्यवस्था मौजूद होती है जिससे बाढ़ तो नहीं टाली जा सकती मगर उससे होने वाले नुकसान को पहले से तैयारी करके से कुछ हद तक कम किया जा सकता है। सामुदायिक स्तर पर खतरे की चेतावनी का प्रबंध, कीमती सामानों/दस्तावेजों एवं जलावन को मचानों पर सुरक्षित रखना, बाढ़ के पहले ही बच्चों, महिलाओं, विकलांगजनों एवं वृद्धजनों के रहने की व्यवस्था किसी सुरक्षित स्थान जैसे पंचायत भवन या गांव के विद्यालय में करना, सभी घरों में 'सुरक्षा पोटली' (सूखा भोजन, आवश्यक दवाएं, सैनिटरी नैपकिन आदि) की व्यवस्था करना जैसे उपाय लगभग हर बाढ़ग्रस्त गांव में बाढ़ आने के पहले ही कर लिए जाते हैं मगर जब कोई संस्था उस समुदाय के साथ आपदा प्रबंधन के मुद्दे पर काम करती है तो उन उपायों को एक नया नाम दे देती है। इस नए नाम के तहत संस्था द्वारा दिए गए उपायों को लोग अधिक अहमियत देते हैं क्योंकि उक्त संस्था द्वारा वह संदेश एक सुव्यवस्थित तरीके से दिया जा रहा होता है जिससे लोगों का ध्यान उस ओर आकृष्ट होता है।

समस्त संचार प्रक्रिया में इस बात का ध्यान रखा जाना आवश्यक है कि संदेश आकर्षक एवं प्रभावकारी तरीके से दिया जाए। इसके लिए स्थानीय स्तर पर आसानी से उपलब्ध एवं लोकप्रिय माध्यमों का सहारा लिया जा सकता है। आपदा प्रबंधन के संदर्भ में ही अगर बात करें तो बाढ़ की पूर्व तैयारी पर समुदाय को बेहतर ढंग से प्रेरित करने के लिए समुदाय स्तरीय बैठकें, प्रचार सामग्री, फिल्म-शो आदि का सहारा लिया जा सकता है। माध्यमों के सहारे से दिए गए संदेशों की ग्राह्यता की संभावना साधारण ढंग से दिए गए संदेशों की तुलना में बढ़ जाती है। इसलिए इस मुद्दे पर काम करने की योजना में

यह भी ध्यान रखा जाना जरूरी है कि संदेश को कैसे आकर्षक बनाएं जिससे कि उनकी ग्राह्यता बढ़े।

समस्त परिचर्चा का सारांश यही है कि व्यवहार परिवर्तन के लिए जब हम संचार प्रक्रिया का प्रयोग कर रहे हैं तो संचार हर प्रकार से उन लोगों के लिए उपयुक्त हो जिनके व्यवहार में परिवर्तन के प्रयास किए जा रहे हैं। जो भी संदेश दिए जाएं, वे उन्हें आकृष्ट करें, उनमें विश्वास जगाएं जिससे कि उन विचारों पर अमल करके वे अपनी आदतें बदल सकें। यहां दूसरा पक्ष अर्थात समुदाय साध्य है। इसलिए प्राथमिकता साध्य को दी जानी चाहिए। मगर इसका यह मतलब नहीं है कि साधन अर्थात् संदेश, संदेशकर्ता, संचार प्रक्रिया और प्रक्रिया में प्रयुक्त समस्त साधन गौण हैं। व्यवहार परिवर्तन संचार के संदर्भ में साधन भी उतना ही महत्वपूर्ण है जितना साध्य, क्योंकि यदि साधन उपयुक्त नहीं होगा तो साध्य की प्राप्ति नहीं होगी। इसलिए संचार प्रक्रिया के एक-एक चरण को सफलतापूर्वक पार किए जाने की आवश्यकता है। तभी होगा व्यवहार परिवर्तन का संचार पूरी तरह उपयुक्त और तभी आएगा व्यवहार में अपेक्षित और समुचित बदलाव।

❑❑❑

अध्याय 4

व्यवहार परिवर्तन संचार की प्रक्रिया

जन-व्यवहार बदलना एक कठिन और दुरूह प्रक्रिया है। लोगों के व्यवहार में सकारात्मक बदलाव लाने के लिए संचारकर्ता को लोगों की भ्रांतियों, दुराग्रहों और पूर्वाग्रहों से जूझना पड़ता है। संचार की भाषा में इसे 'मनोवैज्ञानिक बाधाएं' (*साइकोलॉजिकल बैरियर्स*) कहते हैं। इसलिए व्यवहार परिवर्तन संचार की प्रक्रिया एक सुव्यस्थित प्रक्रिया होनी चाहिए जिसके विभिन्न चरण हों। इनके द्वारा सिलसिलेवार ढंग से लक्षित समूह के मनोविज्ञान, आचार, व्यवहार, जीवनशैली, संस्कृति आदि को समझकर उन्हें प्रभावित करने की आवश्यकता है ताकि धीरे-धीरे वांछित परिवर्तन मिलने लगें। इसीलिए इस प्रक्रिया के सभी चरण अपने-आप में महत्वपूर्ण हैं और एक-दूसरे से जुड़े हुए हैं। यहां यह भी समझने की आवश्यकता है कि किसी भी चरण को लांघा नहीं जा सकता क्योंकि सीढ़ी लांघने की तरह इस प्रक्रिया के चरण लांघने के भी अपने खतरे हो सकते हैं। दूसरी समझने वाली बात है– हर चरण के तारों का आपस में जुड़ा होना, जिस वजह से इस प्रक्रिया का एक क्रमबद्ध विकास होता है। प्रत्येक चरण पर अलग-अलग संचार व्यवधान भी अपना-अपना प्रभाव डालते हैं। प्रत्येक चरण पर विभिन्न प्रकार के जोखिम भी कार्यरत होते हैं। इनके अतिरिक्त प्रत्येक चरण पर संदेशकर्ता के साथ-साथ संदेश प्राप्तकर्ता की भी अति महत्वपूर्ण भूमिका होती है। इनमें से किसी भी कारक की अनदेखी से समस्त प्रक्रिया बाधित हो सकती है। प्रक्रिया के चरणबद्ध व समुचित संचालन के लिए इसके चरणों को विस्तार से समझना आवश्यक है।

चूंकि यहां संदर्भ व्यवहार परिवर्तन का है जिसका उद्देश्य सामान्य संचार उद्देश्य से भिन्न होता है, इसीलिए इस प्रक्रिया के चरण भी सामान्य संचार प्रक्रिया से भिन्न होंगे। मानव व्यवहार पर प्रभाव डालने के लिए मानव मनोविज्ञान को समझना भी आवश्यक है। इस संदर्भ के उद्देश्य के दृष्टिगत प्रक्रिया का प्रथम चरण होना चाहिए **संबंध निर्माण** अर्थात् जिस समुदाय के व्यवहार में परिवर्तन लाना है, उसके साथ मित्रवत् संबंध की पहल करना। यदि यह प्रक्रिया किसी पुराने समुदाय के साथ दोहराई जा रही हो तो फिर संबंधों को और बेहतर बनाने की आवश्यकता होगी। बल्कि इसे ऐसे समझ सकते

हैं कि व्यवहार परिवर्तन की प्रक्रिया आम तौर पर ऐसे समुदाय के साथ ही संपन्न की जा सकती है जिसके साथ प्रेरक संस्था के पहले से अच्छे संबंध हों। बिल्कुल नए बनाए गए संबंधों के आधार पर व्यवहार परिवर्तन करना सरल नहीं होगा। विशेषकर स्वास्थ्य, लैंगिक समानता, छुआछूत उन्मूलन अथवा साम्प्रदायिक सौहार्द्र जैसे संवेदनशील मुद्दों अथवा खेती-किसानी जैसे समय लगाने वाले मुद्दों पर ग्रामीण समुदाय के व्यवहार को बदलना तो अत्यंत कठिन है। कहीं-न-कहीं ऐसे मुद्दे विकास प्रक्रिया का ही अंग हैं। व्यवहार परिवर्तन, समुदाय में एक बड़े और सकारात्मक परिवर्तन का एक छोटा सा अंग है। इसी बड़े परिवर्तन को हम विकास का नाम देते हैं। यह विकास केवल व्यवहार परिवर्तन का ही नहीं, अनेक दूसरे परिवर्तनों का परिणाम होता है और यह सारे परिवर्तन समुदाय में मात्रात्मक व गुणात्मक दोनों आयामों के समावेश से उभरते हैं।

दूसरे शब्दों में, व्यवहार परिवर्तन एक साधन है जबकि सामाजिक बदलाव साध्य। संबंध निर्माण के इस चरण में संदेशकर्ता को दो-तीन बातों का ध्यान रखना अत्यंत आवश्यक है। अपने/अपनी संस्था के बारे में पूरी जानकारी समुदाय को देना, उक्त क्षेत्र में आने का मकसद, अपने कार्य का उद्देश्य, उक्त क्षेत्र को चुने जाने का कारण। इन सबके बीच पूरी पारदर्शिता की आवश्यकता है, अर्थात् कहीं भी किसी प्रकार के असत्य की गुंजाइश नहीं होनी चाहिए। इसीलिए, एक सामाजिक कार्यकर्ता के लिए आवश्यक है कि वह झूठे वायदों या आश्वासनों से बचे। निर्धन एवं पिछड़े समुदायों के साथ काम करते हुए ऐसा हो सकता है कि लोग कुछ पाने की आशा रखें अथवा नजदीकी बढ़ाने के लिए सामाजिक कार्यकर्ता खुद ही लोगों को झूठे आश्वासन अथवा प्रलोभन भी दे डालते हैं। ऐसा करना अनैतिक भी है और अव्यावहारिक भी क्योंकि झूठे वायदों की क़लई आज नहीं तो कल खुल ही जाएगी और फिर समुदाय का विश्वास ऐसे कार्यकर्ताओं पर से हमेशा-हमेशा के लिए उठ जाएगा।

इस तरह की परिस्थिति में बेहतर है, खुलकर यह कहना कि किसी प्रकार का आर्थिक लेनदेन हमारे लिए संभव नहीं है मगर जिस बड़े सामाजिक परिवर्तन के लिए उनका क्षेत्र चुना गया है, उससे समस्त समुदाय के जीवन में सकारात्मक परिवर्तन आएगा। ऐसा करने से लोगों को कुछ देर के लिए बुरा तो लगेगा लेकिन संदेशकर्ता पर उनका विश्वास बना रहेगा। इसका दूसरा लाभ होगा कि इस तरह की फरमाइशों का सिलसिला भी धीरे-धीरे बंद हो जाएगा।

किसी भी समुदाय के साथ पहली बार निकटता बनाते समय उक्त क्षेत्र के तौर-तरीकों, लोगों की भाषा, उनकी संस्कृति का ध्यान रखे जाने की बहुत अधिक आवश्यकता है। यदि हो सके तो समुदाय के तौर-तरीकों, संस्कृति के अनुरूप ही चलना चाहिए, यथासंभव उनकी भाषा में ही वार्तालाप करना चाहिए। इसके लिए किसी स्थानीय व्यक्ति से सहायता ली जा सकती है। उनके ही जैसे वस्त्र पहनने चाहिए। वैसे भी बहुत पुरानी कहावत है, 'जैसा देस, वैसा भेस'। ऐसा नहीं करने से सामाजिक कार्यकर्ता स्वयं को समुदाय से अलग-थलग पाएंगे, समुदाय के लोग उन्हें 'विकास पर्यटक' से अधिक का दर्जा नहीं दे पाएंगे और एक समय आएगा कि उनकी बातों पर ध्यान देना बंद कर देंगे। ऐसी अप्रिय परिस्थिति को दूर रखने के लिए यही बेहतर होगा कि स्वयं को क्षेत्र तथा समुदाय के अनुसार प्रस्तुत किया जाए।

संबंध निर्माण के बाद सामाजिक कार्यकर्ता का पहला काम होगा, लोगों को उस मुद्दे की अच्छाइयां-बुराइयां बताने का, अर्थात् लोगों को जागरूक बनाने का। इस तरह **जागरूकता निर्माण** को हम व्यवहार परिवर्तन संचार प्रक्रिया की दूसरी कड़ी मान सकते हैं। इस चरण में आप मुद्दे पर आते हैं अर्थात् विषयमूलक संदेश देना शुरू करते हैं। यह चरण अपने-आप में अत्यंत महत्वपूर्ण है क्योंकि यह आपके उद्देश्य से जुड़ा है। इस चरण पर हम तभी पहुंच सकते हैं जब हमारे और समुदाय के संबंध उस योग्य हो चुके हों। यहां जागरूकता निर्माण की प्रक्रिया सामान्य जागरूकता से शुरू होकर विषय-मूलक जागरूकता तक जा पहुंचती है। संदेशकर्ता का काम यहां संदेश ग्रहणकर्ताओं को उक्त विषय की जानकारी देकर उनकी स्थिति, उनकी समस्याओं पर संवेदित करना होता है। ऐसा भी हो सकता है कि लोगों को जानकारी तो हो, मगर उस जानकारी को वह स्वयं से जोड़कर देख नहीं पाते हों। मसलन, लोगों को पता तो होता है कि मच्छरों के काटने से मलेरिया होता है, मगर उन्हें इस बात का एहसास नहीं होता कि मलेरिया के शिकार वह स्वयं भी हो सकते हैं। समस्या का पता होना काफी नहीं होता, समस्या को खुद से जोड़कर देखना व्यवहार परिवर्तन की शुरुआत है। लोगों को इस एहसास के योग्य बनाना ही यहां संदेशदाता का काम है। इस तरह से यह जानकारी प्रदान करने से एक कदम आगे का काम है जिसके तहत संदेशदाता लोगों को झकझोरता है कि वह उस समस्या में स्वयं को, स्वयं की स्थिति को तलाश सके। साथ ही, यदि हो सके तो उस समस्या का हल भी खोज सके।

अपने क्षेत्र की अथवा समुदाय की समस्या में खुद को तलाशने और स्वयं को उससे जोड़ने के साथ ही एक और शुरुआत होती है और वह है, **चिंता उत्पत्ति**। यदि हम इस पुस्तक के '**क्या है व्यवहार परिवर्तन संचार?**' नामक अध्याय में प्रस्तुत शराबबंदी के प्रयासों का उदाहरण लें तो संस्था ने पहले तो शराब छोड़ने के लिए पुरुषों को प्रेरित किया, लेकिन जब बात नहीं बनी तो महिलाओं को लक्षित किया गया। शराब के कुप्रभावों पर उन्हें जानकारी देने के अतिरिक्त यह भी समझाया गया कि इंन कुप्रभावों के चलते उन महिलाओं का और उनके बच्चों का भविष्य खतरे में है क्योंकि शराब पीने से क्षय रोग होता है जिससे जान चली जाती है। कार्यक्रम के अंत में क्षय रोग से कठपुतली के पुरुष पात्र की क्षय रोग से मौत के बारे में जब उन्होंने संजीदगी से विचार किया तो उन्हें यह डर लगा कि यह तो उनके पति के साथ भी हो सकता है क्योंकि उनके पति को भी शराब की लत है। जहां उन्होंने इस समस्या को स्वयं से जोड़कर देखा, वहीं उनके अंदर चिंताएं उभरने लगीं। यह स्थिति व्यवहार परिवर्तन संचार प्रक्रिया की दूसरी कड़ी है जहां संदेश प्राप्तकर्ताओं में चिंता उभरने लगती है कि कहीं उक्त समस्या का शिकार उनका परिवार न हो जाए। स्वाभाविक रूप से इस चिंता के बाद समस्या के निवारण के प्रयास होने लगते हैं। उक्त उदाहरण में भी कुछ ऐसा ही हुआ कि गांववालों ने शराबबंदी की दिशा में सोचना शुरू कर दिया। कुछ पुरुषों ने तो शराब छोड़ दी, भले ही इस काम में और इसके बाद भी उन्हें तकलीफ हुई हो क्योंकि कोई भी लत आसानी से नहीं छूटती। बची हुई समस्या का हल गांव की महिलाओं ने खोज निकाला, शराब भट्टी तोड़कर। उन्होंने शराब बहा दी, शराब की कोठियां तोड़ दीं और भट्टी मालिक को बुरी तरह डराया-धमकाया। इस प्रकरण के बाद भट्टी मालिक की हिम्मत दोबारा उस क्षेत्र में घुसने की नहीं हुई। बाकी की भट्टियां गांव से दूर होने के कारण लोगों के लिए वहां जाकर शराब पीना संभव नहीं था। इसलिए, उनकी यह लत धीरे-धीरे खुद ही छूटने लगी। इस प्रकार लोगों का व्यवहार भी बदल गया और समस्या का समाधान अपने-आप ही हो गया।

चिंता करने और बुरी आदतों को छोड़ने या फिर अच्छी आदतों को अपनाने के बीच संदर्भ के अनुसार कई चरण और हो सकते हैं। नशाखोरी का मामला चूंकि ऐसा था कि उसके कुप्रभाव कठपुतली कार्यक्रम के माध्यम से प्रत्यक्ष दिख रहे थे, इसलिए लोगों की प्रतिक्रिया भी त्वरित हुई, भट्टी तोड़ने के रूप में। भट्टी का तोड़ा जाना बदलाव का एक संकेत था कि लोगों ने

नशाबंदी के खिलाफ आवाजें उठानी शुरू कर दी हैं। मगर हर संदर्भ में त्वरित बदलाव संभव नहीं है। जैविक कृषि के संदर्भ में कृषकों को विभिन्न माध्यमों से जानकारी देकर जैविक कृषि के लाभों पर जागरूक बनाया जा सकता है, साथ ही उनमें रासायनिक कृषि के कुप्रभावों तथा कृषि की बढ़ती लागत पर चिंता भी उत्पन्न कराई जा सकती है। किंतु यहां बदलाव अर्थात् जैविक कृषि को आनन-फानन में अपनाना कृषकों के लिए संभव नहीं होगा क्योंकि इसके लिए उनके पास जैविक कृषि की जानकारी तथा कौशल भी होने चाहिए। यहां सामने आता है व्यवहार परिवर्तन संचार का अगला चरण जहां संदेशदाता द्वारा संदेश ग्रहणकर्ता तक बदलाव संबंधी जानकारी तथा कौशल सुव्यवस्थित ढंग से पहुंचाए जाते हैं। जैविक कृषि के ही संदर्भ में कृषकों को जैविक खाद, जैविक कीटनाशक, फसलों के जैविक ढंग से भंडारण आदि पर प्रशिक्षण दिए जाने की आवश्यकता है। **ज्ञान एवं कौशल का हस्तांतरण** पुरानी प्रविधि से नई प्रविधियों की ओर ले जाता है और बदलाव की शुरुआत करता है। कृषकों को केवल रासायनिक कृषि की हानियां एवं जैविक कृषि के लाभ बताने से ही कृषक जैविक खेती नहीं अपना लेंगे। इसके लिए 'करके दिखाने' एवं उन्हें स्वयं करने के योग्य बनाने की आवश्यकता है जो कौशल हस्तांतरण के माध्यम से संभव है। इसके लिए प्रशिक्षण, शैक्षणिक भ्रमण, फिल्म शो जैसे कार्यक्रम आयोजित किए जा सकते हैं। जैविक खाद या कीटनाशक तैयार करते समय ही कृषकों को जैविक कृषि के लाभ बेहतर ढंग से समझाए जा सकते हैं कि कैसे रासायनिक कृषि की तुलना में उनकी लागत जैविक कृषि में कम हो सकती है और कैसे जैविक फसल की गुणवत्ता रासायनिक तरीके से उपजाई गई फसल की गुणवत्ता से बेहतर होगी?

यहां यह भी समझना ज़रूरी है कि झटके से एक ही बार में बड़े परिवर्तन की उम्मीद नहीं करनी चाहिए। इसीलिए इस मामले में धीरे-धीरे ही कदम बढ़ाना ठीक है। यह हुआ **प्रयोग का चरण** जिसमें परिवर्तन को अपनाने की केवल शुरुआत होती है। प्रयोग के परिणाम अगर उत्साहजनक हुए तो उनके आधार पर परिवर्तनों को बड़े पैमाने पर अपनाने के लिए समुदाय को प्रेरित किया जा सकता है। पहले वर्ष में जमीन के एक छोटे से टुकड़े पर जैविक कृषि का प्रयोग कर शुरुआत की जा सकती है। हो सकता है कि पहले वर्ष में फसल रासायनिक तरीके से उपजाई गई फसल से कम हो। किंतु यहां कृषकों को यह समझाने की आवश्यकता होगी कि ऐसे कार्यों का परिणाम आने में समय लगता है। पहले वर्ष में भले ही फसल कम हो लेकिन फसल

की गुणवत्ता अवश्य रासायनिक तरीके से उपजाई गई फसल की गुणवत्ता से बेहतर होगी। यही नहीं, रासायनिक कृषि की तुलना में जैविक कृषि में लागत कम आएगी। यही कुछेक ऐसे बिंदु हैं जिनके आधार पर कृषकों को जैविक कृषि अपनाने के लिए प्रेरित किया जा सकता है। **यहां से अभिप्रेरण का चरण** शुरू होता है जिसका लक्ष्य यह होता है कि प्रयोग के बाद उभरे सकारात्मक परिवर्तन को अब बड़े पैमाने पर अपनाया जाए। अभिप्रेरण के लिए एक बार फिर विभिन्न माध्यमों की सहायता ली जाती है। जैविक कृषि के ही संदर्भ में यदि किसी किसान ने अपने खेत के छोटे से टुकड़े पर जैविक तरीके से फसल उगाई हो तो खेत का वह टुकड़ा और वह कृषक अपने-आप में सफलता की कहानी हैं। फसल तैयार होने पर उक्त जैविक प्लॉट पर अन्य किसानों का शैक्षणिक भ्रमण करवाया जा सकता है। इससे भ्रमण करने वाले किसान अपनी आंखों से लहलहाती हुई एवं बेहतर फसल देखकर स्वयं जैविक कृषि के फायदे समझ सकेंगे। दूसरा माध्यम होगा, स्वयं वह कृषक जिसने प्रायोगिक तौर पर जैविक कृषि अपनाई हो। कृषकों की बैठकों में वह कृषक अपने अनुभव अन्य किसानों के साथ बांट सकता है, उन्हें जैविक कृषि की कम लागत के बारे में बता सकता है। अपनी ही बिरादरी/समाज का होने के कारण उस किसान की बातें अन्य किसानों को अधिक विश्वसनीय लगेंगी और उन्हें उस किसान की कहीं हुई बातों को अपनाना आसान भी लगेगा। इस तरह उक्त किसान अपने-आप में प्रेरणा के माध्यम अथवा आदर्श के रूप में काम करेगा। बस आवश्यकता है, उसके स्वयं के अभिप्रेरण की। यहां ऐसे किसानों की पहल एवं जोखिम उठाने की क्षमता को सम्मान दिए जाने की आवश्यकता होगी। ग्राम अथवा पंचायत स्तर पर छोटा सा कार्यक्रम आयोजित कर 'आदर्श किसान' या 'प्रगतिशील किसान' के रूप में ऐसे किसानों का सम्मान करने से उन किसानों का मनोबल तो ऊंचा होगा ही, उन्हें सम्मानित होता देख अन्य किसानों को भी उनकी तरह बनने की प्रेरणा मिलेगी (इस संदर्भ में सम्मान समारोह भी एक संचार माध्यम ही होगा)। स्वाभविक है कि उनकी तरह बनने के प्रयास में अन्य किसान भी जैविक कृषि अपनाएंगे और इस तरह उनका व्यवहार परिवर्तन होगा। उन आदर्श किसानों की सहायता से गांव के अन्य किसानों का जैविक कृषि पर प्रशिक्षण आयोजित किया जा सकता है। प्रशिक्षकों के रूप में ऐसे आदर्श किसान एक बार फिर संचार माध्यम का ही काम करेंगे अर्थात् उनके माध्यम से सरलतापूर्वक जैविक कृषि के लाभ अन्य किसानों तक पहुंचेंगे और उन्हें जैविक कृषि अपनाने का निर्णय लेने में सुविधा होगी।

यह चरण परिवर्तन को **अपनाए जाने का चरण** है जहां समुदाय अथवा संदेश प्राप्तकर्ता दिए गए संदेश को धीरे-धीरे अपनाता है। इस संदर्भ में पहले वर्ष में यदि तीन किसानों ने प्रायोगिक तौर पर जैविक रीति से फसल उगाई हो तो दूसरे वर्ष में फसलों की बढ़ती गुणवत्ता तथा कृषि की घटती लागत देखकर कम-से-कम दस किसानों द्वारा इसे अपनाए जाने की आशा की जा सकती है। आने वाले वर्षों में यह संख्या बढ़ती जाएगी और एक समय ऐसा भी आएगा जब समस्त गांव के कृषक जैविक रीति से ही कृषि कर रहे होंगे। अर्थात् समुदाय द्वारा पूरी तरह से जैविक कृषि **अपनाने** की पहल होगी।

प्रयोग के चरण को अपनाए जाने के चरण में बदलने में संचार माध्यमों की बहुत महत्वपूर्ण भूमिका होगी। शुरुआती दौर में आदर्श किसानों की सफलता का प्रचार-प्रसार, उस आधार पर अन्य किसानों का अभिप्रेरण, उनकी क्षमता वृद्धि आदि के लिए विशेष रूप से संचार माध्यमों की आवश्यकता होगी। इस चरण में ध्यान जानकारी देने पर नहीं बल्कि अभिप्रेरण पर होना चाहिए। इसके लिए संचार माध्यमों का चयन भी उसी प्रकार किया जाना चाहिए। सफल किसानों की सफलता की कहानियां, उनके लहलहाते खेत, बाजार में उनकी फसल की बेहतर मांग, यह सारे माध्यम अभिप्रेरण में सक्षम हैं क्योंकि सफलता देखकर किसी के भी दिल में वहां तक पहुंचने की लालसा जाग सकती है जिसे 'स्व-प्रेरणा' माना जा सकता है। किसी भी सकारात्मकता को अपनाने के लिए स्व-प्रेरणा सबसे महत्वपूर्ण कारक है। इसलिए ऐसे माध्यमों के प्रयोग से इस चरण पर अवश्य ही सफलता की आशा की जा सकती है।

यह सफलता एक गांव से शुरू होकर, दस गांव, दस प्रखंड, दस जिलों और इसके आगे तक पहुंच सकती है क्योंकि सफलता की कहानियों का प्रचार तेजी से होता है। व्यवहार परिवर्तन की इस प्रक्रिया में यह चरण है सफलता के **प्रसार व विस्तार का चरण** जो इस प्रक्रिया का अत्यंत महत्वपूर्ण अंग है। किसी क्षेत्र में यदि लंबे प्रयासों के बाद गांव की सभी लड़कियों ने विद्यालय जाना शुरू कर दिया हो तो यह समीपवर्ती गांवों के लिए निश्चित रूप से प्रेरणादायी होगा क्योंकि उन लड़कियों को देखकर दूसरी लड़कियों, उनके अभिभावकों का हौसला बढ़ेगा। सामाजिक क्षेत्र में समय लगता है केवल परिवर्तन आने में। मगर परिवर्तन के उभरने के बाद उसके विस्तार में समय नहीं लगता। किसी पिछड़े समुदाय को बालिका शिक्षा पर जागरूक एवं प्रेरित करने में निश्चित रूप से समय लगेगा मगर एक बार जहां उन बालिकाओं ने शिक्षा की ओर कदम बढ़ाया तो वह अपने-आप में अन्य क्षेत्रों के लिए

प्रेरणा स्रोत या आदर्श (*रोल मॉडल*) बन सकती हैं। इसके बाद समीपवर्ती गावों को भी यह समझने में देर नहीं लगेगी कि बालिका शिक्षा उनके लिए भी उतनी ही महत्वपूर्ण है जितनी उस गांव के लिए जहां की सभी बालिकाएं आज विद्यालय जा रही हैं। एक बार अगर यह समझ बन गई तो इस समझ का एक गांव से दूसरे, दूसरे से तीसरे, तीसरे से तीसवें और तीसवें से तीन सौवें गांव तक प्रसार होने में अधिक समय नहीं लगेगा क्योंकि आंखों के सामने आदर्श और प्रेरणास्रोत उपस्थित होंगे। यहां यह माना जा सकता है कि बालिका शिक्षा को उक्त समुदाय ने पूरी तरह अपना लिया है और अब इस सुखद परिवर्तन का विस्तार हो रहा है।

इस विस्तार के बाद एक और महत्वपूर्ण चरण है परिवर्तन के **स्थायित्व** अर्थात् परिवर्तन को **टिकाने** का। दरअसल यह चरण अन्य सभी चरणों से कहीं अधिक महत्वपूर्ण है। यहां बदलाव के फलस्वरूप उभरा कोई भी नकारात्मक कारक सारे प्रयासों को विफल कर सकता है और समुदाय वापस पूर्ववर्ती स्थिति में पहुंच सकता है। यदि इसे क्षय रोग उन्मूलन के प्रयासों से जोड़कर देखा जाए तो ऐसा हो सकता है कि किसी जोखिमग्रस्त क्षेत्र में (जहां क्षय रोग के अनेक रोगी मौजूद हों) लम्बे समय से क्षय रोग उन्मूलन के प्रयास किए गए हों, प्रभावित परिवारों ने नियमित रूप से क्षय रोग की दवा लेना और खांसी होने की स्थिति में जांच कराने के लिए पहल करने की आदत डाल ली हो, इससे क्षय रोगों के नए मामलों में कमी आई हो। यहां तक तो माना जा सकता है कि समुदाय द्वारा क्षय रोग की रोकथाम के लिए सावधानी आधारित प्रयासों को अपनाया जा चुका है। मगर यहां भी निरंतर अनुगमन (जिसे अंग्रेजी में 'फॉलो-अप' कहा जाता है) की आवश्यकता है, यह सुनिश्चित करने के लिए कि रोगाणुओं को दूर रखने के लिए प्रभावित परिवारों में नियमित साफ-सफाई हो रही है, रोगी को नियमित रूप से दवा खिलाई जा रही है, उसकी खांसी पर ध्यान दिया जा रहा है। यह सब ऐसे कारक हैं जिनकी अनदेखी से क्षय रोग फिर से वापस आ सकता है। यदि किसी परिवार में रोगी की नियमित देखभाल तो हो रही है मगर बचाव के उपाय (स्वच्छता आदि) नहीं अपनाए जा रहे हों तो रोग की वापसी पूरी तरह से संभव है। यदि ऐसा हुआ तो पूर्ववर्ती सभी चरणों के प्रयास विफल हो सकते हैं। उस स्थिति में संपूर्ण प्रक्रिया फिर से दोहरानी पड़ेगी जिसमें संसाधनों और समय की बर्बादी तो होगी ही, अनमोल मानव जीवन पर भी खतरा बढ़ सकता हैं क्षय रोग से होने वाली मौतों के रूप में। इसलिए पूर्ववर्ती सभी प्रयासों की

विफलता रोकने तथा उन्हें स्थायी बनाने वाले प्रयासों की आवश्यकता है। इस समस्त प्रक्रिया की निम्नवत् प्रकार से पुनरावृत्ति की जा सकती है:

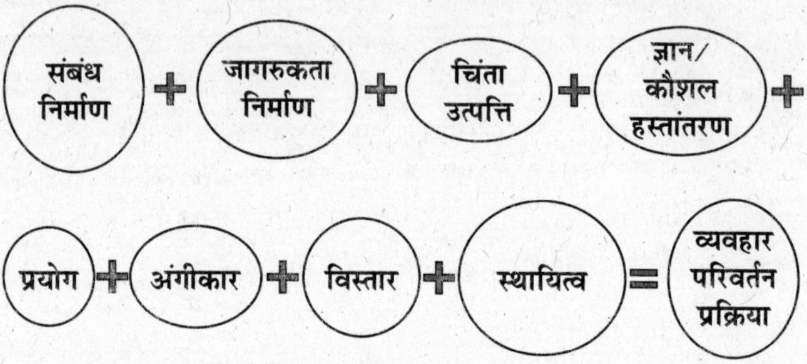

सामाजिक परिवर्तन अथवा व्यवहार परिवर्तन से संबंध रखने वाले किसी भी संगठन के लिए व्यवहार परिवर्तन संचार की इस प्रक्रिया को समझना अत्यंत आवश्यक है क्योंकि इस सुव्यवस्थित प्रक्रिया से गुजरे बिना किसी भी प्रकार के व्यवहार परिवर्तन की अपेक्षा नहीं की जा सकती। यहां वास्ता अत्यंत जटिल मानव मनोविज्ञान से है। इसलिए इस प्रक्रिया के पूर्ण होने तक धैर्य से परिणाम की प्रतीक्षा करने की आवश्यकता होगी क्योंकि प्रत्येक चरण पर निर्धारित समय अवश्य लगेगा। कभी-कभी विभिन्न चरणों के अनदेखे या अवांछनीय परिणाम भी आ सकते हैं जिनका समस्त प्रक्रिया अथवा उनके परिणाम पर बुरा प्रभाव पड़ सकता है। इसलिए किसी भी चरण को कम नहीं समझा जाना चाहिए। इन सभी चरणों का योग महत्वपूर्ण है मगर इस योग तक पहुंचने के लिए हर चरण के साथ न्याय किया जाना आवश्यक है।

व्यवहार परिवर्तन संप्रेषण का विस्तार (रिपल इफेक्ट)

व्यवहार परिवर्तन के मामले में अच्छी बात यह है कि समुदाय स्तर पर उभरा परिवर्तन एक ही स्थान पर टिककर नहीं रह जाता। अच्छे काम की सुगंध धीरे-धीरे आसपास फैलती है और अच्छे बदलाव को अपनाने की इच्छा भी आसपास के लोगों में उभरने लगती है। बदलाव की बयार आगे बढ़ती जाती है। सूचना का यह प्रवाह क्षैतिज होता है।

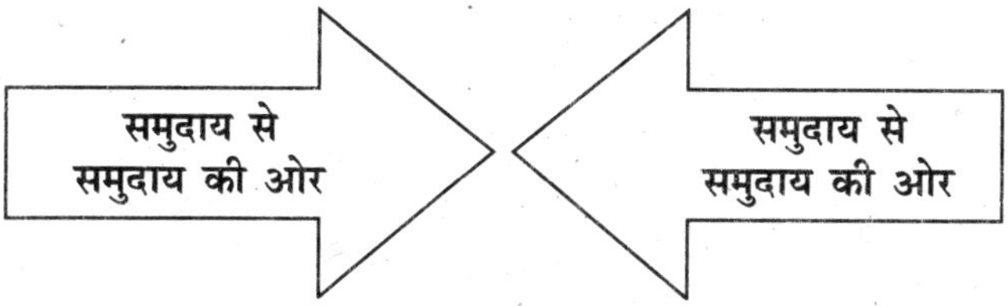

यह उस समय की स्थिति है जब समुदाय स्तर पर जागरूक हो चुके व्यक्ति/परिवार '**चेंज-एजेंट**' अथवा उत्प्रेरक की भूमिका निभाते हैं और अपने स्तर से उक्त व्यवहार परिवर्तन के संदेश का समुदाय में आगे प्रसार करते हैं। समुदाय से होकर यह परिवर्तन आगे बढ़ता है और इस प्रकार कड़ी से कड़ी मिलकर परिवर्तनों की एक श्रृंखला बन जाती है अंग्रेज़ी में इसे '*रिपल इफेक्ट*' कहते हैं अर्थात् ठहरे हुए पानी में पत्थर मारने पर लहरें केवल वहीं नहीं उभरतीं जहां पत्थर गिरता है बल्कि उसका असर कुछ दूर तक होता है। इसे यों कह सकते हैं कि एक लहर से दूसरी लहर पैदा होती है और यह एक लंबा सिलसिला हो जाता है।

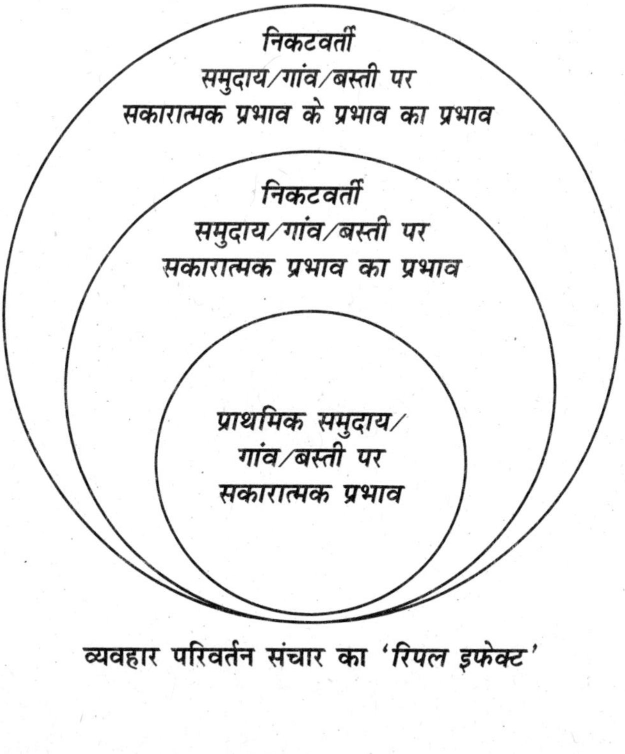

व्यवहार परिवर्तन संचार का '*रिपल इफेक्ट*'

इसी तरह व्यवहार परिवर्तन का प्रभाव केवल एक ही जगह रुका नहीं रहता बल्कि उसका समीपवर्ती स्थानों में धीरे-धीरे प्रसार होता है और इस तरह वह एक बड़े परिवर्तन का रूप ले लेता है। यह एक अलग बात है कि धीरे-धीरे उभरने वाले इस परिवर्तन को लोग महसूस नहीं कर पाते, न ही यह समझ पाते हैं कि वह किसी परिवर्तन का हिस्सा बन रहे हैं। यही इस संपूर्ण प्रक्रिया का सबसे महत्वपूर्ण आयाम है कि इसके द्वारा लाया गया परिवर्तन वहीं तक सिमटकर नहीं रह जाता बल्कि इसमें धीरे-धीरे आगे बढ़ने की भी क्षमता है। पल्स पोलियो या स्वच्छ भारत अभियान जैसा कोई राष्ट्रव्यापी अभियान हो या ग्राम स्तर पर संचालित जैविक कृषि का कोई कार्यक्रम, समुचित व्यवहार संचार के तालमेल से संपन्न हर कार्यक्रम रिपल इफेक्ट या स्पंदन ज़रूर लाता है। यही स्पंदन जन-आंदोलन की बुनियाद डालता है। यहां इस प्रभाव को उत्पन्न करने और उसे टिकाए रखने की आवश्यकता भी उतनी ही महत्वपूर्ण है जितना कि व्यवहार परिवर्तन के लिए किए गए कार्य। इस टिकाऊ परिवर्तन में 'चेंज एजेंट' अथवा उत्प्रेरक महत्वपूर्ण भूमिका निभा सकते हैं। यह 'चेंज एजेंट' होंगे, स्वयं उस क्षेत्र के लाभार्थी, जहां उक्त परिवर्तन की शुरुआत हुई और जिन्होंने उक्त परिवर्तन को अपनाया।

❑❑❑

अध्याय 5

व्यवहार परिवर्तन संचार के शत्रु

किसी भी विकास कार्यकर्ता या व्यवहार-परिवर्तन से जुड़े कार्यकर्ता के लिए केवल इस विशेष प्रकार के संचार के सिद्धांत, प्रक्रिया या सफलता की बुनियादी शर्तों के बारे में जानना ही काफी नहीं है। इन सबके अतिरिक्त उन कारकों अथवा तत्वों के बारे में भी जानना आवश्यक है जिनसे व्यवहार परिवर्तन संचार की प्रक्रिया या तो बाधित होती है अथवा उस प्रक्रिया पर किसी भी प्रकार का बुरा प्रभाव पड़ता है। इन तत्वों को व्यवहार परिवर्तन संचार की बाधाओं के नाम से जाना जाता है। इन बाधाओं की जानकारी विकास कार्यकर्ता को संचार के दृष्टिकोण से गलत दिशा में जाने से रोकती है। साथ ही साथ, यह जानकारी सुधार के उपाय अपनाने की ओर भी ध्यान आकृष्ट करती है।

कहा जाता है कि कोई युद्ध जीतना हो तो पहले युद्ध की अन्य तैयारियों के साथ-साथ शत्रु के बारे में भी जानना चाहिए। शत्रु की रणनीति की सूचना पाकर युद्ध जीतना आसान हो जाता है। व्यवहार परिवर्तन संचार के मार्ग की बाधाओं को व्यवहार परिवर्तन संचार के शत्रु से कम नहीं समझना चाहिए। यह ऐसे शत्रु हैं, जो शुरुआत से लेकर अंत तक काम को आगे बढ़ने से रोक सकते हैं या फिर, किए हुए काम को पूरी तरह से बर्बाद कर सकते हैं। दूसरे शब्दों में, इन बाधाओं से सामना व्यवहार परिवर्तन संचार प्रक्रिया के हर कदम पर हो सकता है। जब संचार प्रक्रिया में इन बाधाओं की इतनी अधिक भूमिका (नकारात्मक ही सही) है तो इन्हें धराशायी करना भी उतना ही ज़रूरी है जितना सफलता की शर्तों की उपलब्धता सुनिश्चित करना। इन शत्रुओं को परास्त करने के लिए आवश्यक है, उनके बारे में अच्छी तरह से जान-समझ लेना।

संचार की बुनियादी जानकारी यह बताती है कि यदि संचार के सभी तत्व सुचारु रूप से काम करते रहें और किसी प्रकार का कोई व्यवधान संदेश/*फीडबैक* लेनदेन के क्रम में कोई रुकावट न पैदा करे तो संचार की प्रक्रिया सुगम बनी रहेगी। लेकिन हमेशा ऐसा नहीं हो सकता। किसी-न-किसी कारण से इस प्रक्रिया में रुकावट आ सकती है। जिस क्षण अथवा जिस चरण पर

इस प्रक्रिया में किसी भी प्रकार का व्यवधान पड़ा तो संचार की प्रक्रिया वहीं रुक जाएगी या किसी भी अन्य प्रकार से बाधित होगी। इस प्रक्रिया में रुकावटें अथवा बाधा डालने वाले वाले कारकों को संचार प्रक्रिया की **बाधाएं** या **व्यवधान** कहा जाता है।

इसे एक उदाहरण से इस प्रकार समझा जा सकता है कि कोई विद्यार्थी खुशी-खुशी अपने विद्यालय जा रहा है। कुछ दिनों तक तो यह सब कुछ आसानी से चला (अर्थात संचार की प्रक्रिया बिना किसी बाधा के संपन्न होती रही) लेकिन कुछ दिनों के बाद उस बच्चे के घर और विद्यालय के बीच के रास्ते पर पुल बनाने का काम शुरू कर दिया गया। चारों ओर खुदाई, मिट्टी, बालू, मशीनों और मजदूरों के कारण वह बच्चा सायकिल चलाकर उस रास्ते से विद्यालय नहीं जा सकता। दूसरा रास्ता कठिन भी है और उस रास्ते से विद्यालय दूर भी पड़ता है। इन सब अड़चनों के कारण बेचारा बच्चा चाहकर भी विद्यालय नहीं जा सकता क्योंकि उसका रास्ता बाधित हो चुका है। इन बाधाओं को उसके विद्यालय के मार्ग की बाधाओं का नाम दिया जा सकता है।

यहां यह भी समझने वाली बात है कि विद्यालय मौजूद है, बच्चे के माता-पिता की और उसकी स्वयं की इच्छा शक्ति मौजूद है किंतु बाहरी कारक रुकावटें पैदा कर रहे हैं और बच्चे को विद्यालय पहुंचने से रोक रहे हैं। इसी प्रकार संचार के संदर्भ में भी समस्त तत्वों की उपस्थिति के बावजूद कुछ कारक संचार की प्रक्रिया में बाधा डालते हैं। निम्न चित्र के माध्यम से संचार व्यवधान को बेहतर ढंग से समझा जा सकता है:

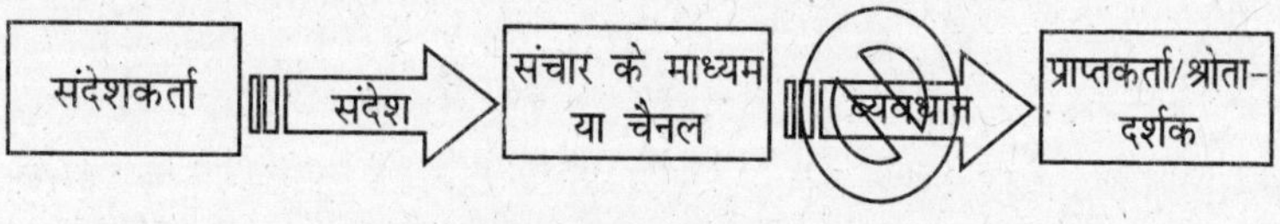

संचार प्रवाह में बाधा

यहां देखा जा सकता है कि स्रोत से निकला संदेश चैनल अथवा माध्यम में गड़बड़ी के कारण अपने गंतव्य तक पहुंच ही नहीं सका। इस प्रकार की बाधाएं विविध हो सकती हैं जिन्हें सुविधा की दृष्टि से आंतरिक और बाह्य दो श्रेणियों में बांटा जा सकता है।

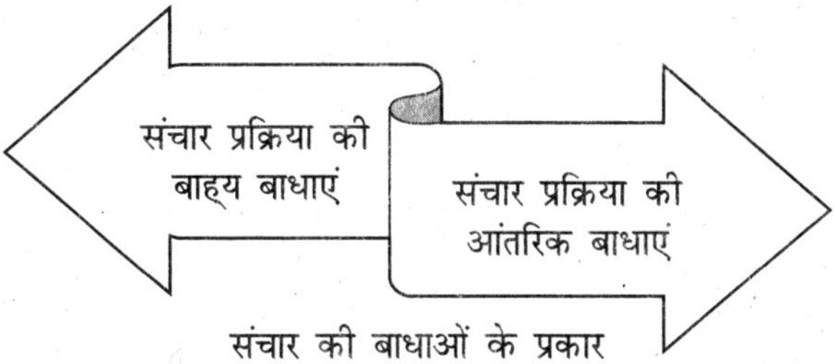

संचार की बाधाओं के प्रकार

प्रकृति में अंतर के कारण आंतरिक एवं बाह्य बाधाओं की प्रक्रिया में भी अंतर होता है जिसे निम्नलिखित चित्रों के माध्यम से समझा जा सकता है:

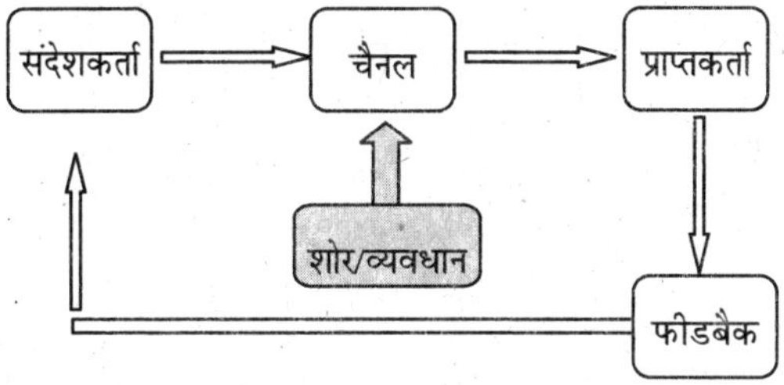

संचार प्रक्रिया में बाह्य बाधाएं

उपरोक्त चित्र एवं विद्यालय वाले उदाहरण, दोनों ही में व्यवधान बाहरी कारकों द्वारा उत्पन्न किया गया था। लेकिन परिस्थितियां कभी-कभी विपरीत भी हो सकती हैं और व्यवधान आंतरिक कारकों (जैसे स्रोत, संदेश, माध्यम अथवा ग्रहणकर्ता) द्वारा भी उत्पन्न किया जा सकता है, जैसा कि नीचे के चित्र के द्वारा दर्शाया गया है:

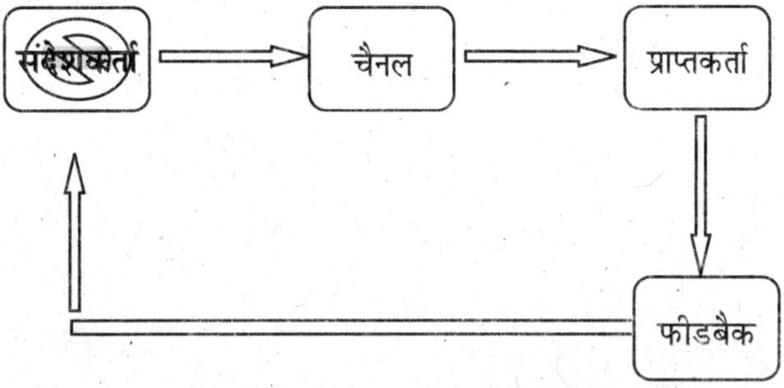

संचार प्रक्रिया में आंतरिक बाधाएं

इस चित्र में दर्शाई गई परिस्थिति को इस प्रकार समझा जा सकता है कि स्रोत अर्थात् संदेशदाता के चरण पर एक संदेश की उत्पत्ति हुई लेकिन किसी कारणवश संदेश की *एनकोडिंग* समुचित ढंग से नहीं हो सकी। सरल शब्दों में, संदेशदाता जो कहना चाह रहा था, वह ठीक से कह नहीं पाया और जो संदेश प्राप्तकर्ता को प्राप्त हुआ, वह आशय संदेशकर्ता का नहीं था। अर्थात् भेजी जानी थी 'इमली', मगर भेजा गया 'आम' (जाने या अनजाने ही सही, मगर गलती हुई)। दूसरी परिस्थिति में संदेश सही था, माध्यम में भी कोई रुकावट नहीं आई लेकिन प्राप्तकर्ता तक पहुंचते-पहुंचते उसका रूप बदल गया जो एक प्रकार का संचार व्यवधान ही था क्योंकि उसका प्रभाव कहीं न कहीं उक्त कार्य के उद्देश्य पर भी पड़ सकता है।

कुल मिलाकर संचार व्यवधान की विभिन्न परिस्थितियां हो सकती हैं। एक कुशल संचारकर्ता के लिए आवश्यक है कि वह उन परिस्थितियों का ध्यान रखे और उनके निराकरण के उपाय खोजे। तभी संचार की बाधा-रहित प्रक्रिया संपन्न हो सकती है। संचार व्यवधान की कुछ बुनियादी परिस्थितियां निम्नवत् हैं:

संचार प्रक्रिया की बाधाएं उत्पन्न होने की विभिन्न परिस्थितियां

परिस्थिति-1 संदेशदाता अर्थात स्रोत से संदेश तो निकला किंतु मार्ग में किसी रुकावट (जो तकनीकी, भाषा संबंधी अथवा किसी भी प्रकार की अड़चन हो सकती है) के कारण ग्रहणकर्ता तक पहुंच ही नहीं सका।

परिस्थिति-2 संदेश स्रोत से निकलकर ग्रहणकर्ता तक पहुंचा किंतु किसी कारणवश ग्रहणकर्ता द्वारा संदेश की *डीकोडिंग* नहीं की जा सकी।

परिस्थिति-3 संदेश स्रोत से निकलकर ग्रहणकर्ता तक पहुंचा किंतु ग्रहणकर्ता द्वारा संदेश की *डीकोडिंग* नहीं किए जा सकने के कारण उस संदेश के आधार पर किसी प्रकार का कोई फीडबैक नहीं तैयार किया जा सका।

परिस्थिति-4 ग्रहणकर्ता द्वारा संदेश प्राप्त कर उसकी डीकोडिंग की गई, उसके आधार पर फीडबैक तैयार कर उपलब्ध माध्यम से स्रोत को भेजी गई किंतु किसी रुकावट के कारण (प्रथम स्थिति में वर्णित) फीडबैक मार्ग में ही रुक गया और स्रोत तक नहीं पहुंच सका।

परिस्थिति-5 ग्रहणकर्ता द्वारा भेजा गया फीडबैक स्रोत तक पहुंचा। किंतु किसी कारणवश स्रोत द्वारा नया संदेश नहीं तैयार किया जा सका जिसके कारण नया संदेश ग्रहणकर्ता तक नहीं पहुंच सका।

परिस्थिति-6 एक और स्थिति यह भी हो सकती है कि ग्रहणकर्ता द्वारा भेजा गया फीडबैक स्रोत तक पहुंचा। उस चरण पर उसकी डीकोडिंग हुई, उसने अगला संदेश या फिर फीडबैक तैयार कर ग्रहणकर्ता को भेजा किंतु फीडबैक किसी कारणवश अपने गंतव्य (ग्रहणकर्ता) तक नहीं पहुंच सका।

इन सभी परिस्थितियों में स्रोत और ग्रहणकर्ता के बीच संदेश लेने-देने की प्रक्रिया में अड़चन आ सकती है जिससे यह प्रक्रिया या तो रुक-रुककर चलेगी या फिर पूरी तरह ठप्प हो जाएगी।

इन परिस्थितियों में संचार की आंतरिक या बाह्य या फिर दोनों ही बाधाएं रुकावट उत्पन्न कर सकती हैं। इन परिस्थितियों को देखते हुए संचार-व्यवधान के विभिन्न रूपों को इस प्रकार समझा जा सकता है:

संचार प्रक्रिया की बाह्य बाधाएं- बाह्य कारकों के अनेक रूप हो सकते हैं, तकनीकी, भौतिक, भौगोलिक, आर्थिक आदि। यह कारक संचार प्रक्रिया का अंग नहीं होते, न ही इस प्रक्रिया में इनकी कोई सकारात्मक भूमिका होती है। यह प्रक्रिया के बाहर रहकर उसे बाधित करते हैं। नकारात्मक भूमिका के कारण इनका महत्व नकारात्मक तरीके से बढ़ जाता है। यदि इस नकारात्मक महत्व को कम नहीं किया गया तो समस्त संचार प्रक्रिया बाधित हो सकती है। परिस्थिति के अनुसार अलग-अलग प्रकार की बाधा उभर सकती है। विशेष परिस्थिति में तो अनेक बाधाएं एक साथ कार्यरत हो सकती हैं। यहीं आवश्यकता है संचारकर्ता के चातुर्य और कौशल की, ताकि उन बाधाओं का सामना होशियारी से किया जा सके।

बाह्य कारकों के तहत मौसम, भौगोलिक स्थिति इत्यादि का बहुत अधिक प्रभाव संचार प्रक्रिया पर पड़ता है। उदाहरणतया, व्यवहार परिवर्तन का कोई संदेश रेडियो तथा टीवी के माध्यम से किसी सुदूर क्षेत्र में दिया जाना है। किंतु खराब मौसम में सिग्नल नहीं मिलने के कारण कार्यक्रम का प्रसारण या तो बीच में ही रुक जाता है अथवा प्रसारण किया भी गया तो कार्यक्रम की गुणवत्ता पर बुरा प्रभाव पड़ सकता है (टीवी पर दृश्यों तथा रेडियो पर आवाज में स्पष्टता अथवा प्रवाह में कमी के रूप में)। उसी प्रकार किसी दिन छपाई मशीन में आई खराबी के कारण समाचार पत्र की छपाई इतनी धुंधली हुई कि उस दिन का समाचार पत्र ही नहीं प्रकाशित किया जा सका। यह हुई संचार की तकनीकी बाधा या यांत्रिक बाधा। साथ ही साथ, मौसम की भूमिका होने के कारण टीवी तथा रेडियो कार्यक्रमों के प्रसारण में उत्पन्न बाधा को भौगोलिक बाधा की श्रेणी में भी रखा जा सकता है। मौसम आदि

पर तो वश नहीं चल सकता किंतु उक्त कार्यक्रम का प्रसारण ऐसे समय में किया जा सकता है जब मौसम सही हो और कार्यक्रम में किसी प्रकार का तकनीकी व्यवधान न आए। इस दृष्टिकोण से जाड़े और गर्मी का मौसम सही है, बरसात का नहीं क्योंकि बरसात में बादल, बिजली की गरज और बारिश की धार से मशीनों के संचालन और प्रसारण सिग्नलों के आदान-प्रदान में कठिनाई हो सकती है। प्रसारण के लिए सही मौसम का चुनाव कर हम खराब मौसम जैसी बाह्य बाधाओं को टाल सकते हैं या फिर दूर रख सकते हैं। इसी प्रकार, सही समय पर सही देखभाल से छपाई मशीन में आई खराबी जैसे यांत्रिक कारकों पर भी कुछ हद तक काबू पाया जा सकता है। हालांकि समाचार पत्र-पत्रिकाओं की छपाई पूरी तरह समयबद्ध कार्य है और इसमें एक क्षण का भी विलम्ब स्वीकार्य नहीं है। मशीनों में तकनीकी खराबी कभी भी उत्पन्न हो सकती है। हो सकता हैं कि समाचार पत्र जब छपाई के लिए जा रहा हो, उस समय। उस परिस्थिति में तो मशीन को ठीक करने का समय भी नहीं होगा। इसलिए हो सकता है कि उस दिन समाचार पत्र छपे ही नहीं। यह परिस्थिति अत्यंत विषम एवं विशेष परिस्थिति होगी और अपने-आप में संचार बाधा का एक उदाहरण भी। इसीलिए ऐसी परिस्थिति को टालने के लिए और संचार की व्यवस्था सुचारु बनाए रखने के लिए मशीनों की समुचित देखभाल या वैकल्पिक व्यवस्था हमेशा उपलब्ध होनी चाहिए।

यह तो हुआ, वृहद् स्तर पर संचार प्रक्रिया में तकनीकी बाधा का उदाहरण। अधिक गहराई में जाएं तो एक उदाहरण यह हो सकता है कि किसी पंचायत में मतदान जागरूकता शिविर आयोजित किया जाना है। सारी व्यवस्थाएं हो चुकी हैं लेकिन ठीक उसी समय लाउडस्पीकर में खराबी आ जाती है और मंच पर बैठे वक्ताओं की आवाज पीछे बैठे श्रोताओं तक नहीं पहुंच सकती। ऐसे में उक्त कार्यक्रम पूरी तरह तहस-नहस हो जाता है क्योंकि अधिकांश लोगों तक मंच की आवाज नहीं पहुंच सकी। किंतु सूझबूझ और अच्छे नियोजन से ऐसी परिस्थिति को उभरने से पहले ही रोका जा सकता है, एक कुशल कारीगर की उपस्थिति या फिर एक दूसरे लाउडस्पीकर की पहले से वैकल्पिक व्यवस्था करने जैसी सावधानियां अपनाकर।

संचार की सामाजिक बाधाओं में शायद सबसे महत्वपूर्ण बाधा है, अशिक्षा एवं अज्ञानता। यह ऐसी अड़चन है जो विकासकर्ता के कठिन श्रम और लगन को बुरी तरह प्रभावित कर सकती है। जाने-माने पल्स पोलियो अभियान का ही उदाहरण लें। देश से पोलियो के खात्मे में इतना अधिक समय लगा

क्योंकि आज भी हमारे देश के ग्रामीण क्षेत्रों की अधिकांश जनता या तो शिक्षित नहीं है या फिर जागरूक नहीं है या फिर दोनों ही नहीं है। शिक्षा की मौजूदगी ही जागरूक होने के लिए काफी नहीं है। इसलिए जरूरी नहीं है कि जो शिक्षित है, वह जागरूक भी हो। संभवतया इसीलिए बिहार एवं उत्तर प्रदेश जैसे अपेक्षाकृत कम विकसित राज्यों से पोलियो के मामले अधिक सामने आए और इन्हीं राज्यों में पोलियो के उन्मूलन में इतना अधिक समय लगा। अशिक्षा एवं अज्ञानता जैसी सामाजिक बाधाओं के साथ अपने-आप ही नकारात्मक मानसिकता की बाधा जुड़ जाती है क्योंकि लोग जब अशिक्षित होंगे, उनमें जागरूकता की कमी होगी तो वह किसी भी परिवर्तन को (भले ही वह सकारात्मक परिवर्तन हो) स्वीकार कैसे कर पाएंगे? दरअसल अशिक्षा एवं अज्ञानता के कारण ऐसे लोग परिवर्तनों तक पहुंच ही नहीं पाते।

पल्स पोलियो अभियान में माध्यम सम्मिश्रण के तहत इस बात का ध्यान रखा गया था। इसीलिए निर्भरता केवल मुद्रित माध्यमों (जैसे पोस्टर, बैनर, दीवारलेखन, पत्र-पत्रिकाएं आदि) पर नहीं रखी गई थी क्योंकि उनमें छपी हुई जानकारी अशिक्षित ग्रामीण जनता के लिए उपयुक्त नहीं थी। इस कमी को कुछ हद तक दूर करने के लिए मुद्रित माध्यमों जैसे पोस्टरों पर ऐसी हस्तियों के चित्र छापे गए (जैसे बच्चों को पोलियो की दवा पिलवाते परंपरागत मुस्लिम परिधान में सजे सिने अभिनेता आमिर खान) जो विशेष समुदाय को लक्षित करते थे। स्वाभाविक था कि चित्र समझने के लिए किसी विशेष शिक्षा की आवश्यकता नहीं थी। समुदाय को आसानी से समझ में आ जाता था कि पोलियो की दवा उनके बच्चे के लिए लाभकारी है, हानिकारक नहीं। उन्हें महसूस हुआ कि जब 'बड़े लोग' अपने बच्चों को पोलियो की दवा पिलवा सकते हैं तो वह क्यों नहीं? यह पोस्टरों पर छपे चित्रों का कमाल था। पत्रकारिता जगत में एक कहावत है-'एक चित्र एक हजार शब्दों के बराबर होता है।' पोस्टरों पर बड़ी हस्तियों का चित्र छापने से यही फायदा हुआ कि अशिक्षित समुदाय को भी बात समझ में आ गई। दूसरी ओर इस प्रयोग से शिक्षित वर्ग द्वारा प्राप्त किए गए संदेश का प्रभाव बढ़ गया।

पल्स पोलियो अभियान के माध्यम सम्मिश्रण के तहत रेडियो, टीवी जैसे इलेक्ट्रॉनिक माध्यमों से लेकर धार्मिक अवसरों को भी माध्यम के रूप में प्रयोग किया गया । इसके अतिरिक्त, अन्तर्वैयक्तिक संचार के भी विभिन्न माध्यम (**'पल्स पोलियो अभियान का अचूक हथियार-व्यवहार परिवर्तन संचार'** नामक अध्याय पूरी तरह से इस अभियान के माध्यम सम्मिश्रण पर

आधारित है) अपनाए गए जिससे पोलियो उन्मूलन का संदेश अलग-अलग ढंग से अलग-अलग वर्गों (जिनमें अशिक्षित, कम जागरूक एवं नकारात्मक मानसिकता वाले लोग भी शामिल थे) तक पहुंचने लगा और तभी जाकर देश पोलियो-मुक्त हो सका।

ऐसी ही अज्ञानता आड़े आ रही थी देश से चेचक के उन्मूलन में। वर्षों पहले चेचक होने पर लोग विशेषकर उत्तर भारत के लोग उसे दैवीय प्रकोप समझते थे और उसे 'माता' की संज्ञा देते थे। कारण था, अशिक्षा एवं अज्ञानता जिसके कारण उन्हें यह नहीं समझ में आता था कि चेचक एक स्वास्थ्य समस्या है जो विषाणु के कारण होती है, किसी दैवीय आपदा से नहीं। सरकार ने चेचक से बचाव के लिए बच्चों का टीकाकरण शुरू किया। धीरे-धीरे शिक्षा का स्तर बढ़ने से टीकाकरण का प्रतिशत बढ़ा और चेचक के मामलों में कमी आई। लोगों को यह समझ में आने लगा कि चेचक कोई दैवीय आपदा नहीं है और टीकाकरण के माध्यम से इसका बचाव संभव है। हालांकि यह समझने में बहुत लम्बा समय लगा। यह संचार की सामाजिक बाधा (अज्ञानता, अशिक्षा, रुढ़िवादिता) तो थी ही, मनोवैज्ञानिक बाधा भी थी क्योंकि अज्ञानता के कारण समुदाय स्तर पर यह भ्रांति प्रचलित थी कि चेचक 'माता' का प्रकोप है।

संचार की एक आर्थिक बाधा भी हो सकती है। इसका एक उदाहरण वर्ग-भेद भी हो सकता है। इसी वर्ग भेद की चर्चा **'व्यवहार में बदलाव के लिए उपयुक्त संचार'** नामक अध्याय के तहत साधारण कक्ष तथा वातानुकूलित कक्ष के यात्रियों के बीच की संचारहीनता अथवा कृषि वैज्ञानिक तथा निर्धन किसानों के बीच बाधित संचार के उदाहरणों के माध्यम से की गई है। इसलिए यहां पर 'जैसा देस वैसा भेस' की कहावत पर अमल करते हुए समुदाय की परिस्थितियों या तौर-तरीकों के अनुरूप ही काम करना चाहिए। ऐसा करने सें ना तो किसी प्रकार की आर्थिक खाई बनेगी और न ही सूचना खाई।

संचार प्रक्रिया की आंतरिक बाधाएं: इस वर्ग के अनेक उप-वर्ग हो सकते हैं जैसे सांस्कृतिक, भाषाई, मनोवैज्ञानिक आदि। इस तरह के अनेक उप-वर्गों के कारण ही आंतरिक बाधाओं पर अधिक ध्यान दिए जाने की आवश्यकता है क्योंकि एक तो इनका संबंध भाषा, समुदाय की संस्कृति, मनोविज्ञान आदि से होता है। दूसरे, बाह्य कारकों की तुलना में आंतरिक कारकों पर कुछ हद तक नियंत्रण पाया जा सकता है जबकि बाह्य कारक प्राय: नियंत्रण के बाहर होते हैं। यहां भी हम कुछ उदाहरणों की सहायता से

इन बाधाओं को समझने का प्रयास करते हैं। बात करते हैं ग्रामीण परिप्रेक्ष्य में संस्कृति की (ग्रामीण पृष्ठभूमि से उदाहरण इसलिए अधिक लिए गए हैं क्योंकि भारत गांवों का देश है, आज भी भारतीय जनसंख्या का अधिकांश गांवों में बसता है)। कोई ऐसा गांव है जहां स्त्रियां घरों के बाहर तो निकलतीं हैं किंतु घूंघट में। पुरुषों के साथ बैठक आदि में भाग लेना उस गांव में आम तौर पर प्रचलित नहीं है। वहां एक और वर्जना है, स्त्रियां कभी गांव की चौपाल में नहीं बैठतीं (व्यवहार संचार अथवा सामाजिक विकास के मुद्‌दे पर काम करने वाले लोगों के लिए इस प्रकार के सामाजिक-सांस्कृतिक आयामों की जानकारी रखना एवं उनका सम्मान करना अत्यंत आवश्यक है)। ऐसे में वहां विकास कार्य शुरू करने वाली किसी संस्था ने जब अनजाने में शुरुआती बैठक गांव के चौपाल में कराई तो एक भी स्त्री बैठक में शामिल नहीं हुई। स्त्रियों की सहभागिता के बिना विकास की कल्पना कैसे की जा सकती है? विकास प्रक्रिया जबरदस्ती शुरू कर भी दी गई तो वह विकास न तो संतुलित होगा, न ही समावेशी क्योंकि उसमें आधी आबादी, अर्थात् स्त्रियों की कोई भूमिका नहीं होगी।

इस प्रकार की स्थिति से बचने के लिए आवश्यक है कि उक्त क्षेत्र/समुदाय की संस्कृति/तौर-तरीके को भली-भांति जानने-समझने के बाद ही फिर वहां काम शुरू किया जाए। भले ही इसमें थोड़ा अधिक समय लगे। वैसे भी सामाजिक अथवा व्यवहारगत बदलाव एक लंबी एवं धीमी गति से चलने वाली प्रक्रिया है। इसलिए इसमें समुदाय को जानने-समझने में समय अवश्य दिया जाना चाहिए अन्यथा मामला उल्टा भी हो सकता है।

यहां यह भी समझना आवश्यक है कि किसी क्षेत्र अथवा समुदाय के जीवन से जुड़े विभिन्न पहलुओं को जाने-समझे बिना वहां काम शुरू करने की एक हानि यह भी हो सकती है कि विकास कार्यकर्ता के संबंध उक्त समुदाय के साथ हमेशा के लिए बिगड़ जाएं और फिर वहां काम करना कभी संभव ही न हो। उपरोक्त उदाहरण को ही लें। यदि स्त्रियां चौपाल में नहीं जा सकती थीं तो शुरुआती दौर में किसी ऐसे स्थान एवं समय पर बैठकें रखी जा सकती थीं जो स्त्री-पुरुष दोनों के लिए सुविधाजनक हो। भले ही (संस्कृति के अनुसार) स्त्रियां घूंघट में ही बैठक में शामिल होतीं। घूंघट के अंदर से ही सही मगर उनकी आवाज तो सुनी जाती और उनकी सहभागिता तो होती। शुरुआत में सांस्कृतिक बंधनों के कारण यदि स्त्रियों की नगण्य सहभागिता हो तो बुजुर्ग महिलाओं के साथ बैठकें आयोजित की जा सकती हैं या फिर

स्त्री-पुरुषों की अलग-अलग बैठकों के रूप में भी हल निकाला जा सकता है जिसे बाद में एक धरातल पर लाया जा सकता है। इससे यह लाभ होगा कि स्त्री-पुरुषों की अलग-अलग बैठकों अथवा बुजुर्ग महिलाओं की बैठकों के माध्यम से विकास कार्यों अथवा व्यवहारगत परिवर्तन की शुरुआत तो की जा सकती है। अच्छे कार्य कस्तूरी की तरह होते हैं जिनकी सुगंध धीरे-धीरे फैल ही जाती है। जिस दिन समुदाय के लोगों को ऐसे अच्छे कामों का महत्व समझ में आएगा, उस दिन से ही सांस्कृतिक बंधन गौण हो जाएंगे और विकास कार्य महत्वपूर्ण। आवश्यकता यदि है तो बस धैर्य के साथ ऐसी समस्याओं का समुचित हल निकालने की।

यह हुआ, व्यवहार परिवर्तन संचार की बाधा का सांस्कृतिक पहलू। इसके अतिरिक्त भाषा एक ऐसा आयाम है जिसका महत्व कभी भी नजरअंदाज नहीं किया जाना चाहिए (हालांकि भाषा भी संस्कृति का ही अंग है लेकिन महत्व के दृष्टिकोण से भाषा पर अलग से चर्चा की जा सकती है)। भाषा के जरिए एक व्यक्ति दूसरे व्यक्ति से, एक समुदाय दूसरे समुदाय से और एक क्षेत्र दूसरे क्षेत्र से जुड़ता है। यदि वही संपर्क सूत्र नहीं हो तो संचार की **भाषाई बाधा** उत्पन्न हो सकती है। कल्पना कीजिए कि किसी दक्षिण भारतीय को किसी उत्तर भारतीय से कोई बातचीत करनी हो और दोनों ही पक्ष एक-दूसरे की भाषा नहीं जानते हैं तो ऐसी स्थिति में कैसा संचार होगा, यदि एक ओर से कन्नड़ अथवा मलयालम में कुछ कहा जा रहा हो और अटकल के आधार पर पंजाबी अथवा हरियाणवी हिंदी में उसका जवाब दिया जा रहा हो? कुछ देर तक तो शायद भाव-भंगिमा, इशारों की सहायता से यह वार्तालाप चल सकता है मगर इसके अधिक देर तक टिकने की संभावना कम है क्योंकि दोनों को जोड़ने वाला संपर्क सूत्र अर्थात् सामान्य भाषा ही मौजूद नहीं है। हां, यदि ऐसा मानें कि दोनों पक्षों को अंग्रेजी अथवा किसी अन्य भाषा की कामचलाऊ जानकारी भी हो तो संचार हो सकता है अन्यथा नहीं।

इसीलिए जब किसी समुदाय के सामाजिक उत्थान अथवा व्यवहारगत परिवर्तन लाने की बात होती है तो प्रयास यही किया जाना चाहिए कि कार्यकर्ता उक्त समुदाय के हों और स्थानीय भाषा जानते हों। यदि उक्त समुदाय से कोई ऐसा कार्यकर्ता नहीं मिल सकता है तो यह प्रयास किए जाने चाहिए कि जो भी कार्यकर्ता वहां काम करे, वह स्थानीय भाषा की कुछ तो बुनियादी जानकारी रखता हो अथवा धीरे-धीरे स्थानीय भाषा की बुनियादी जानकारी हासिल करे।

किसी बाहरी व्यक्ति के लिए तो पूरी तरह से स्थानीय भाषा का प्रयोग शायद संभव नहीं हो किंतु कुछ शब्दों की जानकारी भी उस समुदाय से जोड़ने में सहायक सिद्ध हो सकती है। यह कुछ शब्द स्थानीय लोगों या फिर चेंज एजेंट जैसे व्यक्तियों की सहायता से सीखे जा सकते हैं। यहां यह भी महत्वपूर्ण है कि कुछ शब्द अगर समुदाय से जोड़ सकते हैं तो इनकी कमी समुदाय से अलग करने में भी उतनी ही सक्षम है क्योंकि लोग जब जुड़ेंगे ही नहीं तो विकास कार्यकर्ताओं की बात क्या सुनेंगे या समझेंगे?

संचार की भाषाई बाधा का एक और आयाम है, उस समुदाय की भाषा (या भाषा के कुछ शब्दों) का समुचित प्रयोग एवं उच्चारण। यहां मुझे अपनी एक परिचित के साथ हुए अनुभव की याद आती है। मेरी उस परिचित का नाम था– 'ज़मर जलील'। ज़मर तो एक लड़की का नाम हुआ और जलील का अर्थ है 'तेजवान'। लेकिन अधिकतर लोग उनका नाम बिगाड़कर उन्हें 'जमर ज़लील' पुकारते थे। अर्थात् जो बिंदु पहले शब्द के 'ज' के नीचे लगना चाहिए था, उसे दूसरे शब्द के 'ज' के नीचे लग कर अर्थ का अनर्थ कर दिया जाता था। यहां यह समझने वाली बात है कि एक बिंदु के गलत प्रयोग से उनका पहला नाम तो बिगड़ा ही, दूसरे नाम के परिवर्तित रूप से तो सारा कुछ सत्यानाश हो जाता था क्योंकि ज़लील का अर्थ होता है–हीन, तुच्छ। गलत उच्चारण से एक अत्यंत महत्वपूर्ण शब्द की किस प्रकार ऐसी की तैसी हो सकती है, यह इस उदाहरण से समझ में आता है।

व्यवहार परिवर्तन संचार के संदर्भ में भले ही यह उदाहरण बहुत प्रासंगिक न हो लेकिन इसके माध्यम से यह कहने का प्रयास किया गया है कि समुदाय विशेषकर ग्रामीण अथवा पिछड़े हुए समुदाय के साथ संचार करते समय यह ध्यान रखने की आवश्यकता है कि गलत उच्चारण अथवा किसी भी कारण से ऐसा न हो कि संचार की भाषाई बाधा उत्पन्न हो जाए। ऐसा अक्सर ही आम जीवन में भी होता है कि आप कहना कुछ चाहते हैं और कह कुछ और बैठते हैं। संचार के दृष्टिकोण से यह कभी-कभी हानिकारक भी सिद्ध हो सकता है क्योंकि इसका बुरा प्रभाव आपसी संबंधों पर भी पड़ सकता है। गलत उच्चारण, गलत शब्दों के प्रयोग अथवा सही बात को गलत ढंग से कहने से (भले ही यह अनजाने में हुआ हो) दिल में बना घाव आसानी से नहीं भरता।

कोई भी संचार प्रक्रिया तभी सफल हो सकती है जब संदेशदाता एवं विशेषकर ग्रहणकर्ता के मन में किसी प्रकार का पूर्वाग्रह, भय, आशंका,

संदेह, दुराग्रह, दुर्भावना अथवा किसी बुरे अनुभव की कटुता नहीं हो। कुल मिलाकर मन बिल्कुल साफ होना चाहिए। यह मनुष्य का मनोविज्ञान है कि वह वही सुनता-समझता है जो उसके मन में पहले से हो। मन में पहले से बैठी बात पूर्वाग्रह का ही एक रूप है जो कि संचार के लिए अत्यंत घातक है। उसी तरह, विगत किसी बुरे अनुभव के आधार पर आगे भी बुरा ही होने की आशंका रखना एक प्रकार का पूर्वाग्रह है। इसीलिए कहा जाता है कि यदि किसी से कुछ सीखना या सिखाना हो तो दिमाग की स्लेट बिल्कुल कोरी होनी चाहिए। यदि स्लेट पर पहले से ही कुछ लिखा होगा तो उसें मिटाने में सीखने वाले और सिखाने वाले दोनों को ही मेहनत करनी होगी। फिर भी पिछली लिखाई की छाप रह जाने की आशंका से इंकार नहीं किया जा सकता। फिल्म 'पीके' से पूर्वाग्रह या दुराग्रह के कारण उत्पन्न संचार बाधा का उदाहरण लिया जा सकता है। तपस्वी ने जग्गू के दिमाग में एक भ्रांति बैठा दी थी कि सरफ़राज़ उसे धोखा देगा। यही भ्रांति जग्गू के दिमाग में पूर्वाग्रह या दुराग्रह का रूप ले लेती है। इसी कारण किसी अन्य के द्वारा किसी अन्य के लिए भेजी गई चिट्ठी को जग्गू, सरफ़राज के द्वारा खुद के लिए भेजी गई चिट्ठी समझकर उससे सारे संपर्क तोड़ लेती है। उधर, सरफ़राज़ भी भ्रांति का शिकार हो जाता है कि जग्गू ने उसे छोड़ दिया क्योंकि जिस चिट्ठी को वह जग्गू की चिट्ठी समझ रहा होता है, उसपर न तो पाने वाले का नाम होता है, न ही भेजने वाले का नाम। यहां स्पष्टता की कमी भी संचार की बाधा बन जाती है। यदि चिट्ठी पर भेजने वाले या पाने वाले का नाम होता तो जग्गू, सरफ़राज के बीच ऐसी भ्रम की स्थिति पैदा ही नहीं होती।

वास्तविकता यह थी कि दोनों में से किसी ने एक-दूसरे को धोखा नहीं दिया था किंतु संचार की मनोवैज्ञानिक बाधाओं के कारण दोनों एक-दूसरे से अलग हो जाते हैं। जग्गू और सरफ़राज के बीच के टूटे हुए तार तभी जुड़ पाते हैं अर्थात् संचार बाधा तभी दूर होती है जब दोनों के बीच की भ्रांतियां मिटती हैं।

इसे व्यवहार परिवर्तन संचार के संदर्भ से जोड़ें और यह कल्पना करें कि यदि किसी क्षेत्र में *चिट फंड* के नाम पर जन-सामान्य के साथ धोखाधड़ी हुई हो तो उस क्षेत्र में स्वयं सहायता समूह गठन के प्रयास आसानी से स्वीकारे नहीं जा सकते क्योंकि लोगों के दिलों में यह भ्रांति बैठ चुकी होगी कि बाहर से आने वाले सभी लोग धोखा देते हैं। इस मामले में लोगों को समझाने-बुझाने में कार्यकर्ता को समय लग सकता है। इसलिए एक तो

यहां धैर्य और संयम की आवश्यकता होगी, दूसरे अच्छी तैयारी की। इस तरह का कार्य शुरू करने के पहले उस क्षेत्र में किए गए पहले के प्रयासों के बारे में जानकारी प्राप्त करना श्रेयस्कर होगा। व्यवहार परिवर्तन संचार की प्रक्रिया के तहत प्रथम चरण अर्थात् संबंध-निर्माण के तहत ही इन बातों का ध्यान रखा जाना चाहिए। यह चरण अपने-आप में इसलिए भी महत्वपूर्ण है क्योंकि इसी चरण पर समुदाय के दिमाग में बैठी भ्रांतियों को दूर किया जा सकता है। इसलिए इस चरण पर थोड़ी अधिक मेहनत अच्छे परिणाम ला सकती है।

इस संदर्भ में पुनः संवादहीनता की बात की जा सकती है। यदि संचार प्रवाह लगातार हो तो ठीक है लेकिन निरंतरता में आई कमी लोगों के दिल में संचारकर्ता के लिए संदेह उत्पन्न करती है। यह संदेह कुछ और नहीं एक प्रकार की मनोवैज्ञानिक बाधा ही है जिसे निरंतर संवाद के माध्यम से उत्पन्न होने से रोका जा सकता है।

कुछ पिछड़े समुदाय अपने कवच में ही रहना चाहते हैं। उनमें न तो बदलने की इच्छा होती है, न बदलाव के प्रति स्वीकार्यता। यह एक प्रकार की हठ होती है जो बदलाव को होने या स्वीकार करने से रोकती है। दरअसल ऐसे समुदायों को अपनी वर्तमान स्थिति में जीने की आदत पड़ चुकी होती है। इस वर्तमान स्थिति में अगर उनके साथ कुछ गलत भी हो रहा हो तो समुदाय के लोग उसे भाग्य समझकर स्वीकार कर लेते हैं। इस तरह की प्रवृत्ति का एक और कारण है, बाहरी संसार से संपर्क की कमी। इस संपर्क की कमी के कारण बाहर की दुनिया में होने वाले परिवर्तनों की हवा उन समुदायों तक नहीं पहुंच पाती और ऐसे समुदाय बाहरी दुनिया से कटते चले जाते हैं। इस प्रकार की परिस्थिति दो प्रकार की संचार बाधाओं के कारण उत्पन्न होती है। बाहरी दुनिया से संपर्क की कमी का संभावित कारण यह हो सकता है कि उक्त समुदाय सुदूर अथवा दुर्गम क्षेत्र में निवास करता हो (जैसे पहाड़ अथवा जंगल)। सुदूर या अथवा दुर्गम होने के कारण समाचार पत्र, रेडियो, टीवी जैसे संचार के प्रचलित माध्यम उस क्षेत्र तक नहीं पहुंच सकते। यदि समुदाय बंजारों जैसा घुमंतू हो तो भी स्थायित्व की कमी के कारण संचार के माध्यमों से वंचित होने की संभावना होगी। इसे हम संचार की भौतिक अथवा भौगोलिक बाधा कह सकते हैं जिसके कारण वह समुदाय संचार के माध्यमों से दूर रह कर परिवर्तन का अंग नहीं बन सकता।

यदि समुदाय हठीला हुआ तो संचार की भौगोलिक अथवा भौतिक बाधा उस हठ को बढ़ा सकती है। अपनी वर्तमान स्थिति को यथावत् बनाए रखने

का हठ या फिर बदलाव के प्रति अनिच्छा भी संचार की मनोवैज्ञानिक बाधा है। ऐसे कठिन समुदायों का व्यवहार परिवर्तन कठिन भी है और इस प्रक्रिया में समय भी अधिक लगता है। इसलिए इस प्रकार के समुदाय की व्यवहार परिवर्तन रणनीति सामान्य समुदायों की व्यवहार परिवर्तन रणनीति से भिन्न होनी चाहिए क्योंकि घोड़े और ऊंट को एक ही दौड़ में शामिल नहीं किया जा सकता।

यदि संचार विशेषकर, व्यवहार परिवर्तन संचार की व्यवस्था सुचारु रूप से चलनी है तो इन संभावित बाधाओं का पहले से ही ध्यान रखना होगा और उन्हें दूर करने के पूर्व प्रयास भी करने होंगे। दिए गए उदाहरणों की सहायता से एक कुशल संचारकर्ता को यह समझ में आएगा कि इन कारकों पर पूर्व दृष्टि रखना और उनपर नियंत्रण रखना कितना आवश्यक है। यह संचार बाधाओं से उभरने से रोकने की पूर्व तैयारी है। संचार बाधाएं यदि फिर भी उत्पन्न हो ही जाती हैं तो उनसे उत्पन्न हानियों एवं स्वयं उन बाधाओं से निपटने के सुधारात्मक उपाय भी ज़रूर अपनाने चाहिए। संचार बाधाओं की बुनियादी जानकारी एक प्रकार की पूर्व तैयारी होगी क्योंकि यह बाधाओं को उत्पन्न ही नहीं होने देगी। इसके अतिरिक्त, यह जानकारी सुधारात्मक अथवा उपचारात्मक उपाय अपनाने में भी उपयोगी होगी। इस कदम के बिना न तो संचार की सुचारु प्रक्रिया होगी और न ही लोगों के व्यवहार में वांछित परिवर्तन लाए जा सकेंगे।

❑❑❑

अध्याय 6

कौन करेगा व्यवहार परिवर्तन?

व्यवहार परिवर्तन संचार में अक्सर स्थानीय लोगों की भी बहुत महत्वपूर्ण भूमिका होती है। अपनी इस भूमिका के कारण ऐसे लोगों को 'रोल मॉडल', 'चेंज एजेंट' या 'उत्प्रेरक' की संज्ञा दी जाती है। ऐसे लोग साधारण पृष्ठभूमि के बावजूद असाधारण कारनामा कर दिखाते हैं। बस आवश्यकता होती है, उन्हें पहचान कर साथ जोड़ने की। यह आम लोग हैं और किसी भी समुदाय में मौजूद ज़रूर होते हैं। यह रोल मॉडल व्यवहार परिवर्तन संचार के साधनों का मानवीय चेहरा है जिनकी सहभागिता से किसी भी व्यवहार परिवर्तन अभियान के सफल होने की संभावना बढ़ जाती है।

इस अध्याय की शुरुआत करते हैं, कुछ ऐसे लोगों से जिनकी पृष्ठभूमि तो थी साधारण लेकिन उनके हौसले ने उन्हें असाधारण बना डाला। ऐसी ही एक साधारण सी युवती है, उत्तर प्रदेश की प्रियंका भारती जिसने अपने ससुराल के प्रांगण में शौचालय बनवाने की मांग को लेकर शादी के तुरंत बाद घर छोड़ने का हौसला दिखाया। उसके इसी हौसले ने उसे जीत दिलाई और उसके पति ने उसकी मांग पूरी की। प्रियंका के बाद उसके जैसी अनेक नवविवाहिताओं ने यह हौसला दिखाया क्योंकि उन्हें प्रियंका के मामले में अपनी झलक दिखाई दी थी। यह एक तरह से उसके हौसले का प्रसार था जिसे और लोगों ने अपनाना शुरू कर दिया है। यह हुआ एक सकारात्मक परिवर्तन जिसे कोई साहसी व्यक्ति ही शुरू कर सकता है। सामाजिक रीतियों, परंपराओं से उलझना इतना आसान नहीं होता। इसीलिए जल्दी ऐसे मामलों में कोई आसानी से आगे नहीं बढ़ता। आगे बढ़ने की हिम्मत जुटाने वाले का हौसला बाद में दूसरे लोगों के लिए प्रेरणा का स्रोत बन जाता और ऐसे साहसी लोग बन जाते हैं परिवर्तनकारी या आदर्श व्यक्ति जिनके पीछे लोग आने लगते हैं और वह एक छोटा सा परिवर्तन एक आंदोलन का रूप ले लेता है। इस प्रसंग में स्वर्गीय मजरूह सुल्तानपुरी का लिखा एक शेर याद आता है,

"मैं अकेला ही चला था जानिब-ए-मंज़िल मगर,
लोग साथ आते गए और कारवां बनता गया।"

अकेले चलकर कारवां बनाने वाली ऐसी ही एक और परिवर्तनकारी यानी *चेंज एजेंट* 'किसान चाची' का उल्लेख यहां आवश्यक है। बिहार के मुजफ्फरपुर जिले के आनंदपुर गांव की निवासी राजकुमारी देवी उर्फ किसान चाची ने पुरुषों के कार्य क्षेत्र, खेती में अपनी दमदार उपस्थिति दर्ज कराकर एक नई मिसाल कायम की है। 57 वर्षीय यह महिला दिनभर में 30 से 40 किलोमीटर साइकिल चलाती हैं ताकि गांवों में घूम-घूमकर किसानों विशेषकर, छोटे एवं सीमांत किसानों को लाभकारी कृषि की जानकारी दे सकें। सैकड़ों महिलाओं को उन्नत कृषि की जानकारी देकर उन्होनें खेतों में उतार दिया है।

राजेन्द्र कृषि विश्वविद्यालय, पूसा (बिहार) से उन्होंने उन्नत कृषि की जानकारी ली और अपनी ज़मीन पर पपीते और ओल (सूरन) की खेती शुरू की। ओल का अचार और आटा बनाकर बेचना शुरू किया। फिर तो दरवाज़े पर किसानों की भीड़ लगने लगी। पहले तो किसान चाची ने किसानों को दरवाजे पर ही सिखाना शुरू किया, लेकिन बाद में गांव-गांव जाकर महिलाओं के स्वयं-सहायता समूह का गठन करने लगीं। (दैनिक भास्कर, 8 मार्च 2015, इंटरनेट संस्करण)। उनके इस योगदान के कारण ही उन्हें सरैया कृषि विज्ञान केंद्र की सलाहकार समिति में लिया गया और बाद में राष्ट्रीय खाद्य सुरक्षा मिशन का सदस्य बनाया गया। किसानों के बीच क्रांति की अलख जगाने वाली किसान चाची को बिहार सरकार ने महिला दिवस, 2015 के अवसर पर सम्मानित किया।

प्रियंका भारती हो या किसान चाची, ऐसे हिम्मती लोग हर समुदाय में मिल जाते हैं, बस ज़रूरत होती है उन्हें पहचानने और साथ लेकर चलने की। ऐसे लोगों का साथ होने से व्यवहार परिवर्तन की प्रक्रिया सही दिशा में आगे बढ़ती है। इसीलिए जब भी इस मुद्दे पर काम करना हो, ऐसे लोगों की पहचान अवश्य की जानी चाहिए। यहां ऐसे लोगों की चर्चा **व्यवहार परिवर्तन संचार के माध्यमों** के रूप में की जा सकती है। एक तरह से देखा जाए तो ऐसे चेंज एजेंट व्यवहार परिवर्तन संचार के मूर्त माध्यमों का मानवीय रूप हैं। इनके द्वारा किया गया 'कुछ अलग' एक आदर्श स्थापित करता है और आसपास के लोगों को बदलने के लिए प्रेरित करता है। व्यवहार परिवर्तन की प्रक्रिया में वैसा ही 'कुछ अलग' चाहिए जिससे समाज लीक से हटकर सोच सके और वैसा बदलाव ला सके जैसा यह हिम्मती लोग लाना चाहते हैं।

एक झटके में ऐसे लोगों की पहचान करना ज़रा कठिन हो सकता है। वैसे भी, किसी के चेहरे पर लिखा नहीं होता कि उसके अंदर चेंज एजेंट बनने

की क्षमता छिपी बैठी है। अक्सर ऐसा भी होता है कि ऐसे लोगों की क्षमताएं सुषुप्तावस्था में होती हैं जिन्हें झकझोरने की ज़रूरत होती है। मगर झकझोरने से पहले ऐसे लोगों की पहचान करना आवश्यक है क्योंकि यह कोई भी आम चेहरा हो सकता है। कुछ विशिष्टताएं ही इन्हें साधारण व्यक्ति से रोल मॉडल तक ले जाती हैं। इसलिए कुछ बुनियादी विशिष्टताओं के आधार पर ऐसे व्यक्तियों की पहचान की जा सकती है जो आगे चलकर चेंज एजेंट या रोल मॉडल बन सकते हैं।

इन बुनियादी विशेषताओं पर चर्चा की शुरुआत करते हैं, सजगता से। किसी भी गांव अथवा पिछड़े क्षेत्र में बाहर की दुनिया में हो रहे परिवर्तन की बयार बहुत धीमे पहुंचती है। मेहनत कर पेट पालने वाले लोगों से भरे ऐसे क्षेत्रों में एक तो लोगों को मेहनत-मज़दूरी करने की वजह से बाहर की दुनिया में हो रहे परिवर्तनों की जानकारी पाने का समय नहीं मिलता, दूसरे, उनके क्षेत्र में जानकारी देने वाले साधनों की अक्सर कमी होती है। इसीलिए बाहरी दुनिया में होने वाली घटनाओं की जानकारी उनतक नहीं पहुंचती। कभी-कभी ऐसी घटनाओं अथवा परिवर्तनों का संबंध उस क्षेत्र या उस समुदाय से भी हो सकता है मगर जानकारी की कमी के कारण ऐसे समुदाय या क्षेत्र पिछड़ते जाते हैं। यहीं बारी आती है, सजग व्यक्तियों के योगदान की। साधनों की कमी और मेहनत-मज़दूरी में व्यस्तता के बावजूद ऐसे व्यक्तियों को न केवल अपने समुदाय/क्षेत्र से जुड़ी घटनाओं की जानकारी होती है बल्कि उनमें उन घटनाओं अथवा परिवर्तनों से प्रभाव की समझ भी होती है। उनके इस ज्ञान अथवा जागरूकता को उनके समुदाय में बहुत सराहा जाता है। एक समय आता है कि समुदाय के लोग हर प्रकार के निर्णय में उनकी सलाह लेने लगते हैं। इसलिए अक्सर ही ऐसे लोगों को जनमत नेता या ***ओपिनियन लीडर*** भी कहा जाता है क्योंकि वह अपने *ओपिनियन* अर्थात् विचारों से नेतृत्व प्रदान करते हैं। ऐसे सजग लोगों की यही सजगता या समझदारी उन्हें और उनके समुदाय को शोषण से बचाती है।

इस क्रम में मुझे अपना एक अनुभव याद आता है। वर्ष 1996 में ग्राम विकास के अध्ययन के दौरान हम छात्र-छात्राओं का दस दिवसीय ग्रामीण शिविर खूंटी जिले के (आज का झारखण्ड, तब का बिहार) एक सुदूर आदिवासी गांव में आयोजित किया गया था। शिविर में हमें सहभागी तकनीकों (सर्वेक्षण, बैठक आदि) के माध्यम से ग्रामीण जीवन को समझना होता था तथा उस आधार पर एक कार्ययोजना विकसित करनी होती थी। शहर

से दूर बसे उस गांव में न तो बिजली थी न यातायात के साधान सुलभ थे। ग्रामीणजन पूरी तरह से कृषि पर आधारित थे और कृषि पूरी तरह से परंपरागत तरीकों पर। कुल मिलाकर वह एक पिछड़ा गांव था। ऐसे में बाहरी दुनिया की सूचना भी ग्रामीणों तक न के बराबर ही पहुंचती थी। यह वही समय था जब भारतीय संविधान के तिहत्तरवें संशोधन के द्वारा देश में नई पंचायती राज व्यवस्था लागू की गई थी। इस परिवर्तन को बहुत ही कम समय गुज़रा था और ऐसे में यह अपेक्षा नहीं की जा सकती थी कि ग्रामवासियों को इस बात की जानकारी होगी। मगर गांव में एक ऐसा भी युवक था जो बाहरी जगत से बेखबर नहीं था। यहां तक कि उसे नई पंचायती राज व्यवस्था और गांवों को उससे होने वाले लाभों के बारे में भी मालूम था। दिलचस्प बात तो यह हुई कि हम छात्र-छात्राओं को नई पंचायती राज व्यवस्था की बहुत सी व्यावहारिक बारीकियां भी उसी युवक से समझने को मिलीं। बावजूद इसके कि पाठ्यक्रम के तहत पंचायती राज व्यवस्था हमें पढ़ाई भी जा रही थी। लेकिन यही अंतर होता है, सिद्धांत और व्यावहारिकता में। निजी जीवन में पंचायत की बैठकों में निरंतर भाग लेते रहने के कारण उस युवक को पंचायती राज व्यवस्था में रुचि थी। यदि प्रत्येक ग्रामीण ऐसी रुचि दिखाता तो आज देश का विकास परिदृश्य बदल चुका होता। जब देश में नई पंचायती राज व्यवस्था लागू हुई तो एक सजग नागरिक का परिचय देते हुए उसने इस परिवर्तन के बारे में स्थानीय अखबारों में पढ़ा भी और जहां तक हो सका, नई व्यवस्था के व्यावहारिक पहलू को समझने के लिए लोगों से परिचर्चा भी की। शायद यही कारण था कि एक पिछड़े गांव का मामूली पढ़ा-लिखा युवक जितना देश के इस अत्यंत महत्वपूर्ण फैसले के बारे में जानता-समझता था उतना उच्च शिक्षा प्राप्त कर रहे हम छात्र-छात्राएं नहीं।

यह थी जानकारी से एक कदम आगे की अवस्था। यही है सच्चे अर्थों में सजगता जो अगर पिछड़े समुदाय के किसी एक भी व्यक्ति में मौजूद हो तो फिर वह क्षेत्र या समुदाय बाहरी व्यक्तियों के शोषण से खुद को बचा सकता है, यदि उस सजग व्यक्ति की बात अन्य लोग सुनें, समझें और उस पर अमल करें तो।

अब बात करते हैं चेंज एजेंट के अगले गुण, भविष्य की चिंता या दूरदर्शिता की। यह तो तय बात है कि जो सचेत होगा, उसे आगे की चिंता अवश्य होगी। या फिर जिसे आगे की चिंता होगी, वही सचेत होगा। यह दोनों आयाम एक ही सिक्के के दो पहलू हैं। भले ही अन्य लोग जागरूकता

की कमी के कारण ऐसा नहीं कर पाएं लेकिन चेंज एजेंट का दमखम रखने वालों की दृष्टि दूर तक पहुंच जाती है। दूर तक देखने वाली इसी दृष्टि को आगे की राह में कुछ गलत दिखाई देता है तो वह अपने समुदाय के लोगों को सचेत ज़रूर करते हैं। इसे एक उदाहरण से समझते हैं। किसी पिछड़े गांव में एक साहूकार ने निर्धनों को ऋण देने का व्यवसाय शुरू किया है। लोगों को केवल आसानी से मिला हुआ ऋण दिखाई दे रहा है, उसके अंदर छिपा शोषण नहीं। उनका ध्यान इस बात पर नहीं जा रहा है कि साहूकार सरल ऋण के बदले उनसे क्या चाह रहा है? हो सकता है साहूकार ऋण की कागजी कार्रवाई के नाम पर उन गरीबों से उनकी ज़मीन ही धोखे से हड़प ले और उन बेचारों को कुछ पता भी न चले। ऐसे में कोई-न-कोई ऐसा व्यक्ति ज़रूर होगा जिसका ध्यान इन बातों की ओर जाएगा और वह सचेत व्यक्ति अपने तरीके से गांववालों को सचेत भी करेगा। मगर शायद आसानी से उपलब्ध ऋण के सामने गांववालों को यह सब समझ में न आए और उन्हें सचेतकर्ता की बात न सुनने की बहुत बड़ी कीमत चुकानी पड़े। वहीं दूसरी ओर, ऐसे व्यक्ति की बात सुनने और समझने वाले इस तरह के सुनहरे जाल में फंसने से बच जाएंगे।

यहां यह ज़रूरी नहीं कि ऐसा व्यक्ति गांव का नेता ही हो मगर अपनी दूरदर्शिता के कारण उसमें अच्छाई-बुराई में भेद समझने की क्षमता होगी, विवेक होगा। उसमें जनमत नेता या *ओपिनियन लीडर* बनने की क्षमता होगी। इसी विवेक और दूरदर्शिता के कारण आगे भी उसकी सलाह समुदाय के लोगों के काम आती रहेगी। ऐसा भी हो सकता है कि ऐसी विवेकपूर्ण बातें समझने में समुदाय के लोगों को कठिनाई हो या समय लगे। लेकिन एक समय आएगा जब समुदाय के लोगों को उसकी बातें समझ में आने लगेंगी। शायद वह समय आते-आते उन्हें किसी प्रकार का नुकसान भी उठाना पड़े। मगर कहते हैं, दूध का जला छाछ भी फूंक-फूंककर पीता है। इसलिए कुछ गलत होने के बाद उन्हें समझ में आ जाएगा कि अच्छाई-बुराई समझाने वाला वह व्यक्ति उनका हितैषी है, शत्रु नहीं। इस एहसास के साथ ही उनके क्षेत्र में सकारात्मक परिवर्तन की शुरुआत हो जाएगी।

हर चेंज एजेंट का मार्ग पथरीला और कंटीला होता है। बुराइयों के विरुद्ध आवाज उठाने में उसे परिवार, समुदाय, परंपराओं, रीतियों और संस्कृति तक से टकराना पड़ता है। जब प्रियंका भारती ने शौचालय के लिए आवाज उठाई थी तो हो सकता है यह बात उसके परिवार वालों, समुदाय वालों को खटकी

हो क्योंकि उस क्षेत्र में खुले में शौच करना एक आम बात है। शौचालय की मांग लीक से हटकर एक अलग मांग थी जो उस नवयौवना की खुली सोच का सूचक थी। हो सकता है, जोड़ने वालों ने इसे संस्कृति, मर्यादा आदि से भी जोड़कर देखा हो। मगर ऐसे साहसी लोगों में सड़ी-गली परंपराओं को चुनौती देने और उनसे टकराने का जीवट होता है जिसके दम पर वह आगे चलकर सुखद परिवर्तन की शुरुआत करते हैं और लोग उनके पीछे चल पड़ते हैं।

आवश्यक नहीं कि ऐसे लोग बहुत मुखर हों या अपनी बात दूसरों पर थोपने में निपुण हों लेकिन इतना तो तय है कि उन्हें किसी-न-किसी रूप में अपनी आवाज उठाना ज़रूर आता होगा। भले ही आवाज धीमी हो लेकिन उनकी बात में विवेक होगा, तर्क होगा और ढेरों प्रश्न होंगे। उनके यही प्रश्न शायद परंपरावादियों को और समुदाय के तथाकथित हितैषियों को खटक सकते हैं। इसीलिए, अक्सर ऐसे प्रश्नों को और कभी-कभी तो ऐसे लोगों को ही दबाने के प्रयास किए जाते हैं मगर एक ज़िद होती है जो ऐसे लोगों को सामान्य आदमी से रोल मॉडल तक का सफर तय कराती है।

अगर ज़िद का सकारात्मक पहलू देखा जाए तो उसे लगन का नाम दिया जा सकता है जो इस तरह के लोगों में ज़रूर मौजूद होती है। यही लगन ऐसे लोगों को साधारण लोगों से अलग करती है। अपनी मंजिल तक पहुंचने में ऐसे लोगों के रास्ते में आई बाधाएं इन्हें नहीं रोक सकतीं क्योंकि उनकी लगन उन्हें हमेशा आगे बढ़ने के लिए प्रेरित करती है और वह स्वयं दूसरे लोगों को अपने साथ चलने के लिए प्रेरित करते हैं। इस लम्बे सफर में कभी-कभी तो पीढ़ियां बदल जाती हैं क्योंकि समाज बहुत धीमे बदलता है। इस लम्बे समय को सह सकने के लिए सहनशीलता एवं धैर्य भी आवश्यक हैं। इसीलिए अक्सर देखा गया है कि चेंज एजेंट अपना काम बहुत ही धैर्य एवं सहनशीलता के साथ करते हैं। यह धैर्य एवं सहनशीलता उन्हें अपने लोगों अथवा तौर-तरीकों को बदलने ही नहीं बल्कि अपने रास्ते में आने वाली अड़चनों को दूर करने में भी मदद करती है। क्या किसानों को उन्नत कृषि के गुर सिखाने में किसान चाची को कष्ट नहीं हुए होंगे? मगर उन कष्टों को उन्होंने अपनी लगन और धैर्य से ही दूर किया और किसान चाची के रूप में प्रसिद्धि पायी। उनकी यह पहचान उनके किए हुए कामों की पहचान है।

जानकारी, जानकारी का विश्लेषण, आगे की सोच, विवेक, तर्क शक्ति का प्रयोग, हिम्मत, परंपराओं/रीतियों को ललकारने का साहस, आगे बढ़ने की जिद कुछ ऐसी विशेषताएं हैं जिनके आधार पर किसी भी समुदाय में

चेंज एजेंट की पहचान की जा सकती है। यह बिल्कुल आवश्यक नहीं है कि एक ही चेंज एजेंट में यह सारी विशेषताएं हों। हो सकता है, उनका केवल एक ही गुण सामाजिक परिवर्तन लाने में सक्षम हो। आवश्यक है, गुणों के आधार पर ऐसे लोगों की पहचान करना। हो सकता है, ऐसे व्यक्ति पहले से ही पहचाने जा चुके हों और समुदाय स्तर पर अपनी अलग पहचान रखते हों। मगर यह भी हो सकता है कि इन समस्त गुणों की उपस्थिति के बावजूद परिस्थितिवश उनका चेंज एजेंट वाला रूप सुषुप्त पड़ा हो। एक और संभावना है कि पहचाने जाने और समुदाय स्तर पर सक्रिय होने के बावजूद वह किसी और (उदाहरणतया व्यवहार परिवर्तन संचार अभियान) के साथ जुड़ना न चाहें। मगर किसी भी व्यवहार परिवर्तन संचार अभियान के सफल होने की कुछ बुनियादी शर्तों में एक यह भी शर्त है कि ऐसे लोगों की पहचान की जाए, जो अच्छे कार्यों में सहयोग कर सकें या करते रहे हों।

विशिष्ट गुणों के आधार पर ऐसे लोगों की पहचान तो की जा सकती है लेकिन पहचान के बाद ऐसे लोगों को साथ जोड़ना आसान नहीं होगा, विशेषकर जब उनके चेंज एजेंट वाले गुण सुषुप्तावस्था में हों। इसलिए पहचान के बाद उनके सोए हुए गुणों को जगाने की शुरुआत की जा सकती है, उन्हें सम्मान देकर। संबंध बेहतर बनाने के लिए उनके साथ लगातार भेंट-मुलाकात की आवश्यकता होगी। इन्हीं भेंट-मुलाकातों के दौरान उन्हें इस बात का एहसास कराया जा सकता है कि उनका साथ उनके समुदाय अथवा क्षेत्र के लिए कितना आवश्यक है। जिन समस्याओं का हल निकाला जाना है, उनके बारे में भी विस्तार से चर्चा की जा सकती है और इन समस्याओं के हल में उनकी भूमिका पर भी विचार किया जा सकता है। यही मौका है जब संवेदित कर उनके सोए हुए गुणों को झकझोरा जा सकता है।

अब बारी आती है व्यावहारिक रूप से उन्हें साथ जोड़ने की। इसके लिए विभिन्न कार्यक्रमों में उनकी सहभागिता हासिल करना उपयोगी हो सकता है। उदाहरणतया, किसी गांव में बालिका साक्षरता अभियान का उद्घाटन किया जाना है और आपने किसी ऐसे चेंज एजेंट की पहचान कर ली है जो संयोग से कुछ शिक्षित भी है तो ऐसे व्यक्ति/व्यक्तियों को उद्घाटन समारोह का मुख्य/विशिष्ट अतिथि बनाकर बुलाएं। किसी भी समुदाय में अपने लोगों को अहमियत दी जाती है, उनकी बात सुनी जाती है। इसलिए समुदाय के लोग बाहर के किसी बहुत पढ़े-लिखे व्यक्ति की बात सुनने की अपेक्षा अपने क्षेत्र के किसी मामूली पढ़े-लिखे व्यक्ति की बात सुनना पसंद करेंगे और उसे

समझेंगे भी। चेंज एजेंट के रूप में चयनित व्यक्ति के लिए भी गौरव का विषय होगा कि वह एक ऊंचे मंच से, एक विशिष्ट व्यक्ति के रूप में अपनी बातें रखे। वह क्षण उसके लिए यादगार क्षण होगा और निश्चित रूप से वह आगे भी इस तरह के अवसरों से जुड़ना चाहेगा या चाहेगी। यह तो हुई एक शिक्षित चेंज एजेंट की बात। यदि वह व्यक्ति शिक्षित नहीं भी है तो भी उसमें असीम संभावनाएं छिपी हो सकती हैं। वही अशिक्षित व्यक्ति यदि बालिका साक्षरता अभियान के उद्‌घाटन मंच से यह कहे कि उसे हमेशा से पढ़ने की ललक थी लेकिन विषम परिस्थितियों के कारण उसे शिक्षा से वंचित रहना पड़ा; पढ़ाई से वंचित रहने के कारण उसे जीवन में अनेक कष्ट उठाने पड़े। इसलिए वह नहीं चाहती कि नई पीढ़ी की बच्चियां वैसे कष्ट झेलें। मंच से ऐसी आपबीती सुनकर उस पिछड़े समुदाय के हर व्यक्ति को बालिका शिक्षा का महत्व समझ में आ जाएगा और उस अभियान की सफलता की आशा बढ़ जाएगी। इस तरह के अनुभव के बाद ऐसे व्यक्ति भी अभियान में पूरा हाथ बंटाएंगे और सच्चे अर्थों में 'चेंज एजेंट' बन जाएंगे। ऐसे व्यक्तियों का साथ, समुदाय के अन्य लोगों को प्रेरित करेगा और लोग धीरे-धीरे जुड़ते जाएंगे। फिर आएगा, एक बड़ा परिवर्तन जिसे लाने में कहीं-न-कहीं ऐसे रोल मॉडलों का बहुत महत्वपूर्ण योगदान होता है।

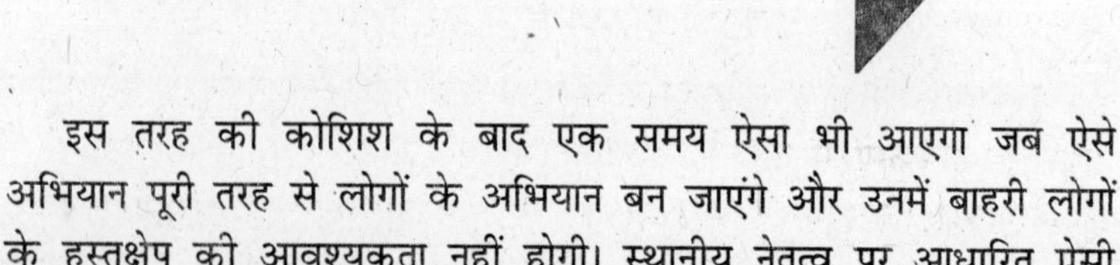

इस तरह की कोशिश के बाद एक समय ऐसा भी आएगा जब ऐसे अभियान पूरी तरह से लोगों के अभियान बन जाएंगे और उनमें बाहरी लोगों के हस्तक्षेप की आवश्यकता नहीं होगी। स्थानीय नेतृत्व पर आधारित ऐसी कोशिशें न केवल सफल होती हैं बल्कि उनके सतत् परिणाम आने की संभावना भी होती है।

चेंज एजेंटों की पहचान और विकास प्रक्रिया में उन्हें साथ लेकर चलने के मुद्दे के बाद सवाल उठता है कि कौन ऐसे लोग हैं जो हमारे चेंज एजेंट हो सकते हैं? पहले भी चर्चा की जा चुकी है कि ऐसे लोग किसी

भी समुदाय में किसी भी रूप में मौजूद हो सकते हैं। नई बहुएं, शिक्षा प्राप्त कर रही किशोरियां, पढ़े-लिखे बेरोजगार युवक, स्वास्थ्य कार्यकर्ता, चाय की दुकान चलाने वाला छोटा-मोटा दुकानदार, बुजुर्ग, खेतिहर मज़दूर आदि किसी में भी चेंज एजेंट बनने के गुण मौजूद हो सकते हैं। ऐसे लोगों को साथ जोड़कर समुदाय के साथ संबंध बढ़ाना सरल होगा क्योंकि ऐसे लोग दोनों पक्षों (समुदाय और विकास कार्यकर्ता/व्यवहार परिवर्तन कार्यकर्ता) के बीच कड़ी का काम कर सकते हैं। समुदाय तक पहुंच बनाने के बाद इन चेंज एजेंटों की सहायता से दिए गए विकास संदेशों के बेहतर ढंग से सुने और ग्रहण किए जाने की आशा होती है। उनकी मौजूदगी से विकास कार्यकर्ताओं तथा विकास संदेशों की विश्वसनीयता बनी रहेगी।

ऐसे लोगों को साथ जोड़ना किसी भी विकास कार्यक्रम के लिए जितना उपयोगी हो सकता है, उन्हें छोड़ना उतना ही घातक। यदि ऐसे लोग विकास कार्यों को गति दे सकते हैं तो शायद साथ जोड़े न जाने पर विकास कार्यों में रोड़ा भी अटका सकते हैं क्योंकि उनके साथ संवाद न किए जाने की स्थिति में संवादहीनता होगी जिसके माध्यम से ऐसे लोगों के दिल में विकास कार्यों के प्रति अविश्वसनीयता उत्पन्न हो सकती है। यही अविश्वसनीयता समुदाय के अन्य लोगों को विकास कार्यों का अंग बनने से रोक सकती है। जिस क्षण ऐसी स्थिति उत्पन्न हुई, उस क्षण समस्त विकास अथवा व्यवहार परिवर्तन संचार की समस्त प्रक्रिया धाराशायी हो सकती है।

इसीलिए सरकारी विभाग हों, स्वैच्छिक संस्थाएं अथवा समाजसेवी, किसी के लिए भी यह अत्यंत आवश्यक है कि किसी भी समुदाय अथवा क्षेत्र में विकास अथवा व्यवहार परिवर्तन के लिए ऐसे लोगों की अहमियत समझकर, उन्हें पहचानें और उन्हें साथ जोड़कर ही अपना अभियान शुरू करें। ऐसे लोगों की पहचान विकास कार्यक्रमों अथवा जागरूकता अभियानों की शुरुआत भी है और इन कार्यक्रमों की सफलता की ओर एक कदम भी।

❑❑❑

अध्याय 7

व्यवहार परिवर्तन के लिए माध्यम सम्मिश्रण

हमारे व्यवहार में बदलाव की दिशा में संचार माध्यमों यानी मीडिया की भूमिका को नकारा नहीं जा सकता। बल्कि यों कहें कि यदि हमें लोगों और समाज के व्यवहार में परिवर्तन की बात करनी है, तो उसके लिए अपनायी जाने वाली रणनीति में हमें विभिन्न प्रकार के माध्यम, जिनकी लगभग सभी प्रकार की जनता तक पहुंच है, का एक ऐसा तालमेल युक्त मिश्रण बनाना होगा, जिससे कि समाज के हर आय वर्ग, लिंग और आयु वर्ग के लोगों में समान रूप से प्रभावी संदेश पहुंच सके और एक सुव्यवस्थित तरीक़े से लोगों के व्यवहार में परिवर्तन लाया जा सके। रोज़मर्रा के आचार-व्यवहार में मीडिया ही प्रमुख भूमिका निभाता है। मीडिया, विशेषकर टेलीविज़न और इंटरनेट का बच्चों पर कितना अधिक प्रभाव है, यह हम देख रहे हैं। टेलीविज़न और रेडियो पर आने वाले विज्ञापनों के जिंगल बच्चों को अच्छी तरह याद हो जाते हैं। यहां तक कि बच्चे कार्टून चरित्रों को जीने का प्रयास भी करते हैं। इस अध्याय में हम चर्चा कर रहे हैं, विभिन्न प्रकार के जनमाध्यमों के लोगों पर पड़ने वाले प्रभाव की। इन माध्यमों के समुचित मिश्रण से संदेशों के आदान-प्रदान की प्रक्रिया ही माध्यम सम्मिश्रण या '*मीडिया मिक्स*' कहलाती है।

संस्कृत में एक कहावत है, ***'मुंडे-मुंडे मतिर्भिन्ना'*** जिसका अर्थ है, हर व्यक्ति का मत अलग-अलग होता है। इसीलिए संदेश देने वाले एक ही माध्यम का असर सब पर एक-सा नहीं हो सकता। इसके अलावा अलग-अलग माध्यम भी एक ही व्यक्ति पर अलग-अलग असर छोड़ते हैं। यह निर्भर होता है, माध्यम की अपनी प्रकृति पर। आमतौर पर रेडियो या अख़बार के मुक़ाबले टेलीविज़न हम पर अधिक प्रभाव छोड़ता है। इसका एकमात्र कारण है- श्रव्य और दृश्य दोनों माध्यमों का एकसाथ होना। चलते-फिरते चित्र हमें प्रभावित करते हैं। यहां अभी हम प्लेटफार्म यानी उस मंच की बात कर रहे हैं, जिससे संदेश दिया जाता है। अब बात करते हैं, विषय-वस्तु यानी 'कंटेट' या संदेश की। विभिन्न माध्यमों से दिये गये एक ही कंटेट का प्रभाव अलग-अलग लोगों पर अलग तरह से होता है। दूसरे शब्दों में कहें, तो संदेश देने का समान ढंग व्यवहार परिवर्तन के लिए उपयुक्त नहीं हो सकता।

इसी वजह से व्यवहार परिवर्तन के मामले में विभिन्न प्रकार के प्लेटफॉर्मों, माध्यमों अथवा चैनलों का चयन किया जाता है। इस मिश्रित 'एॅप्रोच' या अभिगम के अनेक लाभ होते है। यदि एक माध्यम प्रभाव डालने में सफल नहीं हुआ तो दूसरा हो सकता है; यदि दूसरा नहीं हुआ, तो तीसरे के सफल होने की संभावना हो सकती है। यदि सभी माध्यम अलग-अलग सफल नहीं हुए तो सबके मेल यानी मिश्रण का असर होगा। इसे ऐसे समझा जा सकता है कि जाड़े के दिनों मे कोई मां अपने छोटे बच्चे को गर्म कपड़े पहनाती है तो केवल एक ही स्वेटर पहनाकर संतोष नहीं कर लेती। उस स्वेटर के अतिरिक्त वह बच्चे को स्वेटर के अंदर छोटा स्वेटर, सिर पर ऊनी कनटोप, पैरों में मोज़े आदि भी पहनाती है ताकि बच्चा कुल मिलाकर ठंड से बच सके। यहां ठंड से बचाने में गर्म कपड़ों का मेल काम करता है न कि केवल एक स्वेटर या कनटोप। इसी प्रकार एक माध्यम एक व्यक्ति को रुचिकर लग सकता है तो दूसरे को अरुचिकर। कोई एक माध्यम किसी एक व्यक्ति, परिवार या समूह की भाषा के अनुरूप हो सकता है तो कोई दूसरा माध्यम उनके लिए सुगम हो सकता है।

इसी प्रकार व्यवहार परिवर्तन के संदर्भ में प्रयुक्त सभी संचार माध्यम मिलकर लक्षित समूहों को प्रभावित करते हैं क्योंकि एक माध्यम दूसरे के लिए पूरक का काम करता है, उसकी शक्ति बढ़ाता है। किसी सामान्य उद्देश्य/उद्देश्यों को पाने के लिए अनेक उपयुक्त माध्यमों का प्रयोग 'माध्यमों का समुचित सम्मिश्रण' (अंग्रेज़ी में **'मीडिया मिक्स'**) कहा जाता है।

यहां यह एक रोचक तथ्य है कि हर विषय या हर मुद्दे की प्रकृति और ज़रूरत के अनुसार इस मीडिया मिक्स का संयोजन भी अलग होता है, यानी यह हमारी 'ऑडिएन्स' या श्रोता समूह, मुद्दे और कंटेंट पर निर्भर करता है कि हम संचार माध्यमों की भीड़ में से कौन-कौन से माध्यमों को संदेश पहुंचाने के लिए चुनें। इनमें से भी विभिन्न माध्यमों की सहभागिता का अनुपात क्या होगा, यह भी अलग-अलग मामलों में अलग से तय करना होगा। उदाहरण के लिए, जो माध्यम मातृत्व स्वास्थ्य के मुद्दे पर कारगर हो सकते हैं, वह जैविक कृषि के मुद्दे पर नहीं। बाल-अधिकार पर जन-संवेदनशीलता पैदा करने के लिए प्रयुक्त संचार-माध्यम महिला सशक्तीकरण के संदर्भ में उपयोगी नहीं हो सकते। इसीलिए हर मुद्दे की प्रकृति के अनुरूप इस सम्मिश्रण का चयन किया जाना चाहिए, तभी यह सम्मिश्रण उपयुक्त बन सकेगा।

उपयुक्त सम्मिश्रण का चुनाव करने के पहले कुछ आवश्यक तत्वों पर ध्यान दिया जाना बहुत ज़रूरी है। इस संदर्भ में कुछ **खण्डों** की बात करते हैं जो निम्नवत् हैं:

सांख्यिक खण्ड (आयु, लिंग, परिवार का आकार, आय, धर्म आदि)।

भौगोलिक खण्ड (क्षेत्र, राज्य, नगर, गांव, आदि)।

मनोवैज्ञानिक खण्ड (सामाजिक वर्ग, जीवनशैली, संस्कृति, सोच, विचारधारा, व्यक्तित्व)।

व्यवहार खण्ड (अवसर जिसमें सामान्य और विशिष्ट दोनों ही तरह के मौक़े शामिल हो सकते है)।

इन खण्डों को व्यवहार परिवर्तन संचार हेतु उपयुक्त सम्मिश्रण चयन के संदर्भ में इस प्रकार प्रयोग किया जा सकता है:

मान लीजिए, कि हमें शारीरिक रूप से विकलांग (दिव्यांग) बच्चों की देखभाल के लिए अभिभावकों को प्रेरित करना है और हमारा लक्षित क्षेत्र दूरदराज़ के हिंदी भाषी, गांव हैं तो हम घर-घर जाकर, ग्राम-बैठक के ज़रिए, फिल्में दिखाकर और अभिभावकों के प्रशिक्षण का प्रबंध करके यह कार्य कर सकते हैं।

घर-घर जाना **सांख्यिक खण्ड** के उपखण्ड 'लिंग' के लिए प्रभावकारी है क्योंकि इस दौरान दिव्यांग बच्चे की मां, विशेषकर दिव्यांग बच्ची की मां भ्रमणकर्ता से बेहतर ढंग से वार्तालाप कर सकेगी मगर शायद वह ग्राम-बैठक में भाग नहीं ले पाए, यदि उस गांव में स्त्रियां खुलकर पुरुषों के साथ उठ-बैठ नहीं सकती हों। इस प्रकार **मनोवैज्ञानिक खण्ड** के तहत संस्कृति का पहलू भी यहां सामने आता है। **भौगोलिक खण्ड** के उपखण्ड 'क्षेत्र' के तहत यदि फिल्म-शो की उपयोगिता देखें तो गांव होने के कारण फिल्म-शो की सफलता की आशा की जा सकती है, क्योंकि ग्रामीण क्षेत्र में मनोरंजन के साधन कम ही होते हैं। **व्यवहार खण्ड** के तहत यदि अवसर की बात करें तो कृषि कार्यों के मौसम में आयोजित ग्राम बैठक अथवा फिल्म-शो में ग्रामवासियों की सहभागिता की अपेक्षा नहीं की जा सकती, क्योंकि कृषि कार्य उनकी सर्वोच्च प्राथमिकता होंगे। इसलिए इस अवसर पर गांव वालों से यह उम्मीद नहीं की जा सकती कि वे अपने दिव्यांग बच्चों की देखभाल से जुड़े किसी प्रशिक्षण में भाग ले सकेंगे। मगर कृषि कार्यों की समाप्ति के बाद यही दोनों माध्यम सफल हो सकते हैं क्योंकि ग्रामवासियों के पास उस समय खाली समय उपलब्ध होता है।

एक और उदाहरण लेते हैं- हमें शारीरिक साफ-सफाई और निरोग रखने के लिए निर्धन वर्ग की किशोरियों को सैनिटरी पैड के नियमित प्रयोग के लिए जागरूक बनाना है। इसके लिए लक्षित क्षेत्र मलिन बस्तियां हैं। इस कार्य हेतु हम इन मंचों या संचार माध्यमों का प्रयोग कर सकते हैं- विद्यालयों में किशोरी बैठकें आयोजित करना, बस्तियों में किशोरियों और उनकी मांओं या बड़ी बहनों के साथ बैठकें, और किशोरियों को जानकारी साहित्य उपलब्ध कराना। **मनोवैज्ञानिक खण्ड** के तहत स्थानीय संस्कृति के अनुसार निम्न वर्ग, ग्रामीण क्षेत्र या मलिन बस्तियों में किशोरियां खुलकर अपने शरीर से संबंधित बातें परिवार में किसी के साथ नहीं कर पातीं मगर बैठकों में किशोरियों के साथ उनकी माताओं को शामिल किए जाने से सांस्कृतिक खाई कुछ हद तक पाटी जा सकती है। बची-खुची कसर लिखित साहित्य बांट कर पूरी की जा सकती है, जिसे लड़कियां अकेले में पढ़ कर उस पर अमल कर सकती हैं। मौखिक संदेश भुलाए जा सकते हैं, लेकिन लिखित संदेश आवश्यकता पड़ने पर देखे जा सकते हैं। यहां लड़कियों की शैक्षिक स्थिति को समझते हुए अधिक से अधिक चित्रों का इस्तेमाल करके विषय को आसानी से समझाया जा सकता है।

मान लीजिए, हमें बाल-अधिकारों की रक्षा के प्रति जन-सामान्य को जागरूक और संवेदित करना है। हमारा लक्षित क्षेत्र शहरी इलाक़ा है। इस जागरूकता अभियान के लिए हम विद्यालयों में अभिभावकों के साथ बैठकें कर सकते हैं। ढाबों, रेलवे स्टेशनों, बस अड्डों व दूसरे सार्वजनिक स्थानों पर नुक्कड़ नाटकों के ज़रिए जागरूकता कार्यक्रम कर सकते हैं, चौराहों और लाल बत्तियों पर हैंडबिल बांट सकते हैं, शहर के प्रमुख स्थानों पर दीवार लेखन, डिस्प्ले बोर्ड, बैनर के ज़रिए और फिल्म थियेटरों में बाल-मुददों पर लघु फिल्में चलवा कर इस मुद्दे पर जागरूकता फैला सकते हैं।

भारत में प्रसव के दौरान माता की और नवजात शिशु की मृत्यु दर अभी-भी बहुत अधिक है, साथ ही देश के कुछ हिस्सों में लिंग भेदभाव भी है। साफतौर पर कहें, तो उत्तर भारत के अधिकांश इलाक़ों में बेटियों के प्रति समाज का नज़रिया अच्छा नहीं है और परिवार या माता-पिता बेटियां पैदा होने को अच्छा नहीं मानते। आधुनिक तकनीकों का दुरुपयोग करके गर्भ में ही बेटियों को मार दिया जाता है, इस सच्चाई से हम इनकार नहीं कर सकते। देश के अनेक राज्यों में लिंग अनुपात (प्रति हजार पुरुषों पर महिलाओं की संख्या) असंतुलित हो चुका है। दुर्भाग्यवश हरियाणा इस मामले में अग्रणी है, जिसके कारण प्रधानमंत्री नरेन्द्र मोदी ने **''बेटी बचाओ - बेटी पढ़ाओ''**

अभियान की शुरुआत हरियाणा से की। इस मुद्दे के अलावा बच्चों को विभिन्न बीमारियों के टीके लगाने के प्रति भी हमारा समाज अधिक सचेत नहीं है।

इन मुद्दों पर व्यवहार परिवर्तन का सबसे उपयुक्त तरीक़ा तो यही है कि व्यक्तिगत रूप से लोगों विशेषकर परिवार के बड़े-बुजुर्गों, माता-पिता और समुदाय के विचार-निर्माताओं को समझाया जाए। इसके अलावा, सामुदायिक स्तर पर 'गोद-भराई' जैसे समारोह करके व इसमें संबंधित विषय पर लघु फिल्मों, फ्लिप चार्ट, *सोहर* (उत्तर भारत में प्रचलित संस्कार गीत) के माध्यम से ज़च्चा-बच्चा की देखभाल के संदेश दे सकते हैं। **मनोवैज्ञानिक खण्ड** के तहत उत्तर भारतीय संस्कृति में बहुएं अपनी सासों से खुलकर अपनी बातें नहीं कर सकतीं विशेषकर जब बात उनके बेहतर खानपान की हो, या गर्भावस्था के दौरान उनके आराम करने की हो। यही बाधा पति से खुलकर बातचीत करने में भी सामने आती है जो कि शहरी क्षेत्रों की तुलना में ग्रामीण क्षेत्रों में अधिक देखी जाती है। शहरी क्षेत्र की स्त्रियां बेहतर शिक्षा के कारण पति से खुलकर बातचीत कर लेती हैं किंतु ग्रामीण क्षेत्रों में शिक्षा के निम्न स्तर एवं रूढ़िवादिता के कारण ऐसा नहीं हो पाता। इसलिए माध्यमों का सम्मिश्रण इस संदर्भ में अलग-अलग खण्डों पर अलग-अलग प्रभाव डालता है। सांस्कृतिक उपखण्ड के तहत 'सास-बहू सम्मेलन' में या फिर मातृ समूहों की बैठकों में इन बंधनों को कुछ ढीला किया जा सकता है। इन अवसरों पर प्रयुक्त द्विपक्षीय संवाद बहू की सास से तथा देवरानी की जेठानी से दूरी कम कर सकता है। इस क्रम में ऐसा भी हो सकता है कि यदि सास-बहुएं अथवा देवरानी-जेठानी लम्बे समय के लिए बैठकों में एक साथ नहीं निकल सकतीं तो इस कमी को गृह-भ्रमण करके दूर किया जा सकता है। भ्रूण हत्या के मुद्दे पर व्यवहार में बदलाव लाना निश्चित रूप से एक टेढ़ी खीर है। इसके लिए लड़की के प्रति लोगों में प्रेमभाव जगाने की आवश्यकता के साथ-साथ अन्य साझीदारों जैसे नर्सिंग होम्स, अस्पतालों और सी.टी. स्कैन सेन्टर के संचालकों, डॉक्टरों और तकनीशियनों के व्यवहार में परिवर्तन लाने की आवश्यकता है। इसमें पैसा सबसे बड़ा प्रलोभन है। ऐसे में मंच का चुनाव, संदेश का निर्माण और स्थान आदि महत्वपूर्ण है। ऐसे में लोगों को नैतिकता का पाठ पढ़ाना और उन्हें 'जीवहत्या' के पाप का वास्ता देना होगा। इसके लिए पंडित, मौलवी, पादरी, ग्रंथी और अन्य धार्मिक नेताओं की मदद से समुदाय तक पहुंच बनानी होगी। स्थान जुमे की नमाज, सांध्य आरती, संडे सर्विस, गुरुद्वारा संगत आदि हो सकता है। लड़कियों के लिए सम्मान के समारोह आयोजित करना,

कन्याभोज करना आदि आयोजन व्यवहार परिवर्तन में मददगार हो सकते हैं। इसके अलावा अलग से महिलाओं के लिए अधिक ब्याजदर पर बचत खाते खोलना, जीवन बीमा, नौकरियों में आरक्षण आदि उपाय और इनका बहुमाध्यम प्रचार भ्रूण हत्या रोकने के कुछ अन्य महत्वपूर्ण उपाय हो सकते हैं। इसमें रेडियो, टेलीविज़न, मुद्रित प्रचार सामग्री, समाचारपत्र और दीवार लेखन जैसे माध्यमों का प्रयोग किया जा सकता है।

इस प्रकार व्यवहार परिवर्तन संचार के सम्मिश्रण में एक माध्यम दूसरे के लिए पूरक होता है और उद्देश्य प्राप्ति की दिशा में सहयोग करता है। एक दूसरा लाभ यह होता है कि अनेक माध्यमों के प्रयोग के कारण लक्षित समुदाय को किसी एक माध्यम से ऊब नहीं होती और विविधता बनी रहती है। यह तो मनुष्य की प्रकृति है कि उसे नयापन चाहिए, विविधता चाहिए। इस मामले में अनेक माध्यमों का प्रयोग नयापन भी देता है और विविधता भी, जिससे लक्षित समुदाय की रुचि बनी रहती है।

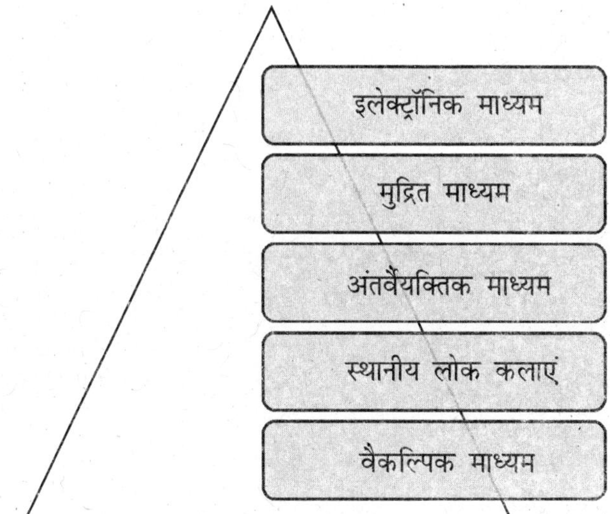

माध्यम–सम्मिश्रण

उपर्युक्त चित्र में किसी संदेश को लोगों तक पहुंचाने के लिए संभावित माध्यमों का सम्मिश्रण (मीडिया मिक्स) दिया गया है। प्रत्येक माध्यम की अपनी शक्ति, अपनी दुर्बलता होती है जिसे ध्यान में रखकर ही माध्यम

सम्मिश्रण तैयार किया जाना चाहिए। कोई आवश्यक नहीं है कि माध्यमों का ऊपर दिये गये क्रम में ही इस्तेमाल किया जाए, बल्कि समय, स्थान और अपने लक्षित वर्ग/समूह के विभिन्न आयामों को ध्यान में रखकर इनका मेल तैयार किया जा सकता है। इन माध्यमों की शक्ति व दुर्बलता इस प्रकार समझी जा सकती है:

इलेक्ट्रॉनिक माध्यम: जैसा कि नाम से ही स्पष्ट है, इन माध्यमों की प्रत्यक्ष या परोक्ष रूप से बिजली पर निर्भरता होती है। यही इन माध्यमों की पहचान भी है, और यही दुर्बलता भी। इस श्रेणी में रेडियो, टी.वी, सिनेमा, इंटरनेट, मोबाइल आदि को रखा जा सकता है। टी.वी, सिनेमा और इंटरनेट जैसे माध्यमों से दृश्य-श्रव्य संदेश दिए जा सकते हैं जो अधिक रोचक, प्रभावकारी एवं स्मरणीय होते हैं क्योंकि दृश्य-श्रव्य संदेशों को ग्रहण करने के लिए कम से कम दो इंद्रियों-आंखों एवं कानों का प्रयोग होता है। रेडियो एक ऐसा इलेक्ट्रॉनिक माध्यम है जिसमें केवल एक इंद्री अर्थात् कानों का प्रयोग किया जाता है और यही इस माध्यम की सबसे बड़ी विशेषता है, कि केवल कानों के प्रयोग के कारण रेडियो से दिए गए संदेशों पर अधिक ध्यान दिया जा सकता है, अधिक ध्यान देकर सुने जाने के कारण ऐसे संदेश बेहतर ढंग से समझे और लंबे समय तक याद रखे जा सकते हैं। टी.वी. और रेडियो जैसे इलेक्ट्रॉनिक माध्यम की एक अन्य शक्ति यह भी है कि इनके लिए साक्षर होना आवश्यक नहीं है। इसीलिए निरक्षर एवं कम पढ़े-लिखे लोग भी इन माध्यमों को पसंद करते हैं। हमारे ग्रामीण क्षेत्रों में व्यवहार परिवर्तन संचार के संदर्भ में यह बिंदु उपयोगी है। लेकिन, बिजली पर निर्भरता के कारण ऐसे माध्यम भारत के ग्रामीण क्षेत्रों में बहुत व्यापक स्तर पर प्रयोग नहीं किए जा सकते क्योंकि आज भी हमारे गांवों में बिजली की उपलब्धता संतोषजनक नहीं है। एक दूसरा आयाम यह है कि अक्सर ही ऐसे माध्यम मंहगे होते हैं। यदि हम ग्रामीण परिप्रेक्ष्य में व्यवहार परिवर्तन संचार की बात करें तो हमें यह भी याद रखना होगा कि ग्रामीण क्षेत्रों में अधिकांश जनसंख्या निर्धन है, जिसके पास इन माध्यमों पर खर्च करने के लिए पर्याप्त धन नहीं होता। इन दोनों प्रमुख दुर्बलताओं के बावजूद रेडियो व टीवी ग्रामीण क्षेत्रों में लोकप्रिय माध्यम माने जाते हैं। रेडियो की तो पहले से ही ग्रामीण क्षेत्रों में व्यापक पहुंच है मगर धीरे-धीरे टी.वी. का भी व्यापक विस्तार हो रहा है। हां, यह माना जा सकता है कि हमारे ग्रामीण क्षेत्रों में इंटरनेट की पहुंच अभी नगण्य है। कारण अनेक हैं, ग्रामीण जनसंख्या की निर्धनता, निम्न साक्षरता दर एवं

ग्रामीण क्षेत्रों में कम्प्यूटर की नगण्य पहुंच। इसीलिए हमारे देश के ग्रामीण क्षेत्रों में एक लोकप्रिय माध्यम के रूप में पहचान बनाने में इंटरनेट को अभी कुछ और समय लग सकता है।

मुद्रित माध्यम: इस श्रेणी में समाचार पत्र-पत्रिकाएं, पुस्तक-पुस्तिकाएं, हैंडबिल, ब्रॉशर, पर्चे, आदि के नाम लिए जा सकते हैं जिनका मशीनों से मुद्रण किया जाता है। इसीलिए इन्हें 'मुद्रित' माध्यम कहा जाता है। इनकी सबसे बड़ी विशेषता या शक्ति है, इन्हें सहेजकर रखे जा सकने की प्रकृति। कोई भी समाचार पत्र अथवा पत्रिका समुचित रखरखाव के साथ भविष्य में प्रयोग हेतु लम्बे समय तक संजोकर रखी जा सकती है, जबकि यह इलेक्ट्रॉनिक माध्यमों में संभव नहीं है। पत्र-पत्रिकाएं पढ़े जाने के क्रम में आंखों व मस्तिष्क का सक्रिय प्रयोग होता है, जिसके कारण पढ़ी गई पठन-सामग्री के याद होने की संभावना होती है। मगर यही इन माध्यमों का दुर्गुण भी है कि इनका प्रयोग केवल शिक्षित लोग ही कर सकते हैं। अतः ग्रामीण क्षेत्रों में इनकी व्यापक ग्राह्यता की आशा नहीं की जा सकती। मगर शहरी क्षेत्रों में इनके अच्छे परिणाम की अपेक्षा की जा सकती है।

अंतर्वैयक्तिक माध्यम: गृह-भ्रमण, समूह बैठकों आदि को इस श्रेणी में रखा जा सकता है। इन माध्यमों से अंतर्वैयक्तिक संचार करना (बातचीत, मॉडल्स, चार्ट और अन्य सहायक सामग्रियों के साथ विषय को समझाना) अत्यंत सरल होता है क्योंकि संदेशदाता और ग्रहणकर्ता एक ही स्थान पर मौजूद होते हैं। इस स्थिति को अंग्रेज़ी में **फेस टू फेस** कहा जाता है जो कि संचार के दृष्टिकोण से एक आदर्श स्थिति मानी जाती है क्योंकि इसमें संदेशदाता को ग्रहणकर्ता की त्वरित प्रतिक्रिया (*फीडबैक*, जो संचार प्रक्रिया का एक महत्वपूर्ण घटक है) प्राप्त होती है जिसके आधार पर संदेशों में तात्कालिक रूप से वांछित सुधार किए जा सकते हैं। मसलन, प्रश्नकर्ता की जिज्ञासा का मौके पर ही समाधान किया जा सकता है। इसके साथ ही वार्तालाप की आगे आने वाली संभावित कमियों को दूर भी किया जा सकता है। इसलिए इस माध्यम के सफल होने की संभावना अधिक होती है। इन माध्यमों के प्रयोग में लागत तो कम है ही, इनका प्रयोग सरल भी है। यदि कोई स्थानीय कार्यकर्ता/सेवादाता किसी लाभार्थी के घर भ्रमण करे, तो इसमें खर्च न के बराबर आएगा। उसी तरह, किसी महिला मंडल अथवा स्वयं सहायता समूह की बैठक आयोजित करने में सतही रूप में तो कोई झंझट नहीं है किंतु समुदाय के आंतरिक आयामों, अन्तप्रवाह आदि का प्रभाव अवश्य इन माध्यमों पर पड़

सकता है। ऐसा भी हो सकता है कि किसी गांव में महिला मंडल की बैठक आयोजित की जाए और परस्पर वैमनस्य के कारण महिलाएं बैठक में भाग ही न लें। इसी प्रकार जातपात/ऊंच-नीच की भावना से ग्रस्त सेवा प्रदाता अथवा कार्यकर्ता ऐसे घरों में जाने से बच सकते हैं, जिनके प्रति उनके दिल में कोई पूर्वाग्रह हो (वास्तव में ऐसा अक्सर होता भी है)। इसीलिए केवल इनपर निर्भर नहीं हुआ जा सकता मगर यह भी सच है कि यह माध्यम संदेशदाता और ग्रहणकर्ता को आपस में सीधे-सीधे जोड़ते हैं। इसलिए संदेश पर बेहतर परिणाम की आशा भी होती है।

स्थानीय लोक कलाएं : सांस्कृतिक धरोहर के धनी भारत में स्थानीय लोककलाओं का अनमोल भंडार मौजूद है। लोक नृत्य, लोक संगीत, लोक गायन, लोक कथा वाचन, कशीदाकारी, पेंटिंग, मूर्तिकला, आदि की एक वृहद् श्रृंखला को इस श्रेणी में शामिल किया जा सकता है। राजस्थान की कठपुतली कला, गुजरात का डाण्डिया एवं भवई, महाराष्ट्र का तमाशा, बिहार-उत्तर प्रदेश की नौटंकी व रामलीला, पश्चिम बंगाल का पुतुल नाच जैसे असंख्य उदाहरण भरे पड़े हैं जो राष्ट्र एवं क्षेत्र की संस्कृति को समृद्ध बनाते हैं।

यह माध्यम हमारी संस्कृति का अभिन्न अंग हैं और इसीलिए हर भारतीय स्वयं को स्थानीय लोककलाओं से जोड़कर देखता है, उनमें अपनी धरती की सुगंध खोजता है। यही स्थानीय लोक कलाओं की सबसे बड़ी शक्ति है कि इस माध्यम से दिए गए संदेश लोगों को आत्मीय लगते हैं। दूसरी रोचक बात है, इन लोक कलाओं की मनोरंजक प्रकृति, जिसका लाभ उठाते हुए मनोरंजक ढंग से इनकी आड़ में व्यवहार परिवर्तन के संदेश दिए जा सकते हैं और लोगों को पता भी नहीं चलता कि उन्हें उपदेश दिया जा रहा है।

इसी परिप्रेक्ष्य में वर्ष 1972 में संयुक्त राष्ट्र संघ द्वारा गठित मॅक ब्राइड आयोग ने विकास के क्षेत्र में इन माध्यमों के प्रयोग की अनुशंसा की थी। रामलीला के साथ धार्मिक सौहार्द्र का, तो नौटंकी के साथ शराब बंदी का संदेश सरलतापूर्वक दिया जा सकता है। कठपुतली नाच के अंत में छोटे परिवार की वकालत की जा सकती है तो गरबा आयोजन के दौरान मताधिकार के प्रयोग की अपील की जा सकती है। ऐसे अभिनव प्रयोगों का कोई अंत नहीं है। ऐसा इसलिए है, क्योंकि यह सभी माध्यम अत्यंत लचीले हैं और परिस्थिति के अनुसार ढाले जा सकते हैं। इन माध्यमों की इसी शक्ति का प्रयोग अलग-अलग मुद्दों पर व्यवहार परिवर्तन संचार के लिए अलग-अलग परिस्थिति में किया जा सकता है। इन माध्यमों में भी अक्सर संदेशदाता को संदेश

ग्रहणकर्ता की प्रतिक्रिया तुरंत मिल जाती है, तालियों अथवा सीटियों के रूप में। इसलिए संचार की प्रक्रिया सुगम रूप से संपन्न होती है और ऐसी परिस्थिति में व्यवहार परिवर्तन संचार की उद्देश्य-प्राप्ति की संभावना बढ़ जाती है।

सिक्के का दूसरा पहलू यह है कि ऐसे माध्यमों का प्रयोग एक सीमित क्षेत्र में ही किया जा सकता है, बहुत बड़े समूह अथवा बहुत बड़े क्षेत्र में एक समय में एक साथ इन माध्यमों का प्रयोग संभव नहीं है। उदाहरणतया, कठपुतली नाच या रामलीला हजार दर्शकों के साथ किए जाने से एक तो मंच पर उपस्थित कलाकार की वाणी दर्शकों तक नहीं ठीक ढंग से नहीं पहुंच सकती क्योंकि बड़ा दर्शक वर्ग होने के कारण अधिक शोर-शराबे की संभा. वना हो सकती है, जो संचार प्रक्रिया के लिए एक बाधा है। इसके अतिरिक्त बड़े दर्शक वर्ग के लिए इन कलाओं को मंचन का बड़ा स्थान चाहिए। बड़े स्थान के कारण मंच और दर्शकों के मध्य अधिक दूरी पैदा होती है जिससे कलाकार के हावभाव दर्शकों तक नहीं पहुंच पाते जो संचार प्रक्रिया के लिए दूसरी बाधा है। अंतर्वैयक्तिक अथवा समूह संचार की सबसे बड़ी विशेषता है कि इसमें ग्रहणकर्ता और संदेशदाता के बीच दूरी कम होने के कारण चेहरे का हावभाव देखना, आंखों से आंखों का संपर्क सरलतापूर्वक हो सकता है। इसीलिए लोक कलाओं का बड़े स्तर पर प्रयोग होने से संदेशदाता (कलाकार) और ग्रहणकर्ता (दर्शक) के बीच न तो हावभावों का आदान-प्रदान हो सकता है, न ही आंखों से आंखों का संपर्क।

हालांकि सूचना प्रौद्योगिकी को शामिल करके इन प्राचीन माध्यमों की कुछ दुर्बलताओं को काफी हद तक दूर किया जा सकता है। उदाहरण के लिए, कलाकार की आवाज़ दर्शकों तक ठीक से पहुंचाने के लिए लाऊडस्पीकर का प्रयोग हो सकता है तथा दृश्यों को दूर तक दिखाने के लिए एल.सी.डी. स्क्रीन का प्रयोग किया जा सकता है। ऐसे अभिनव प्रयोगों के बावजूद संवाद या संचार एक-पक्षीय ही माना जाएगा क्योंकि दर्शक तो लाउडस्पीकर के ज़रिए कलाकार को सुन सकेंगे, लेकिन कलाकार को दर्शकों की प्रतिक्रिया नहीं मिल पाएगी, क्योंकि दर्शकों की संख्या अधिक है और भीड़ के कारण शोर-शराबा होना भी स्वाभाविक है। इसी प्रकार एल.सी.डी. स्क्रीन पर दर्शक तो कलाकार के हावभाव देख लेंगे किंतु कलाकार के लिए न तो दर्शकों का हावभाव देखना संभव होगा, न ही उनसे आंखों का संपर्क बनाना। आगे की दीर्घा में बैठे दर्शकों के हावभाव देखना अथवा उनसे आंखों का संपर्क करना शायद कलाकार के लिए संभव होगा पर पीछे की

ओर बैठे दर्शकों के मामले में ऐसा संभव नहीं होगा। स्वभाविक है कि पीछे बैठे दर्शक जल्द ही ऊबकर या तो चले जाएंगे या वहां बैठकर शोर मचाएंगे जिससे संचार प्रक्रिया बाधित होगी। छोटे समूह के साथ ऐसे माध्यम अवश्य प्रभावकारी सिद्ध होते हैं क्योंकि छोटे समूहों के साथ संचार प्रक्रिया सरलता एवं सुगमता से संपन्न होती है। इसीलिए 'मीडिया मिक्स' में छोटे समूहों के साथ (विशेषकर ग्रामीण अथवा पिछड़े क्षेत्रों में) वार्तालाप करने के लिए स्थानीय लोककलाओं का प्रयोग किया जा सकता है। किंतु उस सम्मिश्रण में परिस्थिति के अनुसार अन्य माध्यमों का समावेश भी आवश्यक है।

समय के साथ एवं इलेक्ट्रॉनिक माध्यमों की बढ़ती लोकप्रियता के कारण स्थानीय लोक कलाओं की लोकप्रियता को गहरा आघात लगा है। इस नाते इनके पुनरूद्धार की आवश्यकता है। इसके अतिरिक्त इन लोक कलाओं में विचारों पर प्रभाव डालने और ढालने का भरपूर दमखम भी है। व्यवहार परिवर्तन संचार के संदर्भ में इन कलाओं के नियमित प्रयोग से एक ओर तो हमारी इस सांस्कृतिक धरोहर का जीर्णोद्धार होगा, दूसरे, व्यवहार परिवर्तन संचार के लक्ष्य की प्राप्ति में भी सहायता मिलेगी।

वैकल्पिक माध्यम: वैकल्पिक माध्यम वैसे माध्यम हैं जो प्रचलित अथवा मुख्यधारा के माध्यमों के विकल्प के रूप में उभरते हैं। इन माध्यमों की स्वरूप, प्रकृति, उद्‌देश्य, स्वामित्व प्रणाली, कार्यप्रणाली, हर आयाम में मुख्यधारा के माध्यमों से भिन्नता होती है। एक तरह से देखा जाए तो वैकल्पिक माध्यम मुख्यधारा के माध्यमों का लाभ नहीं मिलने के कारण ही अस्तित्व में आते हैं। अनुभव बताते हैं कि ग्रामीण अंचलों की आवश्यकताओं अथवा सफलता की कहानियों से संबंधित समाचारों को प्रचलित माध्यमों में स्थान नहीं मिलता। समाचार पत्र शहरी क्षेत्रों अथवा बड़े लोगों की छोटी-छोटी बातों से संबंधित समाचारों से भरे होते हैं। इसके अतिरिक्त ग्रामीण क्षेत्रों में प्रचलित समाचार पत्रों की पहुंच भी बहुत सीमित होती है। ऐसा ग्रामीण क्षेत्रों की शहरों से दूरी, ग्रामीण क्षेत्रों में साक्षरता की निम्न दर तथा निर्धनता, ग्रामीण पाठकों की ओर से समाचार पत्रों की मांग की कमी, आदि के कारण होता है। कारण जो भी हो, ग्रामीण अथवा पिछड़े क्षेत्रों अथवा विकास मुद्‌दों पर अक्सर ही प्रचलित माध्यमों का ध्यान नहीं जाता।

इस अनदेखी के कारण अक्सर ही ऐसे क्षेत्रों से प्रतिकार की ध्वनि उठती है, किसी-न-किसी वैकल्पिक माध्यम के रूप में। सामुदायिक रेडियो अथवा सामुदायिक समाचार पत्रों का ऐसे ही जन्म होता है। वैकल्पिक माध्यमों के

अस्तित्व में आने का एक और कारण है और वह है संदेश अथवा मुद्दे की प्रकृति। इस संदर्भ में हम एच.आई.वी/एड्स जागरूकता पर आधारित **'रेड रिबन'** एक्सप्रेस नामक विशेष रेल की चर्चा कर सकते हैं। कुछ ऐसे मुद्दे होते हैं जिनपर परोक्ष रूप से अथवा जीवंत रूप से संदेश दिए जाने की आवश्यकता होती है। ऐसे ही एक मुद्दे, एच.आई.वी./एड्स पर जन-जागरूकता हेतु रेड रिबन एक्सप्रेस चलाई गई थी। यह विशेष रेलगाड़ी एच.आई.वी/एड्स संबंधी जन-जागरूकता की प्रचार सामग्रियों से लैस थी। प्रत्येक पड़ाव पर रेल में यात्रारत विषय-विशेषज्ञों द्वारा जागरूकता सत्र आयोजित किए जाते थे, रेल के अंदर विषय-मूलक प्रदर्शनी का आयोजन भी किया गया था। इसके अलावा प्रतिदिन ट्रेन के भीतर ही 20-20 डॉक्टरों के तीन बैचों को प्रशिक्षण दिया जाता था। ट्रेन के साथ-ही-साथ दो बसों के ज़रिये स्वयंसेवकों का एक जत्था भी चलता था, जो गांव-गांव जाकर न सिर्फ लोगों को एड्स के प्रति जागरूक करता था, बल्कि उन्हें स्टेशन जाकर ट्रेन देखने के लिए प्रेरित भी करता था। ये स्वयंसेवक एड्स जागरूकता पर जगह-जगह नुक्कड़ नाटकों का आयोजन भी करते थे। इस माध्यम से एच.आई.वी/एड्स संबंधी संदेश वृहद् स्तर पर एक अलग ढंग से दिए जा सके जो कि प्रचलित माध्यमों के लिए संभव नहीं था। व्यवहार परिवर्तन के मामले में यह मीडिया मिक्स का अपने ढंग का अनूठा उदाहरण है। एड्स जागरूकता पर लोगों के व्यवहार में परिवर्तन अब समाज में झलकने भी लगा है।

वैकल्पिक माध्यमों की श्रेणी से उपयुक्त माध्यम तब भी चुने जा सकते हैं, जब संदेश सूक्ष्म स्तर पर दिये जाने की आवश्यकता हो। किसी मलिन बस्ती में स्वच्छ पेयजल के प्रयोग पर जागरूकता हेतु नुक्कड़ नाटक अथवा किसी ग्राम पंचायत में स्त्री साक्षरता पर संवेदनशीलता हेतु दीवार लेखन उपयुक्त माध्यम हो सकते हैं। यह प्रभाव सूक्ष्म स्तर पर प्रचलित माध्यमों का नहीं हो सकता।

वैकल्पिक माध्यमों की एक और विशेषता है कि इनके प्रयोग में व्यय नाममात्र का, या कभी-कभी तो शून्य भी होता है। ऐसे में यह माध्यम और भी कारगर हो सकते हैं जब इनका प्रयोग किसी छोटे समूह अथवा संस्था द्वारा किया जाना हो। यह तो हुआ इसका आपूर्ति पक्ष जिसमें संदेश देने वाले को संदेश देने में कुछ विशेष व्यय नहीं करना पड़ता है। मांग पक्ष पर संदेश प्राप्त करने वालों को भी ऐसे माध्यमों के प्रयोग में प्राय: कोई व्यय नहीं करना पड़ता है। दीवार लेखन देखने के लिए अथवा नुक्कड़

नाटक देखने के लिए समय एवं आखें चाहिए, धन नहीं जबकि प्रचलित माध्यमों (रेडियो/टी.वी/समाचार पत्र) का प्रयोग व्यय बिना संभव नहीं है। रेडियो/टी.वी खरीदने के लिए भी धन चाहिए और चलाने के लिए भी (बिजली अथवा बैट्री के रूप में)। वैकल्पिक माध्यमों की उप-श्रेणी के तहत नवीन माध्यमों जैसे इंटरनेट (ई-मेल/ब्लॉग/सामाजिक माध्यम) एवं मोबाइल फोन की चर्चा भी की जा सकती है। हालांकि कुछ विषेशताओं के कारण इंटरनेट एवं मोबाइल फोन को प्रचलित माध्यमों में भी रखा जा सकता है। मगर इनकी कुछ विशेषताओं जैसे कम खर्च, और आसान पहुंच आदि के कारण इन्हें वैकल्पिक माध्यमों में भी रखा जा सकता है। मोबाइल फोन आज सभी की जेब में होता है और डेटा पैक के रूप में इन उपकरणों में इंटरनेट भी सस्ते में उपलब्ध हो जाता है। साथ ही एन्ड्रॉयड फोन और टैबलेट/इत्यादि के आ जाने से आम आदमी की भी मोबाइल इंटरनेट तक पहुंच काफी बढ़ी है।

वैकल्पिक माध्यमों की श्रेणी में रेत आकृति, हॉट एअर बैलून, हस्तलिखित समाचार पत्र, सामुदायिक रेडियो, लोककलाओं आदि को भी रखा जा सकता है। ये माध्यम लोकलाओं जैसे परंपरागत भी हो सकते हैं और सामुदायिक रेडियो जैसे अभिनव भी। लेकिन इनकी सामान्य विशेषता होती है कि ये सभी माध्यम प्रचलित माध्यमों से अलग होते हैं, संदेशदाता की पहुंच में होते हैं और बिना किसी अधिक ख़र्च के सरलता से इनका प्रयोग किया जा सकता है। इनकी दुर्बलताओं में इनकी सीमित पहुंच और वृहद् स्तर पर पहचान की कमी को शामिल किया जा सकता है। इसके अतिरिक्त जन सामान्य के बीच आज भी ये माध्यम गहरी पैठ नहीं बना सके हैं जिसके कारण आम जनता का रुझान जन-संचार के प्रचलित माध्यमों की ओर अधिक है। इसलिए जब चयन की बात आती है तो वैकल्पिक माध्यमों की बारी प्रचलित माध्यमों के बाद ही आती है। किंतु इस कारण इन माध्यमों की विशिष्ट प्रकृति, विशिष्ट कार्यप्रणाली अथवा विशिष्ट उद्देश्य के अनुरूप उपयोगिता को नकारा नहीं जा सकता।

माध्यमों के मूर्त रूप के अतिरिक्त एक अन्य अति महत्वपूर्ण माध्यम है, उक्त समुदाय अथवा क्षेत्र में बदलाव लाने वाले लोग जिन्हें वांछित परिवर्तन लाने के लिए 'चेंज एजेंट' अथवा 'उत्प्रेरक' कहा जा सकता है। 'चेंज एजेंट' अपने-आप में एक माध्यम होते हैं या यों कह सकते हैं मूर्त माध्यमों का मानवीय चेहरा होते हैं। (चेंज एजेंटों की अहमियत के दृष्टिगत उनपर पूरा

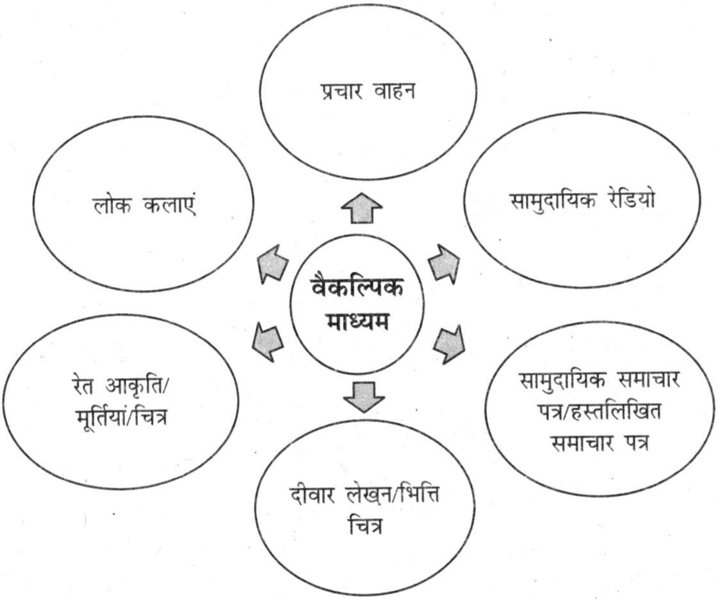

एक अध्याय इस पुस्तक में शामिल किया गया है। इसीलिए माध्यम सम्मिश्रण के तहत यहां केवल मूर्त माध्यमों की ही चर्चा की गई है।)

व्यवहार परिवर्तन के लिए मीडिया मिक्स तैयार करने में क्या ध्यान में रखें?

- लक्षित समूह की आर्थिक स्थिति, भाषा, संस्कृति
- संचार माध्यम की सरलता, सुलभता एवं लोकप्रियता
- समुदाय प्रचलित मान्यताएं और समूह में बदलाव की इच्छा

माध्यम सम्मिश्रण के तहत प्रत्येक श्रेणी एवं प्रत्येक माध्यम की अपनी विशेषताएं, गुण-दुर्गुण होते हैं। ऐसी स्थिति में बहुत सोच-समझकर माध्यमों का समुचित सम्मिश्रण तैयार किए जाने की आवश्यकता है। सम्मिश्रण तैयार करने के पूर्व ग्रहणकर्ताओं की पृष्ठभूमि, मुद्दा, क्षेत्र का आकार एवं प्रकृति, चयनित माध्यम की उपयोगिता, मौसम, अवसर, सफल-विफल होने की संभावना आदि विभिन्न कारकों पर ध्यान दिए जाने की आवश्यकता है। किसी एक भी कारक की अनदेखी महंगी पड़ सकती है क्योंकि यहां संदर्भ मानवों के व्यवहार में परिवर्तन लाने का है। मानव स्वभाव जितना सरल होता

है, उतना ही जटिल भी। प्रत्येक मानव एक-दूसरे से भिन्न होता है क्योंकि उसकी आवश्यकताएं, परिस्थितियां भिन्न होती हैं। अतः चयनित माध्यमों पर प्रतिक्रियाएं भी भिन्न हो सकती हैं। ऐसी परिस्थिति में एक ऐसा सम्मिश्रण तैयार किए जाने की आवश्यकता है जो सभी लक्षित परिवारों/व्यक्तियों के सामान्य हित को छूता हो, लक्षित समुदाय में सामान रूप से ग्राह्य हो और लक्ष्यप्राप्ति में सक्षम हो।

'ग्रामवार्ता': ग्राम-स्तरीय सहभागी नियोजन हेतु एक अभिनव प्रयोग

बिहार में समाज़ कल्याण विभाग द्वारा स्थानीय समस्याओं एवं आवश्यकताओं पर आधारित विकास का मॉडल तैयार करने के लिए एक अभिनव संचार माध्यम का प्रयोग किया जा रहा है जिसे 'ग्रामवार्ता' का नाम दिया गया है। दरअसल यह सीखने, सिखाने एवं कार्यान्वयन की समुदाय आधारित सहभागी तकनीक है जिसके तहत समुदाय के लोग मिलकर स्थानीय स्तर पर स्वास्थ्य, पोषण एवं स्वच्छता संबंधी समस्याओं की पहचान कर उनका समाधान करने हेतु ग्राम स्तर पर कार्ययोजना तैयार करते एवं उनका कार्यान्वयन करते हैं। समुदाय को आत्मनिर्भर बनाने एवं सरकार के साथ कदम से कदम मिलाकर चलने में यह पद्धति अत्यंत उपयोगी सिद्ध हो रही है। विषय-विशेषज्ञों के मार्गदर्शन में तैयार फ्लैश कार्डों के सेट की सहायता से ग्राम-स्तरीय बैठकों में स्थानीय प्राथमिकताएं निर्धारित की जाती हैं जिसके बाद अगला कदम प्राथमिकताओं के आधार पर सूक्ष्म-स्तरीय योजना तैयार करना होता है। यही नहीं, इस तकनीक का प्रयोग सूक्ष्म योजना के कार्यान्वयन तथा अनुश्रवण हेतु भी किया जा रहा है।

इस तकनीक की सबसे बड़ी विशेषता है, ग्राम बैठक में समुदाय के सभी वर्गों (स्त्री, पुरुष, बच्चे, वृद्ध) की समान सहभागिता जिसके कारण हर वर्ग की समस्याओं एवं आवश्यकताओं पर समान रूप से चर्चा की जाती है एवं उनका ग्राम योजना में समावेश किया जाता है।

❑❑❑

अध्याय 8

पल्स पोलियो अभियान का अचूक हथियार: व्यवहार परिवर्तन संचार

आज यदि भारत एक पोलियो मुक्त राष्ट्र बन सका है तो उसके पीछे पल्स पोलियो अभियान जैसे सशक्त कार्यक्रम का हाथ है परंतु अभियान के प्रभाव को बढ़ाने और उसे सफल बनाने में बहुत बड़ा हाथ व्यवहार परिवर्तन संचार का भी था। एक तरह से इस संचार को भी एक अभियान के रूप में ही संचालित किया गया था, जिसका उद्‌देश्य मूल अभियान को सहयोग देना था। दोनों ही अभियान साथ-साथ चले और और कार्यक्रम का लक्ष्य प्राप्त करने में एक-दूसरे को सहयोग प्रदान किया। प्रभावकारी संचार के कारण आज भी पल्स पोलियो अभियान की **'दो बूंद ज़िंदगी की'** लोगों को अच्छी तरह याद है। पोलियो उन्मूलन को लक्षित व्यवहार परिवर्तन संचार के उस दौर और उसके विभिन्न चरणों को याद करना अपने-आप में अत्यंत रुचिकर है।

भारत में पल्स पोलियो अभियान के संदर्भ में व्यवहार परिवर्तन संचार का बहुत अधिक महत्व है क्योंकि यह सारा अभियान समुदायों के व्यवहार परिवर्तन को लक्षित करता था। वर्ष 1995 में भारत सरकार द्वारा पोलियो उन्मूलन हेतु राष्ट्र-स्तरीय पल्स पोलियो अभियान की शुरुआत की गई। बच्चों के प्रतिरक्षण के लिए नियमित पोलियो दिवसों का आयोजन किया गया। इन दिवसों के तहत लक्षित समूह (0-5 वर्ष) के बच्चों को पोलियो की दवा पिलाने के लिए शहरी व ग्रामीण क्षेत्रों में पोलियो बूथ बनाए गये। आगे चलकर रेलवे स्टेशनों और बस स्टैंडों पर भी सचल दस्ते तैनात किए जाने लगे जो यात्रा कर रहे बच्चों को दवा पिलाते थे ताकि यात्रा के कारण वे दवा से वंचित न रह जाएं। इस काम के लिए स्वयंसेवकों के तौर पर छात्रों तथा स्काउट-गाइडों को भी शामिल किया गया। पोलियो दिवसों के फॉलोअप के तौर पर घर-घर जाकर छूटे हुए बच्चों को दवा पिलाने का सिलसिला भी शुरू किया गया। पोलियो दिवसों की जानकारी जनता तक पहुंचाने के लिए रेडियो, टीवी तथा पत्र-पत्रिकाओं के माध्यम से विज्ञापन भी दिए गए और दीवार-लेखन के ज़रिए भी लोगों तक संदेश पहुंचाए गए।

मगर इतने भौतिक प्रबंधों के बावजूद वांछित परिणाम सामने नहीं आ रहे थे। आए दिन पोलियो के मामले प्रकाश में आते थे और वह भी पिछड़े राज्यों के ग्रामीण क्षेत्रों से। अभियान की सफलता के रास्ते में सबसे बड़ी बाधा थी- लोगों में जागरूकता की कमी तथा समुदाय की नकारात्मक सोच व व्यवहार। इस तरह की अड़चनें अधिकांशतः बिहार और उत्तर प्रदेश जैसे राज्यों में सामने आईं जो साक्षरता के मामले में अन्य राज्यों से काफी पिछड़े हैं।

पोलियो की दवा की दो बूंदों पर तरह-तरह के संशय भी उभरे। कई स्थानों व कुछ समुदायों में यह अफवाह भी उड़ी कि दवा पीने वाले बच्चों की संतानोत्पत्ति क्षमता भविष्य में प्रभावित हो सकती है। दवा के मामले में तरह-तरह की अफवाहें और भ्रांतियां लोगों की अज्ञानता, शैक्षणिक पिछड़ेपन और इससे उपजे सामाजिक पिछड़ेपन की देन थीं। इनसे निबटना या इसे उखाड़ फेंकना न तो नीति स्तर पर सरकार के लिए संभव था न ही समुदाय स्तर पर अभियान का कार्यान्वयन कर रही संस्थाओं के लिए। लोगों की सोच, उनका दृष्टिकोण बदलना एक टेढ़ी खीर थी क्योंकि इसका संबंध उनकी संस्कृति, जीवनशैली व उनकी परंपराओं से था। लोग बच्चों को पोलियो बूथों तक ले जाने से कन्नी काटते थे, घर पर दवा पिलाने गए स्वयंसेवकों को भी टालने के प्रयास किए जाते थे। यह पता चलने पर कि अमुक दिन स्वास्थ्य कार्यकर्ता बच्चों को पोलियो रोधी दवा की खुराक पिलाने आने वाले हैं, कभी-कभी तो पूरी बस्ती ही घरों में ताला लगाकर कहीं और चली जाती थी। जाने-अनजाने ही सही, पोलियो की दवा से परहेज़ उनकी परंपरा बन चुकी थी। इसी तरह, परिवार एवं समुदाय स्तर पर पोलियो के मामलों के साथ जीना उनकी जीवनशैली में शामिल हो चुका था, और यह जीवनशैली बरसों या यों कहें, पीढ़ियों से उनकी संस्कृति का हिस्सा बन चुकी थी।

नीति स्तर पर यह भी समझ में आ चुका था कि प्रतिरक्षण का प्रबंध करने से कहीं अधिक महत्वपूर्ण था-सही माध्यम और सही ढंग से लोगों तक संदेश पहुंचना, अभिभावकों को इसकी अहमियत समझाना और पोलियो बूथों तक बच्चों की सुलभ पहुंच सुनिश्चित करना। इसके लिए आवश्यक था समुचित संचार, ऐसा संचार जो लोगों के व्यवहार में परिवर्तन ला सके क्योंकि व्यवहार में परिवर्तन के बिना पोलियो को जड़ से उखाड़ फेंकना लगभग असंभव था। यहीं से व्यवहार परिवर्तन संचार की पोलियो उन्मूलन की रणनीति के एक अत्यंत महत्वपूर्ण तत्व के रूप में पहचान हुई।

पल्स पोलियो अभियान में यूनिसेफ व रोटरी जैसी अंतरराष्ट्रीय संस्थाओं के शामिल होने से भी व्यवहार परिवर्तन संचार को एक नई दिशा मिली। व्यवहार परिवर्तन के लिए संचार विशेषज्ञों ने चिन्हित महत्वपूर्ण बिंदुओं-जानकारी व जागरूकता की कमी, परंपराओं/संस्कृति व जीवनशैली को लक्षित किया और फिर शुरुआत हुई, सवंर्धित-संशोधित रणनीति पर आधारित अभियान की, जिसका उद्देश्य बच्चों को पोलियो की दवा पिलाने के साथ-साथ उनके अभिभावकों को इस बात के लिए आश्वस्त करना था कि इस तरह की दवाएं पीना या टीके लगवाना उनके बच्चों के लिए अत्यंत महत्वपूर्ण है और इसमें सरकार की नहीं, उनके बच्चों की भलाई है। इस तरह अगर देखा जाए तो पल्स पोलियो अभियान के दो उद्देश्य थे-एक तो बच्चों का प्रतिरक्षण और दूसरे, समुदाय की मानसिकता में टिकाऊ बदलाव। मानसिकता में बदलाव के बिना प्रतिरक्षण संभव नहीं था क्योंकि यहां लक्ष्य केवल एक-दो बार दवा पिलाना नहीं था बल्कि लक्ष्य था-प्रतिरक्षण को एक आदत या जीवनशैली का एक अंग बनाना ताकि इस माध्यम से बच्चों को पोलियो समेत अनेक रोगों और उनसे होने वाली मौतों से बचाया जा सके।

अभियान के तहत लोगों में जागरूकता की कमी का मामला सामने आया। लोगों को किसी कारणवश पोलियो उन्मूलन की ज़रूरत तथा पोलियो दिवसों की जानकारी नहीं थी। इस कमी को दूर करने एवं लोगों को समुचित जानकारी देने के उद्देश्य से *मीडिया मिक्स* (माध्यम सम्मिश्रण) का प्रयोग किया गया जिसके तहत रेडियो, टीवी, पत्र-पत्रिकाओं जैसे सुलभ माध्यमों से अधिक बारंबारता में पोलियो से छुटकारा पाने के लिए *दो बूंद ज़िंदगी की* के संदेश दिए गए। इनके अतिरिक्त उच्च जोखिम वाले राज्यों में सिनेमा हॉलों, बाजारों, रेलवे स्टेशनों, बस अड्डों, बैकों, डेयरी बूथों जैसे सार्वजनिक स्थलों पर भी पोलियो दिवसों के पोस्टर व बैनर लगाए गए या दीवार लेखन किए गए। श्रावणी मेले, कुम्भ मेले व उर्स जैसे धार्मिक आयोजनों में भी विभिन्न माध्यमों से पोलियो उन्मूलन के संदेश दिए गए ताकि उक्त संदेश एक साथ इन आयोजनों में आने वाली बहुत बड़ी जनसंख्या तक पहुंच सकें। लोगों में पोलियो की दवा के बारे में और अधिक विश्वास जगाने के लिए नामचीन हस्तियों की सहायता ली गई जिनमें अमिताभ बच्चन व ऐश्वर्या राय जैसे फिल्मी सितारों से लेकर धोनी व सौरव गांगुली जैसे क्रिकेटर तक शामिल थे। यह रणनीति केवल राष्ट्र स्तर पर ही नहीं, बल्कि क्षेत्रीय स्तर पर भी अपनाई गई। उदाहरणतया-बिहार व पूर्वी उत्तर प्रदेश के लोगों को

प्रेरित करने के लिए इस क्षेत्र में लोकप्रिय भोजपुरी गायक व अभिनेता मनोज तिवारी के माध्यम से स्थानीय भाषा में प्रेरक संदेश दिए गए। यही नहीं, इनमें से अनेक हस्तियों ने अतिथि के रूप में अपने निकटतम पोलियो बूथों पर पहले बच्चे को पोलियो की दवा पिलाई। अगले दिन अख़बारों में ऐसे समाचारों व फोटो को प्रमुखता से स्थान मिलता जिससे पोलियो उन्मूलन का संदेश परोक्ष रूप से समुदाय तक पहुंचता और लोगों को प्रेरित करता। पोलियो दिवसों का संदेश अधिक-से-अधिक लोगों तक पहुंचाने के लिए लिखित संदेशों (जैसे पोस्टर, दीवार लेखन आदि) में हिंदी के अतिरिक्त क्षेत्रीय भाषा का प्रयोग भी ज़रूर किया जाता। पिछड़े शहरी क्षेत्रों तथा ग्रामीण क्षेत्रों में पोलियो दिवसों के पहले व उस दिन उद्घोषणा (*माईकिंग*) भी की जाती।

पोलियो उन्मूलन की दिशा में जागरूकता की कमी के अलावा और भी शत्रु थे। अगला शक्तिशाली शत्रु था- गलत परंपराएं/रीतियां/प्रविधियां। ऐसी ही एक गलत परंपरा थी- बच्चों को पोलियो बूथों तक ले जाने से कन्नी कटाना। इससे निपटने के लिए सरकार ने अनेक सहयोगी संस्थाओं की सहायता ली। इसी सहयोग के तहत यूनीसेफ ने समुदाय के बच्चों को मिलाकर 'बुलावा टोलियां' बनाई। पोलियो दिवसों के दौरान बुलावा टोलियों के बच्चे घर-घर जाकर अभिभावकों को बच्चों को पोलियो बूथ तक ले जाने के लिए प्रेरित करते। पोलियो दिवसों के संदेश वाली टोपियों तथा सीटियों से लैस ये बच्चे घर-घर जाकर बच्चों को बुलाने के अतिरिक्त अपनी टोपियों तथा सीटियों के माध्यम से अप्रत्यक्ष रूप से भी अभियान का प्रचार करते। स्वयंसेवी संस्थाओं की सहायता से पंचायत अथवा ग्राम स्तर पर गठित समुदाय आधारित संगठनों जैसे महिला मंडलों अथवा स्वयं सहायता समूहों, किशोरी समितियों तथा युवक मंडलों का गठन कर उन्हें पोलियो उन्मूलन व संबंधित मुद्दों पर प्रशिक्षित किया गया। पोलियो दिवसों के दौरान इन्हीं प्रशिक्षित संगठन-सदस्यों की सहायता से अभिभावकों को प्रेरित किया गया तथा बच्चों को पोलियो बूथ तक लाने में भी इन संगठनों की सहायता ली गई। चूंकि संगठन के सभी सदस्य अपने ही गांव/बिरादरी के थे, इसलिए गांव के दूसरे लोगों ने उनकी बात सुनी भी और समझी भी। यहां परिवर्तन लाने के लिए 'अपनत्व' का सहारा लिया गया क्योंकि किसी भी समुदाय में विशेषकर पिछड़े समुदाय में किसी बाहरी की बात को उतना महत्व नहीं दिया जाता है जितना कि अपनी बिरादरी अथवा अपने क्षेत्र के लोगों की। यह कदम यूनिसेफ द्वारा कुछ राज्यों में गठित *सोशल मोबिलाईज़ेशन नेटवर्क* का हिस्सा था। इस नेटवर्क के तहत

क्षेत्र के समुदाय-आधारित संगठनों के सदस्य स्थानीय स्वास्थ्य कार्यकर्ता के साथ छोटे बच्चों वाले परिवारों में जाते और उन्हें पोलियो उन्मूलन के मुद्दे पर जागरूक करने के अतिरिक्त बच्चों को दवा पिलवाने के लिए भी प्रेरित करते। दवा पीने की पुष्टि के लिए बच्चों के बाएं हाथ की छोटी अंगुली पर पक्के *मार्कर* से निशान लगाए जाने लगे। इस परिपाटी के तहत गृह-भ्रमण करने वाले दलों को निर्देश दिए जाते थे कि वे इस निशान को ज़रूर देखें। समुदाय स्तर पर एक और गलत परंपरा थी-'बच्चों को घर पर दवा पिलाने हेतु भेजे गए स्वयंसेवकों को टालना'। इसके लिए क्षेत्र में कार्यरत समुदाय आधारित संगठनों, बुलावा टोली के बच्चों तथा स्थानीय स्तर पर प्रभावशाली लोग स्वयंसेवकों के साथ गृह-भ्रमण करने लगे। इससे संपूर्ण गृह-भ्रमण का महत्व बढ़ा और लोगों ने घर पर भी बच्चों को पोलियो की दवा पिलाना शुरू कर दिया।

लोगों की नकारात्मक सोच भी इस अभियान के रास्ते में एक हठीली चट्टान की तरह खड़ी थी। इस नकारात्मकता के कारण उनमें किसी परिवर्तन को जल्दी स्वीकार न करने की आदत विकसित हो चुकी थी जो समय के साथ मजबूत हो रही थी। लोगों की सोच अथवा मानसिकता में सकारात्मक परिवर्तन लाने व उन्हें प्रतिरक्षण जैसी आदतों को जीवन का अंग बनाने के लिए प्रेरित करने हेतु स्वयंसेवी संस्थाओं की सहायता से अनेक जागरूकता अभियान चलाए गए। कठपुतली कार्यक्रम, नुक्कड़ नाटक, दीवार लेखन, हैंडबिल, पोस्टर आदि की सहायता से लोगों को पोलियो दिवसों के बारे में सूचना दी गई तथा उन्हें पोलियो की दवा का महत्व समझाया गया। इस तरह के कामों में यूनिसेफ तथा रोटरी जैसी संस्थाओं ने स्थानीय स्वयंसेवी संस्थाओं के अतिरिक्त शैक्षणिक संस्थानों की भी सहायता ली। स्वयंसेवी संस्थाओं के पास उपलब्ध कौशलों जैसें कठपुतली कला तथा समुदाय के साथ इन संस्थाओं के अच्छे संबंधों की सहायता से यह समस्त जागरूकता गतिविधियां सफलतापूर्वक संपन्न भी की गईं और समुदाय स्तर पर प्रभाव छोड़ने में सफल भी रहीं।

नकारात्मक सोच का एक और पहलू सामने आ रहा था, विश्वास की कमी, भ्रांतियों एवं अफवाहों के रूप में। पिछड़े क्षेत्रों में पोलियो की दवा के बारे फैली भ्रांतियों/अफवाहों से निबटने के लिए सर्वप्रथम उक्त समुदायों में दवा के प्रति विश्वास पैदा करने के प्रयास किए गए। इसके लिए ध ार्मिक नेताओं (जैसे मौलवियों, इमामों या पुजारियों द्वारा पोलियो बूथों का

उद्घाटन अथवा पंचायत की बैठकों में उनके द्वारा समुदाय को पोलियो दिवसों की जानकारी देना शामिल थे। जुमे की नमाज़ में दिए जाने वाले खुतबों (धार्मिक प्रवचनों) में इमामों ने समुदाय के लोगों को पोलियोरोधी दवा अपने बच्चों को पिलवाने के लिए प्रेरित किया और उन्हें बताया कि इससे धर्म की कोई हानि नहीं है और इसका कोई दुष्प्रभाव नहीं है।

वर्ष 2007 में रोटरी द्वारा उलेमाओं, मुस्लिम बुद्धिजवियों तथा धार्मिक नेताओं के सहयोग से उत्तरप्रदेश में एक उलेमा समिति का गठन किया गया जिसका काम दवा न पिलवाने की जिद पर अड़े मुसलमानों को समझाना और उनके व्यवहार में परिवर्तन लाना था। उत्तरप्रदेश व बिहार जैसे राज्यों (जहां से पोलियो के अधिक मामले सामने आ रहे थे) के अति पिछड़े क्षेत्रों व अन्य क्षेत्रों में स्वयंसेवी संगठनों की सहायता से जागरूकता रैलियां निकाली गईं जिनमें मुसलमानों को विशेष रूप से आगे रखा गया ताकि उस क्षेत्र के मुसलमानों को इस अभियान पर विश्वास हो सके और दवा के बारे में उनकी भ्रांतियां दूर हो सकें। मुस्लिम बाहुल्य 'कठिन' क्षेत्रों में मस्जिदों से पोलियो दिवसों के बारे में उद्घोषणाएं कराई गईं तथा लोगों से बच्चों को दवा पिलवाने का अनुरोध किया गया। 'पवित्र मंचों' से की गई उद्घोषणाओं का लोगों पर बहुत अच्छा प्रभाव हुआ जिसके बदले कठिन क्षेत्रों में भी पोलियो दिवसों में समुदाय की सहभागिता बढ़ी।

अब बारी थी, लोगों की जीवनशैली/संस्कृति से उभरने वाली कठिनाइयों से जूझने की। श्रमिक वर्ग/घुमंतू समुदायों की जीवनशैली का अंग है, काम की तलाश में स्थान बदलते रहना। स्थान बदलते रहने से उनके परिवारों के बच्चे पोलियो की दवा से वंचित रह जाते थे। इसके लिए स्वयंसेवकों द्वारा यात्रा कर रहे और यात्रा के कारण छूट गए बच्चों को रेलवे स्टेशनों तथा बस अड्डों पर तथा रेलों/बसों के अंदर दवा पिलाने का सिलसिला शुरू किया गया। उच्च जोखिम वाले क्षेत्रों जैसे ईंट-भट्टों, निर्माण स्थलों पर काम कर रहे श्रमिक परिवारों तथा घुमंतू समुदायों को इस दिशा में जागरूक बनाने तथा पोलियो दिवसों में सहभागिता हेतु विशेष बल दिया गया।

जीवनशैली/संस्कृति का एक और पहलू था, जागरूकता की कमी के कारण कुछ विशेष समुदायों द्वारा पोलियो की दवा को अपनी संस्कृति के विरुद्ध समझना। इस संदर्भ में परंपरागत मुस्लिम पोशाक में सिने-अभिनेता आमिर खान के पोस्टर का उल्लेख आवश्यक है। पोस्टर में आमिर खान को परंपरागत मुस्लिम पोशाक में केवल इसीलिए दिखाया गया था ताकि मुस्लिम

समुदाय (विशेषकर पिछड़े मुसलमान) उस संदेश को खुद से जोड़कर देख सकें और यह भी समझ सकें कि इतने बड़े सितारे द्वारा दिया गया संदेश गलत नहीं हो सकता।

वर्षों पूर्व जब वैश्विक स्तर पर पोलियो उन्मूलन के प्रयास शुरू किए गए तो उस समय हमारे देश में हर वर्ष तकरीबन 2,00,000 बच्चे पोलियो की चपेट में आते थे (साभार-'फ्रॉम 2,00,000 टू ज़ीरो, द जर्नी टू ए पोलियो फ्री इंडिया'[1])। वर्ष 1995 में पोलियो अन्मूलन हेतु एक राष्ट्रव्यापी आंदोलन की शुरुआत की गई। अभियान के दौरान 2012 एक ऐसा वर्ष था जिसमें पोलियो का एक भी मामला सामने नहीं आया। इसी के साथ पोलियो के बिना पूरा एक वर्ष बीतने के बाद भारत को वैश्विक स्तर पर 'पोलियो मुक्त' घोषित कर दिया गया।

इस बड़ी जंग में लड़ाई केवल पोलियो विषाणु से ही नहीं थी बल्कि लोगों की अज्ञानता, उनकी नकारात्मक सोच व उनके हठीले रवैये से भी थी। इस हठीले शत्रु को हराने के लिए एक क्रमबद्ध व लम्बी रणनीति अपनाई गई। इस रणनीति का ब्रह्मास्त्र बना-व्यवहार परिवर्तन संचार। इस विशिष्ट प्रकार के संचार को सफल बनाया, एक साझे प्रयास ने जिसमें केंद्र व राज्य सरकारों, राष्ट्रीय-अंतरराष्ट्रीय विकास संस्थाओं, समुदाय आधारित संगठनों, स्वयंसेवी संस्थाओं, शैक्षणिक संस्थानों, धार्मिक नेताओं, कलाकारों, खिलाड़ियों, स्वास्थ्य कार्यकर्ताओं, बच्चों समेत समाज के विभिन्न वर्ग शामिल थे। इस संचार को कुछ इस तरह तैयार ही किया गया था कि संदेशों की गूंज देश के हर कोने और हर वर्ग तक पहुंचे।

इसी साझे प्रयास के कारण आज धीरे-धीरे लोगों ने इस अभियान के उद्देश्य तथा इसमें अपनी सहभागिता का महत्व समझा। पोलियो के मामलों में धीरे-धीरे कमी आने लगी और फिर आया वर्ष 2012 जिसमें पोलियो का एक भी मामला सामने नहीं आया। आज हमारा देश पोलियो मुक्त हो चुका है। इस संदर्भ में मिली सफलता हमें प्रेरित करती है कि आगे भी कुछ जिद्दी मुद्दों के लिए इसी तरह के प्रयास किए जाएं और इसी तरह की रणनीति अपनाई जाए।

❑❑❑

1. http://www.unicef.org/india/Polio_Booklet-final_(22-02-2012)V3.pdf

अध्याय 9

'स्वच्छ भारत अभियान' में व्यवहार परिवर्तन संचार का प्रयोग

''जहां भी हम गंदगी देखें यां किसी को भी कचरा फैलाते देखें तो हमें उसे आसानी से साफ करने की मंशा क्यों न हो? पुरानी आदतें आसानी से नहीं जातीं। यह एक मुश्किल कार्य है लेकिन हमारे पास 2019 तक का समय है जब हम महात्मा की एक सौ पचासवीं जयंती मना रहे होंगे।''

–श्री नरेन्द्र मोदी

प्रधानमंत्री के उपर्युक्त वक्तव्य का यह अंश कि ''पुरानी आदतें आसानी से नहीं जातीं'' और आदतें बदलनी होंगी, ''यह एक मुश्किल कार्य है''; यहीं पर व्यवहार परिवर्तन संचार की भूमिका आती है। व्यवहार परिवर्तन संचार ही वह विशिष्ट क्षेत्र है, जिसके द्वारा वैज्ञानिक ढंग से लोगों की आदतें बदली जा सकती हैं।

स्वयं-सहायता आधारित स्वच्छता की बात महात्मा गांधी ने वर्षों पहले सिर्फ की ही नहीं थी, बल्कि अपने घर में, घर के आसपास व घर के शौचालय की स्वयं सफाई कर यह दिखा दिया था कि यदि गंदगी हमने की है तो उसे साफ भी हमें ही करना चाहिए और ऐसा करने में किसी को लज्जा नहीं बल्कि गर्व महसूस होना चाहिए। दुर्भाग्यवश, स्वयं सहायता पर आधारित उनका यह संदेश समय के साथ धुंधला पड़ता गया और हमने गंदगी के साथ जीना सीख लिया। बरसों-बरस में हमने एक और बात सीखी और वह थी, अपने घरों/कार्यस्थलों और सार्वजनिक स्थलों के आसपास बिखरी गंदगी के लिए सरकार पर दोषारोपण करना। ऐसा करने में हममें से किसी को भी यह समझ में नहीं आया कि जब हमारे आसपास फैले इस कचरे के ढेर में हम सब की मिली-जुली गंदगी है, तो फिर इस गंदगी को साफ करना कैसे सरकार का उत्तरदायित्व हुआ, हमारा नहीं?

यह दौर शायद ऐसे ही चलता रहता। मगर कहते हैं, हर लम्बी चुप्पी एक जोरदार हंगामे के साथ टूटती है। गंदगी को स्वीकार कर उसके साथ जीने और सरकार को दोषी ठहराने का यह दौर समाप्त हुआ, वर्ष 2014 में

स्वच्छ भारत

एक कदम स्वच्छता की ओर

'स्वच्छ भारत अभियान' के साथ। एक विकासशील देश को गंदगी के प्रकोप से मुक्त करने, स्वच्छता को जीवन का अभिन्न अंग बनाने और आमजनों को इस सतत् अभियान में भागीदार बनाने के लिए वर्ष 2014 में, दो अक्तूबर को महात्मा गांधी की जयंती के अवसर पर राष्ट्रव्यापी 'स्वच्छ भारत अभियान' की शुरुआत की गई, क्योंकि स्वयं सहायता आधारित स्वच्छता का संदेश भारत के घर-घर तक पहुंचाने के लिए महात्मा गांधी से बेहतर आदर्श कोई और हो ही नहीं सकता था। मिशन के *लोगो* अर्थात् प्रतीक चिह्न के रूप में बापू के चश्मे का चयन किया गया जो अपने-आप में एक संदेश है। जनसहभागिता सुनिश्चित करने के लिए *लोगो एवं पंचलाइन* से संबंधित सुझाव भी सामान्य जनों से आमंत्रित किए गए थे। इसके लिए एक राष्ट्रव्यापी प्रतियोगिता का आयोजन किया गया जिसके विजेताओं को आंदोलन के उद्घाटन समारोह के दौरान पुरस्कार देकर सम्मानित किया गया। अभियान की भौतिक शुरुआत दिल्ली की वाल्मीकि बस्ती से की गई। प्रधानमंत्री श्री नरेन्द्र मोदी ने स्वयं बस्ती के कुछ क्षेत्रों की झाड़ू से सफाई की और सार्वजनिक शौचालयों का एक सेट बस्ती के निवासियों के लिए समर्पित किया।

स्वच्छ भारत अभियान का संदेश घर-घर पहुंचाने के लिए सम्मिश्रित माध्यमों (जिसे 'मीडिया मिक्स' कहते हैं) का सहारा लिया गया। इस सम्मिश्रण में सर्वप्रथम माध्यम बने स्वयं प्रधानमंत्री श्री नरेन्द्र मोदी। उन्होंने और सरकार के मंत्रियों ने अनेक स्थानों पर फैली गंदगी स्वयं साफ की, क्योंकि अभियान के उद्घाटन भाषण में उन्होंने स्पष्ट कर दिया था कि यदि परिवर्तन लाना है तो उसके लिए खुद ही कदम भी बढ़ाने होंगे। स्वयं प्रधानमंत्री को सफाई करते देखना किसी के लिए भी प्रेरणादायी था। बस यहीं से दौर शुरू हुआ, बड़ी-बड़ी हस्तियों द्वारा सफाई का आदर्श प्रस्तुत करने का। इस कड़ी में सबसे दिलचस्प बात थी, सफाई करने वाली हस्ती द्वारा दूसरी हस्तियों को नामित करना। प्रधानमंत्री ने अपनी ओर से गोवा की राज्यपाल श्रीमती मृदुला सिन्हा, राजनेता शशि तरूर, क्रिकेटर सचिन तेंदुलकर, सिने जगत से सलमान खान, प्रियंका चोपड़ा, एवं कमल हासन, उद्योगपति अनिल अंबानी, योग गुरु बाबा रामदेव, तथा लोकप्रिय टी.वी. धारावाहिक 'तारक मेहता का

उल्टा चश्मा' की टीम के सदस्यों को नामित किया। फिर उन लोगों ने अलग-अलग नौ लोगों को नामित किया। इस प्रकार से यह शृंखला बन गई जिसकी कड़ियां थीं, जानी-मानी हस्तियों से लेकर आम व्यक्ति तक।

अभियान में बड़ी-बड़ी हस्तियों की सहभागिता सुनिश्चित करने का उद्देश्य था, जनसाधारण की सोच और फिर उनके व्यवहार में बदलाव लाना, क्योंकि जनता अक्सर ही अपने आदर्श व्यक्ति के दिखाए रास्ते पर चलती है। इसलिए अपने प्रिय राजनेता, अभिनेता अथवा खिलाड़ी को सफाई करते देखना अथवा इस बारे में सुनना किसी को भी सफाई करने और अपने परिवेश में सफाई बनाए रखने के लिए प्रेरणादायी हो सकता था और ऐसा हुआ भी।

अभियान के उद्घाटन भाषण में प्रधानमंत्री का संदेश था- "जहां भी हम गंदगी देखें या किसी को भी कचरा फैलाते देखें तो हमें उसे आसानी से साफ करने की मंशा क्यों न हो? पुरानी आदतें आसानी से नहीं जातीं। यह एक मुश्किल कार्य है लेकिन हमारे पास 2019 तक का समय है, जब हम महात्मा की एक सौ पचासवीं जयंती मना रहे होंगे।" उन्होंने स्पष्ट कर दिया साफ-सफाई केवल सफाई कर्मचारियों का ही नहीं, बल्कि सवा सौ करोड़ देशवासियों का दायित्व है। स्थिति को बदलने के लिए उन्होंने सफाई कर्मचारियों को न कोसकर हर देशवासी को खुद कदम उठाने के लिए प्रोत्साहित किया।

प्रधानमंत्री का यह संदेश सरल किंतु अत्यंत प्रेरणादायी था। उक्त संदेश का मुद्रित रूप और सफाई करते हुए उनके चित्र को प्रेरणा स्रोत के रूप में कई स्थानों पर दर्शाया गया। वर्ष 2015 में मुद्रित भारत सरकार के कैलेंडर पर भी उक्त चित्र एवं संदेश को प्रमुखता से स्थान दिया गया। घर-घर पहुंचने वाले माध्यम के रूप में कैलेंडर के साथ यह संदेश और सफाई करते हुए प्रधानमंत्री का चित्र बड़ी सरलता से आमजनों तक पहुंच गया।

स्वच्छता हेतु व्यवहार परिवर्तन के लिए प्रयुक्त दो अत्यंत महत्वपूर्ण माध्यमों, रेडियो और टी.वी. का उल्लेख यहां अत्यंत आवश्यक है। इन दोनों ही माध्यमों से संदेश देने के लिए लोकप्रिय सिने तारिका विद्या बालन का चयन किया गया। देश में ग्रामीण जनसंख्या की बहुलता को देखते हुए ग्रामीण परिप्रेक्ष्य में अभियान के संदेश तैयार किए गए। अभियान में केवल साफ-सफाई ही नहीं, शौचालय के निर्माण व नियमित प्रयोग पर भी संदेश दिए गए, क्योंकि भारत की ग्रामीण जनसंख्या का एक बड़ा भाग आज भी खुले में शौच का आदी है। यहां लोगों की सोच, मानसिकता एवं आदतों में बदलाव पर बल

दिया गया, ऐसा बदलाव जो उनके जीवन में सकारात्मक बदलाव ला सके, उनकी जीवनशैली में सकारात्मक बदलाव ला सके।

विद्या बालन के माध्यम से दिए संदेश लोकप्रिय भी हुए, सरलतापूर्वक लोगों द्वारा ग्रहण भी किए गए। बात यहीं समाप्त नहीं हुई। इस अभियान का संदेश लोगों तक पहुंचाने के लिए विद्या बालन जैसी जानी-मानी हस्ती के अतिरिक्त प्रियंका भारती को भी शामिल किया गया। महाराजगंज, उत्तर प्रदेश की प्रियंका भारती को उनके साहस के कारण एक आदर्श के रूप में चुना गया था। वह साहस था, ससुराल में शौचालय नहीं होने पर शादी के तुरंत बाद घर छोड़ने और पति से घर के प्रांगण में शौचालय बनवाने की हठ पकड़ने का। प्रियंका की यह हठ पूरी भी हुआ और इस क्रांतिकारी हठ को समुचित सम्मान भी मिला, जिसकी शुरुआत हुई 'सुलभ इंटरनेशनल' नामक स्वैच्छिक संस्था द्वारा दिए गए सम्मान से। मुख्यतः स्वच्छता के मुद्दे पर कार्यरत सुलभ इंटरनेशनल ने प्रियंका भारती की एक परिवर्तनकारी (चेंज एजेंट)/उत्प्रेरक/आदर्श व्यक्ति (रोल मॉडल) के रूप में पहचान बनाई और उनके साहस एवं सफलता की कहानी का भरपूर प्रचार किया। सामान्य लोगों में अपनी पहचान बना चुकी प्रियंका को स्वच्छ भारत मिशन के तहत विद्या बालन के साथ राष्ट्रीय स्तर पर टी.वी. तथा रेडियो के माध्यम से शौचालय के प्रयोग एवं साफ-सफाई का संदेश देते हुए देखना और सुनना अत्यंत प्रभावकारी सिद्ध हुआ। ग्रामीण परिप्रेक्ष्य से संबंध रखने वाली प्रियंका को ग्रामीण जनता ने स्वयं से जोड़कर देखा और टी.वी. तथा रेडियो के माध्यम से दिए गए उनके संदेशों पर ध्यान भी दिया। किसी भी संचार प्रक्रिया में अगर प्रासंगिकता हो अर्थात् लोगों को वह स्वयं से किसी-न-किसी रूप में जुड़ा हुआ लगे, तो उसके सफल होने की संभावना बढ़ जाती है। ग्रामीण क्षेत्र से संबंध रखने वाली प्रियंका जैसी आम युवती की इस अभियान में मौजूदगी से आमजनों विशेषकर ग्रामीणजनों को उक्त संदेश अपने लिए प्रासंगिक लगा। इस प्रासंगिकता से स्वच्छ भारत अभियान को एक जन आंदोलन बनने में सहायता मिली। दूसरी ओर, विद्या बालन जैसी नामचीन हस्ती की उपस्थिति से अभियान के संदेशों का महत्व और बढ़ गया।

इंटरनेट के ज़रिए अभियान के प्रचार-प्रसार के लिए 'माई क्लीन इंडिया' (www.mycleanindia.org) और swachhabharat.mygov.in नामक वेबसाइटें भी बनाई गई। सरकार के कामकाज को बेहतर बनाने के उद्देश्य से जनसामान्य के विचार एवं सुझाव आमंत्रित करने हेतु निर्मित वेबसाइट, mygov.in इन की

सहायता से भी इस अभियान का प्रचार-प्रसार किया गया एवं लोगों की इस अभियान में भागीदारी बढ़ी। इस काम के लिए फेसबुक जिससे ट्विटर जैसे सामाजिक माध्यमों का भी सहारा लिया गया। प्रधानमंत्री ने लोगों से अपील की कि वे कहीं भी कूड़ा कचरा देखें तो उसकी फोटो अपलोड करें, फिर उसकी सफाई करें और सफाई के बाद का वीडियो एवं फोटो अपलोड करें। ऐसा करने के लिए लोग सचमुच आगे बढ़े। नवीन तकनीक की सहायता से जन सामान्य को एक आंदोलन में शामिल करने से यह आंदोलन जन-आंदोलन बन सका।

स्वच्छता के संदर्भ में लोगों का व्यवहार परिवर्तत करने के लिए केवल अभिप्रेरण ही नहीं, आदेश का सहारा भी लिया गया– दो अक्तूबर, गांधी जयंती को 'स्वच्छता दिवस' के रूप में मनाने का सरकार का आदेश। सरकारी कार्यालयों में भेजे गए इस आदेश का पालन करते हुए सभी कार्यालयों में स्वच्छता दिवस का आयोजन किया गया। साफ-सफाई के बाद सभी कर्मचारियों एवं पदाधिकारियों के लिए स्वच्छता की शपथ लेना भी अनिवार्य कर दिया गया। इस गतिविधि के प्रतिवेदन भी चित्रों समेत उच्चतर इकाईयों को भेजे गए। झाड़ू लेकर सफाई करते हुए और स्वच्छता की शपथ लेते हुए सरकारी पदाधिकारियों के चित्रों से फेसबुक जैसे सामाजिक माध्यमों के पृष्ठ भर गए। इस प्रकार अभियान की लोकप्रियता बढ़ाने में 'सोशल मीडिया' ने भी महत्वपूर्ण भूमिका निभाई।

स्वच्छ भारत अभियान की शपथ

"मैं शपथ लेता हूं कि मैं स्वयं स्वच्छता के प्रति सजग रहूंगा और उसके लिए समय दूंगा। हर वर्ष 100 घंटे यानी हर सप्ताह दो घंटे श्रमदान करके स्वच्छता के इस संकल्प को चरितार्थ करूंगा। मैं न गंदगी करूंगा और न किसी और को करने दूंगा। सबसे पहले मैं स्वयं से, मेरे परिवार से मेरे मोहल्ले से, मेरे गांव से एवं मेरे कार्यस्थल से शुरुआत करूंगा। मैं यह मानता हूं कि दुनिया के जो भी देश स्वच्छ दिखते हैं, उसका कारण यह है कि वहां के नागरिक गंदगी नहीं करते और न ही होने देते हैं। इस विचार के साथ मैं गांव-गांव और गली-गली स्वच्छ भारत मिशन का प्रचार करूंगा। मैं आज जो शपथ ले रहा हूं वह अन्य 100 व्यक्तियों से भी करवाऊंगा। वे भी मेरी तरह स्वच्छता के लिए 100 घंटे दें, इसके लिए प्रयास करूंगा। मुझे मालूम है कि स्वच्छता की तरफ बढ़ाया गया मेरा एक कदम पूरे भारत देश को स्वच्छ बनाने में मदद करेगा।"

सरकारी कार्यालयों से यह क्रम शैक्षणिक संस्थानों, स्वयंसेवी संस्थाओं, निजी संस्थानों एवं कॉरपोरेट जगत तक भी जा पहुंचा और सबने अपने-अपने ढंग से स्वच्छता दिवस का आयोजन करना शुरू किया। सबसे दिलचस्प बात यह थी, कि सफाई का यह सिलसिला गांधी जयंती के बाद भी नहीं रुका बल्कि आगे भी चलता रहा। महात्मा गांधी के चश्मे का जादू धीरे-धीरे छोटे-बड़े शहरों-कस्बों की छोटी-छोटी गलियों तक जा पहुंचा। इन गलियों में चलने वाले कोचिंग संस्थानों एवं अन्य छोटे-छोटे उद्यमों ने अपने प्रचार-प्रसार के लिए अभियान के प्रतीक, महात्मा गांधी के चश्मे और प्रधानमंत्री के संदेश का सहारा लिया और इन दोनों माध्यमों की सहायता से अपने संस्थान का प्रचार भी कर डाला। इसी क्रम में इन संस्थानों/उद्यमों का प्रचार तो ज़रूर हुआ मगर साथ ही स्वच्छ भारत मिशन का संदेश भी गली-मोहल्ले तक जा पहुंचा। एक समय ऐसा भी आया पेट्रोल पंप से लेकर लगभग सभी सार्वजनिक स्थलों पर स्वच्छ भारत मिशन के संदेश दिखाई देने लगे। स्वच्छ भारत अभियान एक आंदोलन से बढ़कर जीवनशैली का अंग बन गया। यह तब सिद्ध भी हो गया, जब देश के विभिन्न भागों में प्रियंका भारती जैसी अनेक नवविवाहिताओं ने ससुराल के प्रांगण में शौचालय बनवाकर ही दम लिया। इस मामले में महाराष्ट्र की दो महिलाओं, चैताली गलाखे एवं संगीता अवहाले की पहल उल्लेखनीय है। अकोला, महाराष्ट्र की निवासी चैताली ने अपने विवाह के अवसर पर अपने पिता से यह आग्रह किया कि वह विवाह में उसे गहने एवं अन्य कीमती उपहार न देकर उसके ससुराल के प्रांगण में शौचालय बनवा दें क्योंकि स्वच्छता, गहनों से अधिक कीमती होती है। चैताली के माता-पिता नें ऐसा ही किया और इस काम में उसके ससुराल वालों ने भी साथ दिया[1]। चैताली की इस पहल पर उस क्षेत्र के एक स्वयंसेवी संगठन ने उसे 'स्वच्छता दूत' की उपाधि दी। वहीं दूसरी ओर, महाराष्ट्र के ही वाशिम जिले की संगीता अवहाले ने ससुराल के प्रांगण में शौचालय बनवाने के लिए अपना मंगलसूत्र बेचने जैसा अनोखा कदम उठाकर यह साबित कर दिया कि स्वच्छता अपनाने की यह बयार अब देश के हर घर में पहुंच रही है और लोग सचमुच इस मामले में स्वयं को बदल रहे हैं।

फिर बारी आई इस सुखद परिवर्तन के विस्तार की जिसे अंग्रेजी में रिपल इफेक्ट भी कहते हैं। मीडिया ने और *कॉरपोरेट सोशल रेस्पॉन्सिबिलिटी* (निगमीय सामाजिक दायित्व) के तहत अनेक औद्योगिक समूहों ने अपने-अपने तरीके से स्वच्छता का प्रचार-प्रसार शुरू किया। इस क्रम में

अंग्रेजी दैनिक अखबार 'द टाइम्स ऑफ इंडिया' का 'लिटरबर्ग' अभियान उल्लेखनीय है। इसके तहत स्वच्छता पर लोगों को जागरूक बनाने और अभियान में जनसाधारण की सहभागिता बढ़ाने के उद्देश्य से गंदगी दर्शाने वाले फोटो, कार्टून तथा कहानियां आमांत्रित की गईं जिन्हें अखबार में स्थान दिया गया। यही नहीं, लोगों की रुचि बढ़ाने के लिए प्रविष्टियों पर आकर्षक इनाम भी रखे गए। परिणाम अच्छे आए, समाचार पत्र के पाठकों ने बढ़-चढ़कर इस अभियान में भाग लेना शुरू किया। असाधारण गंदगी दर्शाने वाले एक से एक चित्रों को समाचार पत्र में स्थान मिलने लगा। यह पाठकों की जागरूकता और उनके व्यवहार में आए परिवर्तन का ही परिणाम था। इस संदर्भ में एक और सामाजिक विज्ञापन का उल्लेख आवश्यक है। वह सामाजिक विज्ञापन था 'ब्रिटैनिया' समूह का, जिसमें एक कूड़ेदान का मानवीकरण कर उसके माध्यम से लोगों को अपने आसपास विशेषकर सार्वजनिक स्थलों पर साफ-सफाई बनाए रखने के लिए हल्के-फुल्के ढंग से प्रेरित किया गया था। स्वच्छ भारत अभियान के तहत प्रधानमंत्री द्वारा नामित 'इंडिया टुडे' समूह ने 'सफाईगिरी महामिशन' नामक राष्ट्र स्तरीय कार्यक्रम की शुरुआत की। कार्यक्रम के अंतर्गत जन-सामान्य से अपने आसपास साफ-सफाई बनाए रखने के लिए अपील की गई तथा ऐसे प्रयासों पर फोटो/वीडियो भी आमंत्रित किए गए। समूह द्वारा इस महामिशन के तहत देश के पिछड़े राज्यों में 700 शौचालय बनाने का बीड़ा भी उठाया गया। कार्यक्रम के अंग 'सफाईगिरी समिट' के तहत उत्कृष्ट स्वच्छता बनाए रखने तथा इस दिशा में नेतृत्व प्रदान करने हेतु 13 विभिन्न श्रेणियों में स्वच्छता पुरस्कारों की शुरुआत की गई जिनमें प्रमुख हैं 'सबसे स्वच्छ पार्क' 'सबसे स्वच्छ हिल स्टेशन', 'सबसे स्वच्छ धार्मिक नगर' आदि। स्वच्छता अभियान को नेतृत्व प्रदान करने के लिए पुरस्कार की कुछ श्रेणियां थीं, 'गारबेज गुरु', 'वॉटर वॉरियर' आदि। स्वाभाविक है कि राष्ट्रीय स्तर पर कार्यरत इन समूहों के प्रयासों को देश भर में ख्याति मिलेगी और जन-सामान्य के व्यवहार परिवर्तन हेतु आवश्यक जानकारी भी प्राप्त होगी।

कंपनियों के सामाजिक उत्तरदायित्व के तहत औद्योगिक समूहों ने स्वच्छता का केवल प्रचार-प्रसार ही नहीं किया, बल्कि स्वच्छता संबंधी संरचनाओं को मजबूत बनाने एवं नवीन संरचनाओं के निर्माण में भी सरकार का हाथ बंटाना स्वीकार किया। इस क्रम में टाटा कंसल्टेंसी सर्विसेज़, भारती, आदित्य बिड़ला समूह, हिंदुस्तान यूनिलिवर लिमिटेड, आई.टी.सी. एवं डाबर के नाम लिए जा सकते हैं जिन्होंने

ग्रामीण क्षेत्रों के विद्यालयों में शौचालयों के निर्माण एवं मौजूदा शौचालयों के उच्चीकरण का जिम्मा उठाया।

सरकार की जिम्मेदारियों में हाथ बंटाकर मीडिया और औद्योगिक समूहों ने अपनी सामाजिक जिम्मेदारी भी निभाई और स्वच्छ भारत अभियान में अपनी भागीदारी सुनिश्चित कर अपनी उपस्थिति भी दर्ज कराई। इसे एक तरह से इन दोनों क्षेत्रों में उत्पन्न व्यवहार परिवर्तन ही कहा जाएगा। समाज के लगभग हर वर्ग तक अभियान का पहुंचना और हर वर्ग द्वारा अपने-अपने ढंग से इस पर कार्यवाही करना इस अभियान की सफलता थी। इस सफलता के पीछे कहीं-न-कहीं प्रभावकारी संचार का कमाल था, जिसका उद्देश्य लोगों के व्यवहार में स्वच्छता संबंधी परिवर्तन लाना था, और ऐसा हुआ भी। इस संचार में सबसे यादगार था, प्रधानमंत्री का झाड़ू थामे सफाई करने वाला दृश्य जिसने देश में एक नए जन-आंदोलन को जन्म दिया क्योंकि चित्र ने सीधे लोगों के मनोविज्ञान पर असर डाला कि जब हमारे प्रधानमंत्री स्वयं झाड़ू पकड़कर सफाई कर सकते हैं तो हम क्यों नहीं। व्यवहार परिवर्तन के लिए इसी प्रकार से लोगों के दिलों को छूने अर्थात् उनके मनोविज्ञान पर प्रभाव डालने की आवश्यकता होती है।

साफ-सफाई के मामले में स्थिति बदलने के लिए प्रधानमंत्री ने देश का आह्वान किया था। उनकी आवाज देश के घर-घर तक अलग-अलग तरीकों से पहुंची। देश के विभिन्न वर्ग इसमें हाथ बंटाने के लिए आगे आए। लोगों को समझ में आ गया कि उनके आसपास फैली गंदगी साफ करने के लिए उन्हें ही आगे बढ़ना होगा क्योंकि यह उनकी भी उतनी ही जिम्मेदारी है जितनी किसी सफाई कर्मचारी की। जब सोच बदली तो व्यवहार बदला और स्थिति भी बदली। व्यवहार परिवर्तन का इससे अच्छा उदाहरण और क्या हो सकता है!

❑❑❑

संदर्भः-1. (इंडिया टुडे, 18 मई, 2015)

अध्याय 10

दिमागी बुखार की रोकथाम में व्यवहार परिवर्तन संचार का प्रयोग

पूर्वी उत्तर प्रदेश, समीपवर्ती बिहार राज्य का कुछ भाग तथा पड़ोसी देश नेपाल का सटा हुआ हिस्सा हर वर्ष दिमागी बुखार नामक मानव-जनित आपदा की विभीषिका झेलता है। पूर्वी उत्तर प्रदेश में *'नवकी'* (नई) बीमारी और बिहार में *'चमकी'* (झटका लगाने वाली) बीमारी के नाम से प्रचलित यह बीमारी जानलेवा है और हर साल इन क्षेत्रों के बच्चों पर कहर बनकर टूटती है। उक्त क्षेत्र में इसे *'जापानी इंसेफलाइटिस'* (जेई) के नाम से जाना जाता है। इस बीमारी में मच्छरों के माध्यम से फैले वायरस से बच्चों में बीमारी का संक्रमण होता है, जिससे दिमाग की झिल्ली में सूजन, शरीर में कंपन और ऐंठन जैसी शिकायतों के बाद अधिकांश मामलों में बच्चे की मौत हो जाती है। भाग्य (या फिर दुर्भाग्य से) किसी तरह जिन्दा बच गए बच्चे जीवनपर्यंत विकलांगता का दर्द झेलते रह जाते हैं जो शारीरिक, मानसिक और कभी-कभी दोनों ही रूपों में होती है। वर्ष 1978 में पूर्वी उत्तर प्रदेश के देवरिया जिले में सर्वप्रथम एक छोटे से गांव में पहली बार जेई का मामला सामने आया। तब से लेकर आज तक इस क्षेत्र में हजारों बच्चे जेई का शिकार होकर मौत की नींद सो चुके हैं। इस बीमारी से विकलांग हुए बच्चों पर कोई आंकड़ा तो उपलब्ध नहीं है मगर अनुमानतः इस बीमारी से मरने वाले और विकलांग हुए बच्चों की संख्या कमोबेश बराबर ही होगी।

इस बीमारी का कोई इलाज नहीं है। केवल मच्छरों से बचाव ही इस बीमारी को दूर रख सकता है। इसके अलावा प्रभावित क्षेत्रों में टीकाकरण से इस बीमारी को रोका जा सकता है। दुर्भाग्यवश, जानकारी से बचाव की ओर किसी का ध्यान नहीं गया। काश ऐसा होता तो सैकड़ों जानें बच जातीं! मगर इस बीमारी के इलाज के रूप में सावधानी और बचाव की पहचान नहीं हो पाई और सिलसिला यूं ही चलता रहा। वर्ष 2007 में इस वार्षिक त्रासदी ने एक और अंगड़ाई ली और दिमागी बुखार का एक नया रूप, *एक्यूट इंसेफलाइटिस सिंड्रोम (ए.ई.एस.)* सामने आया। विशेषज्ञों ने ए.ई.एस. समूह में विभिन्न प्रकार के दिमागी बुखारों (दूषित जल के संक्रमण से फैला दिमागी

बुखार, मच्छरों के काटने से फैला दिमागी बुखार और अन्य प्रकार का दिमागी बुखार) को शामिल किया। इसी वर्ष से जलजनित दिमागी बुखार की ओर सभी का ध्यान गया। कारण जो भी हो, दिमागी बुखार हर प्रकार से बेहद खतरनाक और जानलेवा है और सबसे दुर्भाग्य की बात यह है कि इस बीमारी का केवल एक ही इलाज है-सावधानी।

पूर्वी उत्तर प्रदेश और निकटवर्ती ग्रामीण क्षेत्रों में पेयजल का मुख्य साधन है-हैंडपंप। हैंडपंप के दो प्रकार हैं, वांछित गहराई वाला सरकारी इंडिया मार्क टू हैंडपंप और कम गहराई वाला छोटा हैंडपंप जो लगभग हर घर में मौजूद है। चूंकि हिमालय का तराई क्षेत्र होने के कारण भूजल स्तर काफी ऊपर है, इसलिए लोग कम गहराई की बोरिंग वाला छोटा हैंडपंप लगवा लेते हैं क्योंकि इस पर खर्च कम आता है। सरकारी इंडिया मार्क-टू हैंडपंपों की संख्या गांव की घनी आबादी के लिए पर्याप्त नहीं होती। छोटे हैंडपंप की कहानी यह है कि मात्र 25 फीट की गहराई वाले ये छोटे हैंडपंप स्वास्थ्य के लिए अत्यंत खतरनाक होते हैं। यह खतरा दो तरह से है। एक तो 25 फीट की गहराई पर मौजूद पानी पहले से ही शुद्ध नहीं होता। दूसरे, एक गलत रीति इस अशुद्धि को बढ़ा देती है। वह रीति यह है कि उक्त क्षेत्र के अधिकतर ग्रामीण क्षेत्रों में लोग प्रायः हैंडपंप को ही स्नानघर

सरकारी हैंडपंप पर कपड़े धोते लोग

और कुछ हद तक रसोईघर के रूप में इस्तेमाल करते हैं क्योंकि नहाना, कपड़े धोना, बर्तन धोना यहां तक कि अक्सर मवेशियों की साफ-सफाई भी हैंडपंप के आसपास की जाती है। यह रीति छोटे हैंडपंप से लेकर अधिक गहराई वाले सरकारी हैंडपंप के मामले में भी लागू है। इस रीति के कारण गंदे कपड़ों, बर्तनों आदि से निकला गंदा पानी धरती से होकर वापस भू-जल में मिलकर उसे अशुद्ध बना देता है। इसी अशुद्ध जल का प्रयोग घरेलू कामों के अतिरिक्त पेयजल के रूप में भी किया जाता है। यह अशुद्ध जल शरीर में प्रवेश कर अनेक रोगों को जन्म देता है जिनमें जलजनित दिमागी बुखार भी एक है। प्रकृति इस प्रकार हमारे द्वारा दी गई गंदगी हमें सूद समेत वापस कर देती है। यहां यह भी जानने योग्य है कि उक्त क्षेत्र में पानी उबालकर अथवा किसी अन्य तरीके से शुद्ध बना कर पीने की परंपरा नहीं है। अज्ञानता के कारण स्थानीय समुदाय के लोगों का ध्यान इस ओर नहीं जाता कि किस प्रकार अपना जल वह खुद प्रदूषित कर रहे हैं और फिर अनजाने में उसी दूषित जल का सेवन कर अनेक बीमारियों को न्यौता दे रहे हैं।

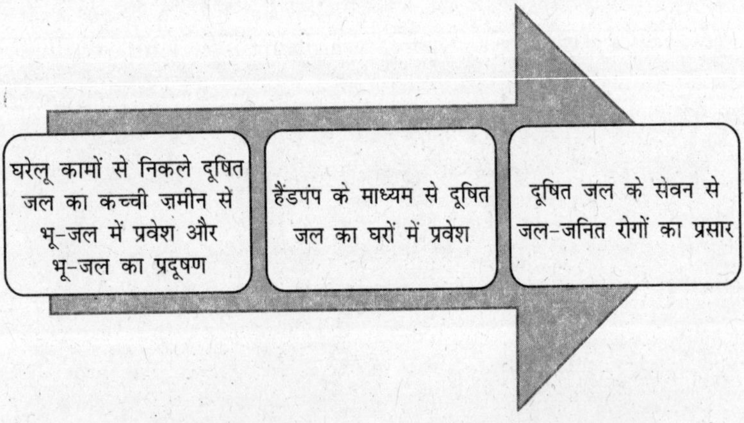

जलजनित दिमागी बुखार समेत अन्य जल-जनित रोगों की उत्पत्ति

इस संदर्भ में तीन बातें तो तय थीं। पहली, अनजाने में प्रदूषित किए गए जल से दिमागी बुखार का प्रसार हो रहा था। दूसरी, लोगों को पानी की आवश्यकता हर हाल में थी और तीसरी सबसे महत्वपूर्ण बात थी कि लोग प्रदूषित जल के प्रभाव तथा जल का प्रदूषण रोकने के उपायों से अनजान थे। जल से जुड़ी इन बातों के अतिरिक्त लोग मच्छरों के काटने से होने वाले दिमागी बुखार के बारे में भी अनजान थे। उन्हें यह ज़रूर पता था कि मच्छरों का काटना खतरनाक है मगर किस प्रकार और किस हद तक, इस बात का

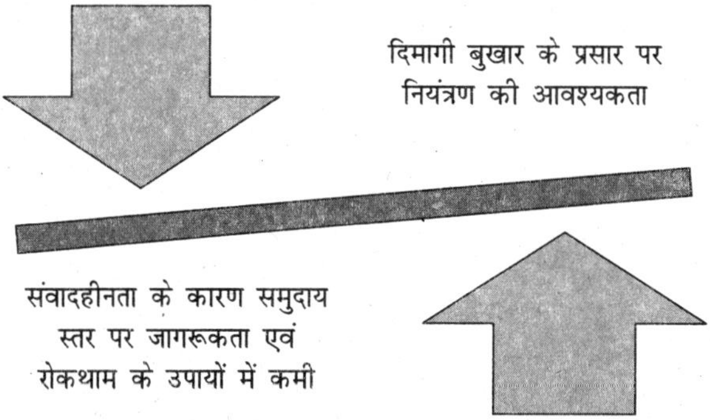

उन्हें पता नहीं था। इस मामले में आकस्मिक तौर पर आवश्यकता थी, बीमारी पर नियंत्रण पाने की। मगर इस दिशा में सबसे बड़ी बाधा थी-संवादहीनता।

बीमारी की रोकथाम के लिए पहले से किए जा रहे प्रयास काफी नहीं थे। घनी आबादी को देखते हुए बुनियादी संरचनाएं एवं सेवाएं भी अपर्याप्त साबित हो रही थीं। इस कारण इतनी बड़ी संख्या में रोगियों का समुचित इलाज संभव नहीं था। ऐसे में अपना उत्तरदायित्व समझते हुए अनेक स्वैच्छिक संस्थाएं सामने आईं जिन्होंने अपने तरीके से दिमागी बुखार पर रोकथाम के उपाय किए। इस विषय में स्वैच्छिक संस्थाओं की सबसे बड़ी शक्ति थी-समुदाय स्तर तक उनकी पहुंच और प्रत्यक्ष संवाद। समुदाय से निकट होने के कारण स्वैच्छिक संस्थाओं की कार्यप्रणाली जनोन्मुखी थी अर्थात् **लोगों के माध्यम से लोगों तक पहुंचना और लोगों में बदलाव लाना।** यहां संदर्भ था, दिमागी बुखार के उन्मूलन का, इसलिए यह बदलाव होना था, दिमागी बुखार के मामलों में कमी के रूप में। यह तो हुआ परिणाम, किंतु इस परिणाम तक पहुंचने के लिए अनेक गतिविधियों को लक्षित किया गया जिनमें से अनेक व्यवहार परिवर्तन संचार से भी संबंधित थीं।

इसकी शुरुआत हुई, सामुदायिक संगठनों के गठन से। ग्राम एवं पंचायत स्तर पर इन संस्थाओं ने महिला मंडलों, स्वयं सहायता समूहों तथा युवक मंडलों का गठन किया। उन्हें पहले तो संगठन संचालन पर और उसके बाद सामाजिक मुद्दों विशेषकर रोकथाम से टाली जा सकने वाली बीमारियों (मलेरिया, क्षय रोग, जलजनित रोग, दिमागी बुखार) आदि पर प्रशिक्षण दिया गया। इन मुद्दों पर जागरूक बनाने के बाद संगठन सदस्यों को यह जिम्मेदारी दी गई कि वे गांव/पंचायत में यह पता करें कि किस बच्चे को जेई का टीका नहीं लगा है। इस जिम्मेदारी के तहत आगे बढ़कर इन सदस्यों ने अपने-अपने क्षेत्र की

ए.एन.एम. *(ऑग्ज़िलियरी नर्स मिडवाइफ)* पर बेहतर टीकाकरण प्रयासों के लिए दबाव डाला। इतनी बड़ी संख्या में गांव के लोगों को एक साथ देखकर ए.एन.एम. की हिम्मत नहीं थी कि वह अपने उत्तरदायित्व से पीछे हटती। परिणामत: बच्चों के टीकाकरण का प्रतिशत बढ़ा और उनमें दिमागी बुखार समेत अनेक बीमारियों से लड़ने की क्षमता बढ़ी। इससे जेई के मामलों में कमी आई। इसे सामुदायिक संगठनों के व्यवहार में, फिर ए.एन.एम. के व्यवहार में आया परिवर्तन ही माना जाएगा जिसके एवज़ में बच्चों के टीकाकरण का प्रतिशत बढ़ा। सामुदायिक संगठनों की बैठकों में, लोगों को मच्छरदानी के प्रयोग एवं मच्छरों से छुटकारा पाने के उपाय अपनाने के लिए प्रोत्साहित किया गया।

जल-जनित दिमागी बुखार से निपटने के लिए सामुदायिक संगठनों ने एक और पहल की, गांव में सफाई अभियान के रूप में। संगठन सदस्यों ने प्रत्येक सप्ताह में एक दिन सफाई करने का नियम बनाया जिसके लिए घर-घर से लोगों को जुटाया जाता। गांव के लोग अपने साथ अपने घर से झाड़ू, कुदाल, मिट्टी तेल जैसी वस्तुएं लेकर आते जिनकी सहायता से गांव के साझे क्षेत्रों की सफाई की जाती, कूड़े और जमा हुए जल का निस्तारण किया जाता। इसके अतिरिक्त इन सदस्यों ने घर-घर जाकर लोगों को साफ-सफाई पर जागरूक बनाना शुरू किया, उन्हें अच्छी आदतें (मच्छरदानी का प्रयोग, उबले पेयजल का प्रयोग, खुले में शौच न कर शौचालय का प्रयोग करना, आदि) अपनाने के लिए प्रोत्साहित किया। इसका यह लाभ हुआ कि लोगों ने अच्छी आदतें अपनाना शुरू कीं। मच्छरदानी और उबले पेयजल का प्रयोग बढ़ा। एक ओर मच्छरों का प्रकोप कम हुआ, तो दूसरी ओर लोगों ने मच्छरों से बचने के उपाय भी अपनाने शुरू किए।

उधर सामुदायिक संगठनों ने पंचायत की बैठकों में भी भाग लेना शुरू किया और पंचायत के *'अनटाइड फण्ड'* को गांव के विकास (जैसे साफ-सफाई के लिए ब्लीचिंग पाउडर की खरीद, संस्थागत प्रसव पर दीवार लेखन आदि) हेतु जारी करने के लिए पैरोकारी करनी शुरू की। इससे पंचायती राज संस्थाओं की इन कार्यों के प्रति जागरूकता भी बढ़ी और रुचि भी। परिणाम यह हुआ कि समुदाय के दबाव में पंचायतों की बैठकें नियमित रूप से होने लगीं जिससे समुदाय स्तर पर कार्यरत सेवादाताओं जैसे आंगनबाड़ी सेविका, आशा कार्यकर्त्री एवं ए.एन.एम पर भी दबाव पड़ा और उनके काम भी बेहतर ढंग से होने लगे। यह परिवर्तन इन कार्यकर्ताओं के व्यवहार में आया परिवर्तन ही था जिसकी प्रक्रिया बहुत लम्बी थी और परिणाम भी दूरगामी थे।

जागरूकता निर्माण एवं व्यवहार परिवर्तन हेतु इन संस्थाओं ने अनेक माध्यम अपनाए जिनमें से अधिकांश या तो अन्तर्वैयक्तिक माध्यम थे या फिर वैकल्पिक माध्यम और स्थानीय लोक कलाएं क्योंकि ग्रामीण क्षेत्र होने के कारण मुख्यधारा के माध्यमों (टी.वी, रेडियो, समाचार पत्र-पत्रिकाएं) की पहुंच सीमित थी, दूसरे, अन्तर्वैयक्तिक माध्यम स्थानीय लोक कलाएं/वैकल्पिक माध्यम सूक्ष्म-स्तर पर प्रभावकारी सिद्ध होते हैं। अतः ऐसे माध्यमों की प्रकृति और मुद्दे की संवेदनशीलता देखते हुए ग्राम बैठक, दीवार लेखन, नुक्कड़ नाटक, कठपुतली नाच, प्रश्नोत्तरी और गृह भ्रमण आदि का आयोजन किया गया जिससे कि दिमागी बुखार से बचाव के संदेश सीधे-सीधे एवं रुचिकर ढंग से दिए जा सकें और लोगों को समझ में आएं। इसके बाद हैडपंपों की साफ-सफाई, ब्लीचिंग प्रक्रिया एवं स्वच्छ पेयजल प्रबंधन पर प्रशिक्षण एवं प्रदर्शन भी आयोजित किए गए जिससे लोगों को समझ में आया कि घरेलू हैडपंपों की नियमित साफ-सफाई कैसे करनी है, कैसे उनमें ब्लीचिंग पाउडर अथवा क्लोरीन की टिकिया डालनी है और कैसे पीने के पानी का रखरखाव करना है (उबालकर/छानकर, साफ बर्तन में ढककर) और कैसे सरकारी हैंडपंपों का रखरखाव और उनके आसपास साफ-सफाई रखनी है?

इस तरह के प्रयोग, प्रदर्शन अपने-आप में व्यवहार परिवर्तन का माध्यम बने क्योंकि इनमें लोगों की प्रत्यक्ष भागीदारी थी। इसका यह परिणाम सामने आया कि लोगों ने घरेलू हैंडपंपों की नियमित साफ-सफाई, पेयजल के बेहतर प्रबंधन आदि पर बेहतर ढंग से ध्यान देना शुरू कर दिया। एक सबसे बड़ी बात जो सामने आई, वह यह थी कि अधिक गहराई वाले सरकारी हैंडपंपों के आसपास नहाने-धोने, बर्तन मांजने या मवेशियों को बांधने से जल-स्रोत दूषित हो जाता है जिससे अनेक बीमारियां उत्पन्न हो रही हैं जिनमें दिमागी बुखार प्रमुख था। इस तथ्य को समझने के बाद लोगों ने धीरे-धीरे हैंडपंपों के आसपास नहाने-धोने, बर्तन मांजने या मवेशियों को बांधने जैसे काम बंद कर दिए। यही नहीं, समुदाय के लोगों ने स्वयं इन हैंडपंपों का रखरखाव शुरू कर दिया। ऐसे प्रयासों को बल मिला, 'स्वच्छ भारत अभियान' के तहत जब प्रधानमंत्री नरेन्द्र मोदी के आह्वान पर जन-सामान्य ने अपने गली-मोहल्लों को साफ करने का बीड़ा उठाया और स्वच्छता को एक आदत के रूप में अपनाया।

छिछले हैंडपंपों की गहराई अधिक करवाने के प्रति चेतना के रूप में इन प्रयासों का एक और सुखद परिणाम आया। लोगों को अब तक समझ में आ

चुका था कि छिछले हैंडपंप इस्तेमाल में तो आसान हो सकते हैं किंतु स्वास्थ्य के लिए हानिकारक हैं। यह एहसास होने के बाद लोगों ने इन हैंडपंपों को और अधिक गहरा करने की शुरुआत की। हालांकि ऐसा करने वाले लोगों का प्रतिशत कम ही था किंतु इसे व्यवहार परिवर्तन की शुरुआत मान सकते हैं जिसका धीरे-धीरे विस्तार होगा और एक समय ऐसा भी आएगा जब सभी परिवारों में वांछित गहराई वाले हैंडपंप होंगे जिनसे शुद्ध पेयजल निकलेगा और जल-जनित बीमारियों का प्रसार भी कम होगा।

इन प्रयासों के फलस्वरूप उक्त क्षेत्र में बाद के वर्षों में एक और बात सामने आई और वह थी, इस बीमारी में कुपोषण की सक्रिय भूमिका। दिमागी बुखार के अधिकांश मामले ग्रामीण क्षेत्रों अथवा पिछड़े क्षेत्रों के निर्धन परिवारों से संबंधित थे। निर्धन परिवारों के बच्चे गरीबी के कारण प्रायः कुपोषित होते हैं, इसी कारण विभिन्न बीमारियों का शिकार बनते हैं। अधिकतर बीमारियां ऐसी होती हैं जिनकी रोकथाम की जा सकती है।

आगे चलकर इस बात की पुष्टि भी हो गई। सितम्बर, 2013 में राष्ट्रीय बाल अधिकार संरक्षण आयोग, नई दिल्ली द्वारा गोरखपुर में दिमागी बुखार के मुद्दे पर आयोजित जन-सुनवाई के बाद इस बीमारी से जुड़े अनेक पहलू सामने आए। जन-सुंनवाई में आयोग के प्रतिनिधियों के अतिरिक्त चयनित पीड़ित बच्चे, उनके अभिभावकगण, मीडिया प्रतिनिधिगण, संबंधित अधिकारीगण एवं उक्त विषय पर कार्यरत स्वैच्छिक संस्थाओं के प्रतिनिधिगण उपस्थित थे। इस दो-दिवसीय कार्यक्रम में मामलों पर सुनवाई एवं गहन चर्चा के बाद अनेक बिंदुओं की पहचान की गई। इनमें कुछ ऐसे बिंदु थे जिनकी दिमागी बुखार फैलाने में महत्वपूर्ण भूमिका थी। कुछ ऐसे बिंदुओं की भी पहचान की गई जो बीमारी की रोकथाम में सहायक सिद्ध हो सकते थे, जैसे-कुपोषण की रोकथाम, स्वच्छ जल तक समुदाय की पहुंच, कम गहराई वाले हैंडपंपों का प्रयोग न करने के लिए समुदाय का अभिप्रेरण, जेई से बचाव हेतु बच्चों का सघन टीकाकरण, समुदाय स्तर पर जागरूकता अभियान, व्यवहार परिवर्तन संचार अभियान, कुपोषित बच्चों की पहचान कर उन्हें निकटतम आंगनबाड़ी केंद्र से जोड़ने में आशा कार्यकर्त्री एवं अन्य सेवादाताओं की भूमिका, दिमागी बुखार से पीड़ित बच्चों का समुचित इलाज और सरकारी तंत्र की सहायता से उनका पुनर्वास आदि।

इस प्रकार, जागरूकता निर्माण एवं व्यवहार परिवर्तन संचार की पहचान दिमागी बुखार की रोकथाम के अति महत्वपूर्ण कारक के रूप में की गई। यही नहीं, अन्य कारकों पर काम करने के लिए भी जागरूकता निर्माण

एवं व्यवहार परिवर्तन संचार की आवश्यकता थी। उदाहरण के लिए, आशा, आंगनबाड़ी कार्यकर्त्री द्वारा कुपोषित तथा अति कुपोषित बच्चों की पहचान करने व उन्हें आंगनबाड़ी केंद्रों से जोड़ने के पहले इस बात की जानकारी समुदाय व ऐसे बच्चों के अभिभावकों को होनी चाहिए। इस जानकारी के अतिरिक्त उनमें एक यह आदत भी होनी चाहिए कि वे अपने अधिकार की ओर कदम बढ़ाएं, स्वयं आशा एवं आंगनबाड़ी कार्यकर्त्री से संपर्क साधने की पहल करें। अपना अधिकार मांगने की आदत उनके व्यक्तित्व का अंग होनी चाहिए। आदत अर्थात् व्यवहार परिवर्तन का अंग। नियमित रूप से अधिकार मांगने का दूसरा बड़ा लाभ होगा, सेवादाताओं में अपने कार्य/उत्तरदायित्वों के प्रति जागरूकता (मजबूरी में ही सही) में वृद्धि। यह भी उनके व्यवहार में आया परिवर्तन ही है कि वह अपने कर्तव्यों के प्रति सजग हो जाएं क्योंकि लोग अपने अधिकारों के प्रति सजग हो रहे हैं। सामुदायिक स्तर पर आए इन सुखद परिवर्तनों के विस्तार के लिए भी अनेक प्रयास किए गए। स्वयंसेवी संस्थाओं का *नेटवर्क* बनाकर उनके माध्यम से उनके क्षेत्र में संदेशों का प्रसार किया गया। इसके अतिरिक्त शैक्षणिक संस्थानों में भी इन मुद्दों पर जागरूकता कार्यक्रम आयोजित किए गए। शैक्षणिक संस्थानों के छात्रों की सहायता से उक्त मुद्दों पर रैलियां निकाली गईं जिनके माध्यम से वृहद् स्तर पर संदेश दिए गए। इसके अतिरिक्त स्थानीय 'झोला छाप'[1] चिकित्सकों एवं सेवादाताओं को भी उक्त मुद्दों पर प्रशिक्षण दिए गए। झोला छाप चिकित्सकों को प्रशिक्षण देने का लाभ यह हुआ कि दिमागी बुखार के लक्षणों के आधार पर रोगियों को उच्च्तर स्वास्थ्य इकाईयों (सामुदायिक स्वास्थ्य केंद्र, जिला अस्पताल, मेडिकल कॉलेज) आदि में भेजना (*रेफरल*) आसान हुआ। समय से एवं उचित इलाज मिलने के कारण इस बीमारी से मरने वालों की संख्या में कमी आई। यह अंतर्वैयक्तिक संचार (झोला छाप चिकित्सकों/सेवादाताओं के प्रशिक्षण आदि के रूप में) का कमाल था जिसके कारण झोला छाप चिकित्सकों/सेवादाताओं में दिमागी बुखार के प्रति जागरूकता बढ़ी और रोगियों को तात्कालिक रूप से बेहतर इलाज के लिए आगे भेजने के लिए उनके व्यवहार में परिवर्तन भी आया।

राष्ट्रीय बाल अधिकार संरक्षण आयोग द्वारा आयोजित जनसुनवाई के तुरंत बाद जिला प्रशासन एवं स्वैच्छिक संस्थाओं ने दिमागी बुखार उन्मूलन की रणनीति में अनेक वांछित परिवर्तन किए जिनमें सर्वप्रथम था,

---

[1] उक्त क्षेत्र में अप्रशिक्षित डॉक्टरों के लिए प्रचलित नाम

जोखिमग्रस्त हैंडपंपों की पहचान। गंदा या बदबूदार पानी देने वाले हैंडपंपों की पहचान कर उनपर लाल रंग से "X" का निशान बनाया गया जिसका सीधा मतलब था कि ऐसे हैंडपंपों का पानी गंदा और प्रयोग के योग्य नहीं है। निशान लगाए जाने के बाद समुदाय स्तर पर खतरनाक हैंडपंपों का प्रयोग घटा।

जनसुनवाई के बाद ध्यान केवल साफ-सफाई या मच्छरों से बचाव पर ही नहीं बल्कि कुपोषण उन्मूलन पर भी था। कुपोषण उन्मूलन को दिमागी बुखार के उन्मूलन की दूरगामी एवं अप्रत्यक्ष रणनीति के रूप में अपनाया गया। कुपोषण उन्मूलन पर काम करने के लिए कई गतिविधियां अपनाई गईं। शुरुआत हुई, छः माह तक के बच्चों और गर्भवतियों के गृह-भ्रमण से। गृह-भ्रमण के दौरान सेवादाताओं तथा स्वयंसेवी संस्थाओं के प्रतिनिधियों द्वारा गर्भवतियों एवं उनके परिवार सदस्यों को गर्भावस्था के दौरान समुचित देखभाल एवं खानपान, टीकाकरण, तात्कालिक एवं संपूर्ण स्तनपान पर जागरूक किया गया और प्रसव पश्चात् शिशु को तात्कालिक एवं संपूर्ण स्तनपान (छः माह) पर रखने के लिए प्रेरित भी किया गया। गृह-भ्रमणों के दौरान तात्कालिक एवं संपूर्ण स्तनपान प्रविधियों का नियमित प्रयोग सुनिश्चित किया जाता। छः माह के बाद शिशु को पूरक आहार देने के लिए भी जागरूकता एवं अभिप्रेरण के प्रयास किए गए। इस कार्य के लिए अंतर्वैयक्तिक माध्यमों (*फ्लैश कार्ड*, पोस्टर, प्रदर्शनी, कहानियों आदि) का प्रयोग किया गया। कुपोषण उन्मूलन का संदेश देने के लिए मातृ-समूहों की मासिक बैठकों का भी प्रयोग किया गया। गृह-भ्रमण के दौरान ही लक्षणों के आधार पर अति-कुपोषित बच्चों की पहचान की गई तथा उनकी बेहतर पौषणिक देखभाल के लिए परिवार के सदस्यों विशेषकर माताओं को संवेदित किया गया। ऐसे चिन्हित बच्चों को आंगनबाड़ी केंद्रों से भी जोड़ा गया जहां उन्हें सरकार द्वारा पूरक आहार मिलना शुरू हुआ जिससे उनके पोषण स्तर में सुधार आने लगा।

बच्चों के बेहतर पोषण के लिए सरकार एवं स्वयं सेवी संस्थाओं द्वारा आंगनबाड़ी केंद्रों पर मिलने वाली सेवाओं का प्रचार-प्रसार भी किया गया। आंगनबाड़ी केंद्रों द्वारा प्रदान की जाने वाली छः प्रमुख सेवाओं में सबसे मुख्य है 'पूरक पोषण'। इस सेवा के लक्षित समूह हैं, छः वर्ष से कम उम्र के बच्चे, गर्भवती महिलाएं और दूध पिलाने वाली माताएं। अक्सर ही जागरूकता की कमी के कारण समुदाय के लोग इन सेवाओं का लाभ नहीं ले पाते। यही नहीं, कभी-कभी तो जागरूकता की यह कमी स्वयं आंगनबाड़ी

सेवादाताओं में भी होती है कि उनकी जिम्मेदारियां क्या-क्या है? संबंधित विभागों द्वारा समय-समय पर इन कार्यकर्ताओं के लिए प्रशिक्षण आयोजित किए जाते हैं फिर भी अक्सर विभिन्न कारणों से यह सेवाएं समुदाय तक नहीं पहुंच पातीं। इस कमी को दूर करने के प्रयास किए गए। जिसके लिए संबंधित विभागों, पंचायती राज संस्थानों की सहायता से सेवादाताओं के साथ नियमित बैठकें की गईं, उनके लिए पुनश्चर्या प्रशिक्षण कार्यक्रम (*रिफ्रेशर कोर्स*) आयोजित किए गए। इन प्रशिक्षणों में इस बार उनकी जिम्मेदारियों के अतिरिक्त अंतर्वैयक्तिक संचार पर भी बल दिया गया। इससे सेवादाताओं की समस्याओं को उनके दृष्टिकोण से देखने में और कामों के प्रति बेहतर दृष्टिकोण अपनाने के प्रति उन्हें प्रोत्साहित करने में भी सहायता मिली।

इस प्रक्रिया के कारण सेवादाताओं के दृष्टिकोण में सकारात्मक परिवर्तन आए जिसकी झलक उनके कार्यों पर भी देखने को मिली। आंगनबाड़ी केंद्रों पर अन्य कार्यों के अतिरिक्त पूरक आहार का वितरण भी बेहतर ढंग से होने लगा जिससे लक्षित समूहों (छः वर्ष से कम उम्र के बच्चे, गर्भवती महिलाएं और दूध पिलाने वाली माताएं) तक यह पूरक आहार बेहतर ढंग से पहुंचने लगा। ऐसे सकारात्मक परिवर्तनों से यह आशा की जा सकती है कि आने वाले समय में गर्भवती महिलाओं/धात्री माताओं एवं बच्चों के पोषण स्तर में सुधार आएगा जिससे उनके शरीर में रोगों से लड़ने की क्षमता बढ़ेगी और उन्हें दिमागी बुखार सहित अनेक बीमारियों से छुटकारा मिल जाएगा।

ये सारे प्रयास दर्शाते हैं कि दिमागी बुखार से बचाव की दिशा में सरकार एवं स्वैच्छिक संस्थाओं द्वारा सुनियोजित एवं सुव्यवस्थित रणनीति अपनाई गई थी जिसके तहत बीमारी से बचाव के विभिन्न प्रत्यक्ष एवं अप्रत्यक्ष मुद्दों को छुआ गया। इन मुद्दों में निःसंदेह व्यवहार परिवर्तन संचार अत्यंत महत्वपूर्ण मुद्दा था। दरअसल, व्यवहार परिवर्तन संचार दिमागी बुखार से बचाव के हर मुद्दे में मौजूद है। हैंडपंपों के रखरखाव पर प्रशिक्षण से समुदाय के लोगों को एक हुनर तो मिला ही, उन्हें नियमित रखरखाव की आवश्यकता भी महसूस हुई। रखरखाव से संबंधित गतिविधि को व्यवहार परिवर्तन का संदेश माना जा सकता है जबकि लोगों द्वारा हैंडपंपों के नियमित रखरखाव को उनके व्यवहार में आया परिवर्तन। इसी प्रकार, गृह-भ्रमण के माध्यम से एक साथ अनेक संदेश दिए जा सके, जैसे गर्भवती महिलाओं, धात्री माताओं की देखभाल, बच्चों की बेहतर देखभाल, साफ-सफाई, सरकारी सुविधाओं (जैसे आंगनबाड़ी केंद्रों द्वारा दी जाने वाली सेवाएं) आदि

पर लोगों को विभिन्न तरीके से जानकारी तो मिली ही, उनके व्यवहार में वांछित परिवर्तन भी आने लगे।

सामाजिक बदलाव के मुद्दे आपस में ऐसे घुले-मिले होते हैं कि उन्हें एक-दूसरे से अलग नहीं किया जा सकता। दूसरी ओर, व्यवहार परिवर्तन संचार का दायरा भी इतना व्यापक और लचीला होता है कि यह प्रक्रिया आवश्यकता अनुसार स्वयं को ढाल लेती है। किसी-न-किसी मुद्दे पर व्यवहार परिवर्तन संचार का कोई-न-कोई माध्यम काम कर रहा होता है किंतु इन सारे माध्यमों का दूरगामी लक्ष्य कुल मिलाकर वह बड़ा लक्ष्य होता है जिस तक पहुंचने के लिए छोटे-छोटे उपाय अपनाए जाते हैं। दिमाग़ी बुख़ार से बचाव के इन प्रयासों में अंतिम लक्ष्य था-दिमागी बुखार से छुटकारा पाना मगर उसके लिए अनेक छोटे-छोटे उद्देश्य अपनाए गए जैसे-कुपोषण नियंत्रण, बच्चों का संपूर्ण टीकाकरण, स्वच्छ पेयजल का प्रयोग, स्वच्छता के बेहतर प्रयास, आदि। इन समस्त छोटे-छोटे उद्देश्यों के लिए व्यवहार परिवर्तन के विभिन्न माध्यम अपनाए गए मगर उन सबका अंतिम लक्ष्य था, छोटे-छोटे उद्देश्यों की प्राप्ति के माध्यम से बड़े लक्ष्य की प्राप्ति अर्थात् उक्त क्षेत्र में दिमागी बुखार से छुटकारा। यह सीख अन्य सामाजिक मुद्दों के लिए भी उपयोगी है कि कैसे मुद्दों को छोटे-छोटे खण्डों में बांटकर व्यवहार परिवर्तन के विविधमाध्यमों की सहायता से एक बड़ा सामाजिक बदलाव लाया जा सकता है।

उक्त क्षेत्र में परिवर्तन की यह अलख जग चुकी है। बहुत घनी जनसंख्या होने के कारण परिवर्तन के विस्तार में समय अवश्य लगेगा मगर यह लहर हर गांव और टोले तक पहुंचेगी ज़रूर, क्योंकि समय के साथ बदलाव की इस प्रक्रिया में लोगों का विश्वास भी शामिल हो चुका होगा। लोगों का विश्वास व्यवहार परिवर्तन का सबसे सशक्त माध्यम होता है। फिर एक समय आएगा कि सभी ग्रामवासियों को यह समझ में आ जाएगा कि साफ-सफाई और अच्छी आदतें किसी और के लिए नहीं, बल्कि उनके ख़ुद के लिए ज़रूरी हैं और अच्छी आदतें अपनाकर वह अपनी और अपने परिवार की रक्षा कर रहे हैं। जिस दिन लोगों को यह समझ में आ जाएगा, उसी दिन दिमागी बुखार नामक शत्रु से उन्हें हमेशा के लिए छुटकारा मिल जाएगा। यही है, इस अभियान का अंतिम लक्ष्य।

❑❑❑

अध्याय 11

कुपोषण दूर करने में व्यवहार परिवर्तन संचार की भूमिका

देश में बच्चों का कुपोषण एक बड़ी समस्या है। विश्व बैंक ने वर्ष 2009 की अपनी रिपोर्ट में भारत में विश्व के सर्वाधिक कुपोषित बच्चे होने की बात कही है। रिपोर्ट के अनुसार भारत विश्व में कम वज़न के बच्चों की सबसे अधिक संख्या वाले देशों में शामिल है। ग्लोबल हंगर इंडेक्स में भारत का सर्वाधिक भुखमरी वाले देशों में पंद्रहवां स्थान है। केंद्रीय महिला एवं बाल विकास मंत्रालय द्वारा प्रसारित विज्ञापन में जिसकी *एंकरिंग* प्रसिद्ध फिल्म अ. भनेता आमिर खान ने की है, ''देश का लगभग हर दूसरा बच्चा कुपोषण का शिकार...'' बताया गया है। मंत्रालय ने यह प्रचार अभियान, जिसे ''*कुपोषण भारत छोड़ो*'' का नाम दिया गया है, देश की 18 भाषाओं में तैयार किया है। राष्ट्रीय परिवार स्वास्थ्य सर्वेक्षण-3 (2005-2006) के अनुसार तीन वर्षों से कम आयु वर्ग के ऐसे बच्चे, जिनकी आयु के अनुपात में लम्बाई कम है, का प्रतिशत 44.9 है, लम्बाई के अनुपात में कम वजन के बच्चों का प्रतिशत 22.9 तथा आयु के अनुपात में कम वजन वाले बच्चों का प्रतिशत 40.4 है।

विडंबनापूर्ण बात यह है कि इन कुपोषित बच्चों में केवल निर्धन ही नहीं, संपन्न परिवारों के बच्चे भी हैं। इन आंकड़ों से यह बात साबित होती है कि कुपोषण का संबंध केवल परिवार की आर्थिक स्थिति से नहीं है। ऐसा होता, तो अमीर घरों के बच्चे कुपोषण का शिकार नहीं होते। इसका सीधा अर्थ है, धन-संपन्न परिवारों में भी बच्चों के पोषण के प्रति जानकारी का न होना। इन परिवारों के सदस्यों में अपने बच्चों को सही मायनों में 'पौष्टिक' भोजन देने की न तो आदत है, न ही इस बात की जानकारी है कि किस प्रकार के भोजन से बच्चों को पोषण मिल सकता है। यानी इन्हें अपने व्यवहार में परिवर्तन और जानकारी की आवश्यकता है, जो व्यवहार परिवर्तन संचार इन्हें दे सकता है। इस अध्याय में हम बात कर रहे हैं, एक विषय-अध्ययन (केस स्टडी) की, जो बिहार से संबंधित है। राष्ट्रीय ग्रामीण स्वास्थ्य मिशन के बिहार संबंधित समेकित प्रतिवेदन 2012-13 के अनुसार बिहार में पांच वर्ष से कम आयु के तकरीबन 80 प्रतिशत बच्चे कुपोषित हैं। राष्ट्रीय परिवार

स्वास्थ्य सर्वेक्षण-3 (2005-2006) के अनुसार बिहार में तीन वर्ष से कम आयु वर्ग के ऐसे बच्चों का प्रतिशत, जिनकी आयु के अनुपात में लम्बाई कम है, 50.1 है, लम्बाई के अनुपात में कम वजन के बच्चों का प्रतिशत 32.6 तथा आयु के अनुपात में कम वजन वाले बच्चों का प्रतिशत 54.9 है।

बच्चों में कुपोषण की शोचनीय स्थिति को देखते हुए अक्तूबर, 2014 में समाज कल्याण विभाग, बिहार सरकार द्वारा 'बाल कुपोषण मुक्त बिहार' (बी.के.एम.बी) नामक एक अभियान की शुरुआत की गई।[1.] अभियान का लक्ष्य वर्ष 2017 तक 0-3 वर्ष तक के बच्चों की कुपोषण दर घटाकर 30 प्रतिशत[1] करना है। राज्य के इक्यान्वे हजार से अधिक आंगनबाड़ी केंद्रों में पंजीकृत 0-3 वर्ष और 3-6 वर्ष के बच्चे, गर्भवती स्त्रियां तथा धात्री माताएं इस अभियान का लक्षित समूह हैं लेकिन 0-3 वर्ष तक के बच्चे इस अभियान का वास्तविक लक्ष्य हैं। इस आयु वर्ग के बच्चों को कुपोषण से बचाने के लिए अभियान के तहत सात प्राथमिकताएं निर्धारित की गई हैं जो इस प्रकार हैं-जन्म के एक घंटे के अंदर स्तनपान की शुरुआत एवं 06 माह तक केवल स्तनपान, पीयूष पान (मां के स्तनों से निकलने वाला पहला पीला एवं गाढ़ा दूध जिसे अज्ञानता एवं भ्रांतियों के कारण अक्सर बेकार समझकर फेंक दिया जाता है), 06 माह के बाद बच्चे को पूरक आहार की शुरुआत, बाल्यावस्था में होने वाली बीमारियों से बचाव, स्वच्छ पेयजल का प्रयोग, हाथों की नियमित धुलाई एवं स्वच्छता तथा 6-36 माह के बच्चों की वृद्धि-निगरानी।

सुनने में तो यह लक्ष्य आसान लग रहा है किंतु है अत्यंत कठिन, क्योंकि एक तो बिहार जनसंख्या घनत्व वाला प्रदेश है; दूसरे, यहां की साक्षरता दर भी समस्त देश व अन्य राज्यों की तुलना में निम्न है।[2.] इसीलिए इस कठिन लक्ष्य की प्राप्ति के लिए एक कुशल रणनीति तैयार की गई है जिसमें अनेक तत्वों का समावेश किया गया है। अभियान को ज़मीनी स्तर पर उतारने के लिए बड़े पैमाने पर आंगनबाड़ी अधिकारियों एवं कार्यकर्ताओं को प्रशिक्षित किया गया है। अभियान को मजबूती देने एवं संसाधन जुटाने के लिए संबंधित विभागों एवं विकास संस्थाओं का सहयोग प्राप्त किया गया है। कार्यक्रम की सहभागी

[1.] अभियान शुरू किए जाने के समय राज्य में इस आयु वर्ग की कुपोषण दर 55 प्रतिशत थी (स्रोत: राष्ट्रीय ग्रामीण स्वास्थ्य मिशन रिपोर्ट, 2012-13)

[2.] वर्ष 2011 की जनगणना के अनुसार बिहार की सामान्य साक्षरता दर 61.80 प्रतिशत तथा महिला साक्षरता दर 46.40 थी जबकि राष्ट्रीय स्तर पर यह क्रमशः 74.04 और 65.46 प्रतिशत थी।

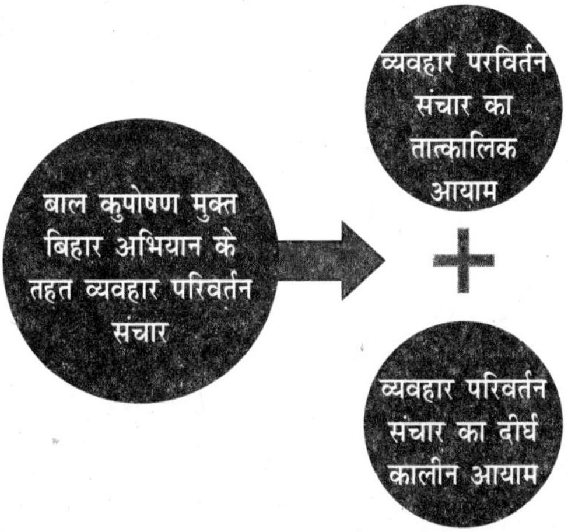

निगरानी के लिए प्रत्येक आंगनबाड़ी केंद्र में पहले से कार्यरत 'पोषाहार वितरण एवं कार्यान्वयन समिति' का पुनर्गठन किया है। इस नए अवतार में समिति को अब 'आंगनबाड़ी विकास समिति' के नाम से जाना जा रहा है। समिति में समुदाय की सहभागिता बढ़ाने के उद्देश्य से समुदाय प्रतिनिधियों के रूप में 0-3 वर्ष के बच्चों की दो माताओं, 3-6 वर्ष के बच्चों की दो माताओं, दो गर्भवती स्त्रियों, दो धात्री माताओं अथवा दो किशोरियों को भी शामिल किया गया है। इस परिवर्तन का परिणाम यह होगा कि आंगनबाड़ी केंद्रों के प्रबंधन में समुदाय की सहभागिता बढ़ेगी तथा अनियमितताओं पर पाबंदी लगेगी।

इस अभियान की सबसे बड़ी विशेषता है, इसमें शामिल व्यवहार परिवर्तन संचार का तत्व। अभियान के अंतर्गत व्यवहार परिवर्तन संचार को दो भागों में बांटा गया है, अल्पकालीन अथवा तत्कालीन आयाम एवं दीर्घकालीन आयाम।

अभियान के तत्कालीन आयाम के अंतर्गत समुदाय को कुपोषण एवं उससे जुड़ी समस्याओं पर संवेदित करने के प्रयास किए जा रहे हैं। इसके लिए नुक्कड़ नाटक कलाकारों की अनेक टीमों को प्रशिक्षण दिया गया है। ये टीमें स्थानीय लोगों की सहायता से ऐसे गांवों एवं टोलों का चयन करती हैं जहां के बच्चे कुपोषित पाए गए हैं। फिर समुदाय द्वारा दिए गए समय के अनुसार उन गांवों में नुक्कड़ नाटक आयोजित किए जाते हैं। नुक्कड़ नाटकों के साथ ही 'पेट पूजा' नामक विशेष रूप से तैयार किए गए एक जागरूकता वाहन को भी घुमाया जाता है। यह जागरूकता वाहन एक प्रकार से सचल प्रदर्शनी है जिसमें पोषण प्रदान करने वाले आवश्यक खाद्य पदार्थों को जीवन्त

रूप में अथवा *मॉडलों* के माध्यम से दर्शाया गया है। यही नहीं, वाहन में स्तनपान/पूरक आहार से संबंधित भ्रांतियों को दूर करने, समुदाय की खानपान संबंधी सांस्कृतिक बाधाओं आदि को दूर करने से संबंधित चित्र, मॉडल आदि दर्शाए गए हैं।

प्रचार सामग्री से लैस यह वाहन नुक्कड़ नाटक की टीम को लेकर गांव में जाता है, जहां नाटक के मंचन के बाद लोगों से प्रत्यक्ष संवाद किया जाता है और पूछा जाता है कि उन्हें नाटक से क्या समझ में आया, जो कुछ भी समझ में आया, क्या उसे निजी जीवन में उतारा जा सकता है, आदि-आदि। इसी क्रम में नुक्कड़ नाटक टीम यह भी देख लेती है कि उस भीड़ में कितनी मांओं की गोदियों में ऐसे बच्चे हैं जिनकी उम्र छः महीने अथवा उससे अधिक है। टीम के सदस्य ऐसे बच्चों को एक कटोरी और चम्मच भेंट करते हैं और उनकी मांओं (अथवा साथ में जो भी बड़ा हो) को प्रेरित करते हैं कि इसी कटोरी-चम्मच से अब वह बच्चे को दिन में कम से कम तीन बार खाना खिलाएं। बच्चे को खिलाए जाने वाले खाने की जानकारी भी रोचक ढंग से दी जाती है। नाटक और समुदाय संवाद के बाद कटोरी और चम्मच भेंट करने से इस पूरी प्रक्रिया को गति मिल जाती है, लोग बच्चों को पूरक आहार खिलाने के लिए प्रेरित हाते हैं। बच्चों को पूरक आहार दिए जाने की निगरानी आंगनबाड़ी कार्यकर्ताओं एवं आशा कार्यकर्त्रियों द्वारा बच्चों एवं गर्भवती/धात्री महिलाओं के गृह भ्रमण से हो जाती है। बच्चों के पूरक आहार की समय पर शुरुआत सुनिश्चित करने के उद्देश्य से विभाग द्वारा पंचायत स्तर पर अन्नप्राशन कार्यक्रम आयोजित किए जा रहे हैं। इन कार्यक्रमों में सरकारी अधिकारी कटोरी-चम्मच से चयनित बच्चों को पूरक आहार (खिचड़ी, मसला हुआ केला, हलवा, दाल-चावल आदि) खिलाकर अन्नप्राशन संस्कार (स्थानीय भाषा में 'मुंह जुट्ठी') संपन्न करते हैं। अधिकारियों की सहभागिता से समुदाय को पूरक आहार का महत्व आसानी से समझ में आ रहा है और उन्हें यह प्रविधि अपनाने की प्रेरणा भी मिल रही है।

लोगों को जागरूक एवं संवेदित करने के लिए विभाग द्वारा एक लघु वृत्त चित्र का निर्माण किया गया है जिसमें 0-6 वर्ष की आयु के बच्चों की पोषण एवं स्वच्छता संबंधी देखभाल तथा इसमें परिवार/समुदाय की भूमिका को रोचक ढंग से आम भाषा में चित्रित किया गया है। समय-समय पर अभियान के विज्ञापनों को स्थानीय समाचारपत्रों एवं टी.वी. चैनलों पर भी स्थान मिल रहा है।

वृत्तचित्र जैसे इलेक्ट्रॉनिक तथा नुक्कड़ नाटक व जागरूकता वाहन जैसे वैकल्पिक माध्यमों के अतिरिक्त इस अभियान के माध्यम-सम्मिश्रण में होर्डिंग, बैनर, पोस्टर, बाह्य माध्यमों का प्रयोग भी किया गया ताकि कुपोषण न्यूनीकरण का संदेश अलग-अलग तरीके से लोगों तक पहुंचे और उन्हें कुपोषण के मुद्दे पर संवेदित करे। कुपोषण तथा बच्चों की पोषण संबंधी देखभाल पर संदर्भ अथवा पठन सामग्री की उपलब्धता सुनिश्चित करने के उद्देश्य से समुदाय में दो प्रकार की पुस्तिकाओं का वितरण किया गया है। इस पुस्तिका का लक्षित समूह समुदाय के शिक्षित परिवार तथा आंगनबाड़ी सेविका, आशा कार्यकर्त्री जैसी सेवादाता हैं क्योंकि सेवादाताओं के माध्यम से भी संदेश समुदाय तक पहुंचते हैं और उनके माध्यम से दिए गए संदेशों पर समुदाय विश्वास भी करता है। सेवादाताओं तथा अन्य शिक्षित लोगों के पास लिखित रूप में संदर्भ सामग्री की उपलब्धता होने से कुपोषण के विषय पर उनके ज्ञान में वृद्धि भी हो रही है और उन्हें समुदाय को समझाने के लिए संदर्भ बिंदु भी मिल गया है।

अभियान के संदेशों के प्रचार-प्रसार के लिए मोबाइल फोन (एस.एम.एस के रूप में) तथा सामाजिक माध्यमों (सोशल मीडिया) को भी चुना गया है। मोबाइल फोन की पहुंच शहरी एवं ग्रामीण दोनों क्षेत्रों में है, इसलिए इनके माध्यम से एक बड़ी जनसंख्या तक पहुंचना संभव है। सामाजिक माध्यमों का लक्षित समूह ऐसा वर्ग है जो शिक्षित है, जिसे कम्प्यूटर का प्रयोग करना आता है और जिसके पास कम्प्यूटर के प्रयोग के लिए बिजली अथवा किसी अन्य सहयोगी साधन की उपलब्धता हो। इनमें से अधिकांश अनिवार्यताएं शहरी क्षेत्रों से ही पूरी होती हैं। इसलिए यह माना जा सकता है कि इस माध्यम का लक्षित समूह शहर में रहने वाला, सामाजिक माध्यमों का प्रयोग करने वाला एक छोटा सा वर्ग है। इस विश्लेषण का यह भी सार निकलता है कि यह अभियान किसी भी वर्ग की उपेक्षा नहीं करता है। कारण यह हो सकता है कि कुपोषण का प्रकोप कहीं भी हो सकता है, गांवों में रहने वाला निर्धन व निरक्षर वर्ग हो अथवा शहरों में बसने वाला संसाधन संपन्न वर्ग; बच्चे किसी के भी कुपोषित हो सकते हैं। इसलिए अभियान के तहत समाज के हरेक वर्ग को लक्षित किया गया है। इस दृष्टिकोण से इस अभियान की रणनीति को 'समावेशी' कहा जाएगा क्योंकि इसमें शहरी, ग्रामीण, साक्षर, निरक्षर, निर्धन, संपन्न सभी वर्गों को शामिल किया गया है।

अभियान की दीर्घकालीन रणनीति कुपोषण से लड़ाई लड़ने के अप्रत्यक्ष और दूरगामी प्रयासों पर आधारित है। इसके तहत सामाजिक वानिकी के द्वारा समुदाय को पौष्टिक फलों एवं सब्जियों का उत्पादन करना सिखाया जाएगा, जिससे कि गांवों में फल एवं सब्जियां सभी के लिए सस्ती दर पर एवं समुचित मात्रा में उपलब्ध हों। फलों एवं सब्जियों के नियमित सेवन से अपने-आप ही कुपोषण की दर में गिरावट आएगी, साथ ही लोगों के जीवन-स्तर में भी वृद्धि होगी। सामाजिक वानिकी को प्रोत्साहन देने के लिए महात्मा गांधी राष्ट्रीय ग्रामीण रोज़गार गारण्टी योजना एवं कृषि विभाग से सहयोग एवं संसाधन प्राप्त किए जाएंगे। आगे चलकर विद्यालयों एवं महाविद्यालयों के पाठ्यक्रम में पोषण संबंधी मुद्दों को शामिल किए जाने तथा स्वैच्छिक संस्थाओं, पंचायती राज संस्थाओं को एवं विधायकों को पोषण पर प्रशिक्षित किए जाने की भी योजना है। अभियान की दीर्घकालीन संचार नीति का सबसे दिलचस्प पहलू है, पोषण संग्रहालय की स्थापना। संबंधित विभागों के सहयोग से एक ऐसे संग्रहालय की स्थापना किए जाने की योजना है जिसमें पोषण संबंधी भ्रांतियों एवं कुपोषण को दूर करने तथा महिलाओं एवं बच्चों में पोषण को बढ़ावा देने वाली प्रविधियों पर आधारित मॉडल प्रदर्शित किए जाएंगे। इन मॉडलों की सहायता से लोग पोषण संबंधी मुद्दों को बेहतर ढंग से समझ सकेंगे एवं लंबे समय तक याद रख पाएंगे। यही नहीं, मॉडलों के माध्यम से दर्शाई गई प्रविधियों को अपनाने में भी आसानी हो सकेगी।

इस प्रकार अभियान की रणनीति एक संतुलित रणनीति है क्योंकि यदि इसमें संचार की तात्कालिक आवश्यकताओं पर ध्यान दिया गया है, तो दीर्घकालीन आवश्यकताओं को भी छोड़ा नहीं गया है। यदि यह रणनीति ग्रामीण अंचलों को लक्षित करती है तो शहरी क्षेत्रों की भी उपेक्षा नहीं करती। इसमें यदि प्रचलित माध्यमों को शामिल किया गया है तो वैकल्पिक माध्यमों को भी प्रमुखता से स्थान मिला है। अभियान का 'माध्यम सम्मिश्रण' एक अच्छा उदाहरण कहा जाएगा जो किसी भी संचार अभियान का माध्यम सम्मिश्रण तैयार करने में उपयोगी हो सकता है।

❑❑❑

अध्याय 12

मातृ-शिशु स्वास्थ्य में व्यवहार परिवर्तन संचार की भूमिका

यह बात समझने की है कि स्वस्थ मां के पेट में पल रहा बच्चा ही स्वस्थ होगा। जीवन के इस वृक्ष की जड़ मां है और बच्चा शाखा। मां के शरीर को अगर पोषण दिया जाएगा तो वह उसके ज़रिए बच्चे को पहुंचेगा और उसके विकास में योगदान देगा। लेकिन, ग्रामीण क्षेत्रों में और कुछ शहरी, कम शिक्षित परिवारों में भी पीढ़ियों से यह मानसिकता जड़ जमाए हुए है कि बच्चा जब जन्म लेगा, तो उसे खिला-पिला लेंगे, मां को खिलाकर क्या होगा? मां जो कि घर की बहू है, वैसे भी दूसरे घर की बेटी है। ये व्यवहार आमतौर पर भारत के उन सभी राज्यों में है, जहां पितृ-सत्तात्मक समाज है। परंपरा के रूप में जड़ें जमाए इसी व्यवहार को बदलने की आवश्यकता है, तभी सुरक्षित मातृत्व भी होगा और स्वस्थ शिशु भी। इससे ही मातृ-शिशु मृत्यु दर में भी कमी आएगी। एक अन्य सोच यह भी है कि नवजात शिशु का इलाज किए जाने की आवश्यकता नहीं है। अर्थात् आम जनता जच्चा-बच्चा के स्वास्थ्य को लेकर बहुत जागरूक नहीं है।

हम मातृ-शिशु कल्याण की चाहे जितनी भी नीतियां और योजनाए बनाएं, स्त्रियों के प्रति लोगों की प्रवृत्ति और सोच बदले बिना हम संपूर्ण मातृ-शिशु स्वास्थ्य के लक्ष्य को हासिल नहीं कर पाएंगे। सोच बदलने के लिए लक्षित समुदाय/जनता में जागरूकता लानी होगी। यहां हम एक और विषय-अध्ययन के माध्यम से इस समस्या का हल खोजने का प्रयत्न करेंगे।

मातृ-शिशु स्वास्थ्य में सुधार और लोगों के व्यवहार परिवर्तन को लक्षित ऐसा ही एक प्रयास किया गया, पूर्वी उत्तर प्रदेश के गोरखपुर में *श्योर स्टार्ट* परियोजना के रूप में। विभिन्न स्वैच्छिक संगठनों के साझे प्रयास से इस परियोजना का संचालन वर्ष 2006-2011 के बीच गोरखपुर जिले के समस्त ग्रामीण क्षेत्रों में किया गया। परियोजना का लक्ष्य मातृ एवं शिशु मृत्यु दर में कमी लाना था जिसके लिए अनेक उद्देश्य निर्धारित किए गए। इन उद्देश्यों में मातृ एवं शिशु स्वास्थ्य की बेहतर स्थिति प्राप्त करने में व्यक्तिगत, परिवार स्तरीय एवं सामुदाय स्तरीय पहलों को प्रमुखता दी गई थी।

इन उद्देश्यों की प्राप्ति हेतु अनेक गतिविधियां निर्धारित की गई थीं। इन गतिविधियों को तीन चरणों-स्तर 1, 2 और 3 (अंग्रेजी में एल-1, एल-2 एवं एल-3) में बांटा गया।)। स्तर 1 पर जागरूकता निर्माण एवं पैरोकारी संबंधित गतिविधियों को रखा गया। स्तर 2 पर सेवा प्राप्ति के लिए समुदाय में गति लाने जैसी गतिविधियां रखी गईं जबकि स्तर 3 पर मातृ एव शिशु स्वास्थ्य को बेहतर बनाने वाली परिवार स्तर की गतिविधियों को शामिल किया गया। तीनों स्तरों पर अनेक गतिविधियां थीं। लेकिन एक प्रकार से जन-जागरूकता संबंधी गतिविधियों को इस परियोजना का आधार माना जाएगा क्योंकि इन गतिविधियों के माध्यम से लोगों को सूचना देने और उन्हें मातृ-शिशु स्वास्थ्य के मुद्दे पर समुचित कदम उठाने के लिए प्रेरित किया गया। प्रथम स्तर अर्थात् जन-जागरूकता संबंधी गतिविधियों को समस्त लक्षित क्षेत्र में संपन्न किया गया जबकि द्वितीय एवं तृतीय स्तर की गतिविधियों को क्रमशः 40 प्रतिशत तथा 15 प्रतिशत लक्षित समूह के साथ संपन्न किया गया। इसी से पता चलता है कि किसी भी विकास मुद्दे पर आधारित परियोजना अथवा कार्यक्रम में जागरूकता निर्माण संबंधी गतिविधियों का कितना अधिक महत्व है।

यहां हम अन्य गतिविधियों के विवरण में नहीं जाएंगे लेकिन यह अवश्य देखेंगे कि इस परियोजना में किस प्रकार जागरूकता निर्माण किया गया। परियोजना क्षेत्र में लक्षित समूहों को मातृ-शिशु स्वास्थ्य के मुद्दे पर संवेदित करने के लिए विशेष दिवसों का आयोजन किया गया जैसे महिला दिवस, सुरक्षित मातृत्व दिवस, सास-बहू सम्मेलन, महिला स्वास्थ्य दिवस, स्तनपान सप्ताह, नवजात एवं शिशु सप्ताह। लक्षित समूहों की प्रत्यक्ष सहभागिता सुनिश्चित करने के लिए रैलियां निकाली गईं, पोस्टर प्रतियोगिताओं तथा 'हेल्दी बेबी शो' जैसे कार्यक्रम आयोजित किए गए। यह सभी कार्यक्रम परियोजना अवधि में प्रत्येक वर्ष आयोजित किए गए ताकि दिए गए संदेश लोगों के दिमाग में घर कर जाएं। कार्यक्रमों को प्रभावी बनाने के लिए स्थानीय नेताओं, धार्मिक नेताओं, शिक्षकों आदि को मुख्य अतिथि के रूप में आमंत्रित किया जाता जिससे लोगों को यह समझ में आता था कि जब उनके क्षेत्र के जाने-माने लोग इन कार्यक्रमों में भाग ले सकते हैं तो ज़रूर ही कार्यक्रम अच्छा होगा। यह बात समझने के बाद ऐसे कार्यक्रमों में समुदाय के लोगों की भागीदारी बढ़ जाती।

'पहला एक घंटा' नामक अभियान की गिनती इस परियोजना के सबसे महत्वपूर्ण संचार प्रयासों में की जा सकती है। इस अभियान का उद्देश्य जन्म के तुरंत बाद (एक घंटे के अंदर) ज़च्चा-बच्चा की देखभाल पर आधारित था। अभियान के द्वारा माता-शिशु की देखभाल से संबंधित पांच संदेश समुदाय तक पहुंचाए गए। उक्त संदेश थे- प्रसव पूर्व तैयारी, माता-शिशु में खतरे के लक्षण, थर्मल केयर (शिशु को उचित तापमान प्रदान करना), नाल की देखभाल तथा जन्म के तुरंत बाद से लेकर अगले छह माह तक केवल मां का दूध। यह संदेश समुदाय तक पहुंचाने के लिए गर्भवती स्त्रियों, धात्री माताओं एवं उनके परिवार के सदस्यों के साथ अनेक गतिविधियां आयोजित की गईं जिनमें प्रमुख थीं- गोद भराई, सास-बहू सम्मेलन, प्रश्नोत्तरी, बैठकें, स्लोगन प्रतियोगिता तथा शैक्षणिक फिल्मों का प्रदर्शन। पंचायत प्रतिनिधियों तथा विभिन्न विभागों के अधिकारियों को भी "पहला एक घंटा अभियान" के बारे में जानकारी दी गई। पढ़े-लिखे परिवारों तक लिखित संदेश पहुंचाने के लिए पर्चों, हैंडबिल आदि का भी प्रयोग किया गया। इसके अतिरिक्त कैलेंडर, पोस्टर, फोल्डर, काउंसलिंग कार्ड, स्टिकर आदि के माध्यम से भी लिखित एवं चित्रमय संदेश दिए गए।

परियोजना के मुद्दों को उजागर करने के लिए स्थानीय माध्यमों का प्रयोग भी किया गया। इसके लिए ग्राम-स्तर पर लगने वाले हाट-बाजारों में *श्योर स्टार्ट* परियोजना के स्टॉल लगाए गए। ग्रामीण क्षेत्रों में हाट-बाजारों को महत्वपूर्ण स्थान माना जाता है क्योंकि यहां लोग बाजार के कामों के अतिरिक्त एंक-दूसरे से मिलते जुलते हैं और सामाजिक रूप से जुड़ते हैं। इस नाते ऐसे स्थान मनोरंजन के दृष्टिकोण से भी महत्वपूर्ण होते हैं। इस बात को समझते हुए ऐसे स्थानों पर स्टॉल लगाए गए, पोस्टरों एवं अन्य प्रचार सामग्रियों से सुसज्जित स्टॉल बरबस लोगों का ध्यान आकृष्ट कर लेते। स्टॉल देखने आए लोगों के बीच विषय-मूलक पर्चे भी बांटे जाते और उन्हें व्यक्तिगत रूप से भी मातृत्व-स्वास्थ्य के मुद्दे पर जानकारी दी जाती। इस माध्यम से दिया गया संदेश लोगों को आकर्षित भी करता और उन्हें समझ में भी आता। यहां यह भी ध्यान रखा जाता कि मातृ-शिशु स्वास्थ्य के संदेश केवल ग्रामीण ही नही, शहरी क्षेत्रों में भी दिए जाएं। इसके लिए गोरखपुर के शहरी क्षेत्रों के महत्वपूर्ण चौराहों, बस/रेलवे स्टेशनों एवं अन्य महत्वपूर्ण स्थानों पर बड़े-बड़े होर्डिंग/पोस्टर लगाए गए जिनका उद्देश्य शहरी जनता को तो संवेदित करना था ही, उन ग्रामीण लोगों तक भी संदेश पहुंचाना था जो विभिन्न कामों से

शहर आते हैं। गांव वापस जाने के लिए बस/ट्रेन पकड़ने अथवा शहर के महत्वपूर्ण चौराहों से गुजरने के क्रम में उनकी दृष्टि होर्डिंग पर ज़रूर ही पड़ती। इसका लाभ यह होता कि विभिन्न माध्यमों से पहले तो गांव में और फिर शहर में होर्डिंग के माध्यम से मिला यह संदेश उनके दिमाग में बैठ जाता। शहरी, अर्द्ध-शहरी एवं ग्रामीण क्षेत्रों में चलने वाले रिक्शों के पीछे भी संदेश छपी प्लेटों के माध्यम से लोगों का ध्यान मातृ-शिशु स्वास्थ्य के मुद्दों की ओर खींचने के प्रयास किए जाते।

लोगों को गर्भवती तथा ज़च्चा-बच्चा की बेहतर देखभाल के महत्व को समझाने के लिए धार्मिक नेताओं के साथ कार्यशालाएं आयोजित की गईं। इन कार्यशालाओं में धार्मिक नेताओं को इस मुद्दे पर पूरी जानकारी देकर उनसे अपील की जाती कि वे अपने समुदाय के लोगों को गर्भवती तथा ज़च्चा-बच्चा की देखभाल के लिए प्रोत्साहित करें। धार्मिक नेताओं के माध्यम से दिए गए संदेशों को लोग महत्व देते और उनपर अमल भी करते। लोगों के व्यवहार में बदलाव लाने के लिए ऐसा ही तरीका पल्स पोलियो अभियान में भी अपनाया गया था जिसकी सफलता को देखते हुए *श्योर स्टार्ट* परियोजना में भी इस तरीके को अपनाया गया। धार्मिक नेताओं के द्वारा दिए गए संदेशों का यह भी लाभ हुआ कि इस विषय पर व्याप्त अनेक भ्रांतियां मिटीं। पल्स पोलियो की ही तर्ज पर धार्मिक आयोजनों में परियोजना के स्टॉल लगाए गए जिससे इन आयोजनों के प्रतिभागियों तक सरलतापूर्वक मातृ-शिशु स्वास्थ्य के संदेश पहुंच जाते।

स्वास्थ्य कार्यकर्ताओं की भूमिका एवं उनकी जिम्मेदारियों के बारे में लोगों को जानकारी देने के लिए दीवार लेखन किए गए। दीवार लेखनों में एक और संदेश शामिल किया गया, वह था, परियोजना के तहत तैयार किए गए *'इमरजेंसी ट्रांसपोर्ट सिस्टम'* के बारे में जानकारी। इमरजेंसी ट्रांसपोर्ट सिस्टम के तहत क्षेत्र में उपस्थित गाड़ियों और उनके मालिकों की सूची तैयार की गई। पंचायत के अनटाइड फण्ड[1] की सहायता से दीवार लेखन कराए गए जिनमें परिवारों को संस्थागत (अस्पताल या स्वास्थ्य केंद्र) प्रसव हेतु प्रोत्साहित करने वाले संदेश, आशा कार्यकर्त्रियों के फोन नम्बर चयनित गाड़ियों के नम्बर तथा गाड़ी मालिकों के फोन नंबर भी लिखवाए गए। इन सबसे यह लाभ

[1]पंचायतों को भेजी गई इस राशि के खर्च के लिए कोई विशिष्ट दिशा-निर्देश नहीं होता है। इस राशि को आवश्यकतानुसार विकास के विभिन्न कार्यों में खर्च किया जा सकता है।

हुआ कि समुदाय को समझ में आ गया कि उनके क्षेत्र की आशा कौन है और अकस्मात परिस्थितियों में किस प्रकार 'इमरजेंसी ट्रांसपोर्ट सिस्टम' का प्रयोग किया जा सकता है? दीवार लेखन देखकर आशा कार्यकर्त्रियों को भी यह समझ में आ गया कि उनका क्षेत्र कौन सा है? समुदाय के हित में एक अप्रत्यक्ष लाभ यह भी हुआ कि इस प्रकार के दीवार लेखन के कारण अब स्वास्थ्य कार्यकर्ताओं के लिए अपनी जिम्मेदारियों से कन्नी कटाना असंभव हो गया। परिणामतः उनकी सेवाएं नियमित भी हुईं और उनमें गुणवत्ता भी आई।

घर-घर तक मातृ-शिशु स्वास्थ्य के संदेश बेहतर ढंग से पहुंचाने के लिए ग्राम स्तर पर मातृ समूहों का गठन किया गया। इन समूहों की बैठकों में गर्भवती स्त्रियों, धात्री माताओं तथा उनकी निकट संबंधी महिलाओं जैसे सास या जेठानी को सदस्य बनाया जाता। समूहों की नियमित मासिक बैठकों में प्रसव पूर्व तैयारी, माता-शिशु हेतु खतरे के लक्षणों, शिशु को विभिन्न तरीकों से उचित तापमान दिए जाने (थर्मल केयर), जन्म के तत्काल बाद एवं छह माह की आयु तक केवल स्तनपान जैसे विषयों पर खुलकर परिचर्चाएं होतीं। गर्भवती स्त्रियों एवं धात्री माताओं की रिश्तेदार महिलाओं से अनुरोध किया जाता कि वे घर के सदस्यों/पड़ोसियों को भी इन विषयों की जानकारी दें तथा परिवार स्तर पर गर्भवती/जच्चा-बच्चा की बेहतर देखभाल में सहयोग दें। यही नहीं, परियोजना के कर्मी अक्सर ही लक्षित घरों में भ्रमण करते। घरों का चुनाव करते समय उस घर में गर्भवती स्त्री, नवजात शिशु तथा धात्री माता की उपस्थिति देखी जाती। गृह भ्रमण के दौरान यह देखा जाता कि उन परिवारों में मातृ समूहों की बैठकों में दिए गए संदेशों का अनुपालन हो रहा है या नहीं। यदि नहीं हो रहा होता तो परिवार के सदस्यों को उन संदेशों को अपनाने के लिए प्रेरित किया जाता।

परियोजना के तहत अनेक चरणों में आशा कार्यकर्त्रियों को प्रशिक्षण दिया गया। प्रशिक्षण में उनके काम से जुड़े विषयों के अतिरिक्त अंतर्वैयक्तिक संचार को भी शामिल किया गया। इसका लाभ यह हुआ कि अब आशा कार्यकर्त्रियों और बेहतर समुदाय के बीच का संचार बेहतर हुआ जिससे मातृ-शिशु स्वास्थ्य एवं अन्य संदेश ढंग से समुदाय तक पहुंचने लगे। प्रशिक्षणों तथा अन्य उपायों के फलस्वरूप आशा कार्यकत्रियों का काम कुल मिलाकर अच्छे हुआ। ऐसे में बहुत अच्छा काम करने वाली कार्यकर्त्रियों का उत्साहवर्द्धन करने के उद्देश्य से 'आशा सम्मान समारोह' आयोजित किए गए और बहुत अच्छा प्रदर्शन देने वाली कार्यकर्त्रियों को सम्मानित किया गया। यह एक अप्रत्यक्ष तरीका था,

बेहतर ढंग से समुदाय तक पहुंचने का तथा आशा कार्यकर्त्रियों के व्यवहार में सकारात्मक परिवर्तन लाने का। सम्मानित करने का सिलसिला केवल कार्यकर्त्रियों पर ही नहीं रोका गया। गृह भ्रमण के दौरान ऐसी माताओं की पहचान की गई जो मातृ समूहों की बैठकों में दिए गए संदेशों के आधार पर शिशुओं की बहुत अच्छे ढंग से देखभाल कर रही थीं। ऐसी माताओं को भी सम्मान समारोहों में सम्मानित किया गया। माताओं के सम्मान के संदेश समुदाय में फैलने लगे जिसके फलस्वरूप अन्य माताओं में भी इसी प्रकार सम्मानित किए जाने की लालसा जागृत हुई। इस चाह में उन्होंने सम्मानित की गई माताओं से शिशुओं की बेहतर देखभाल पर जानकारी लेना और उसपर अमल करना भी शुरू कर दिया। इस प्रकार विषय-मूलक संदेशों का सरलतापूर्वक प्रसार होने लगा। माताओं का सम्मान एक ऐसा कारगर तरीका साबित हुआ जिसके अत्यंत उत्साहजनक एवं दूरगामी परिणाम आए।

सुरक्षित मातृत्व सुनिश्चित करने में गर्भवती स्त्रियों के पतियों को भी शामिल करने के प्रयास किए गए। इसके लिए एक अत्यंत ही भावनात्मक संदेश तैयार किया गया जिसके माध्यम से गर्भस्थ शिशु द्वारा अपने भावी पिता से मां की बेहतर देखभाल करने का अनुरोध किया गया। इस संदेश को 'पापा की चिट्ठी' का नाम दिया गया और समुदाय के उन घरों तक पहुंचाया गया जहां नया मेहमान आने वाला होता। (दूसरे स्थानों पर काम करने वाले भावी पिताओं को यह चिट्ठी डाक के माध्यम से भेजी गई)। चिट्ठी गर्भावस्था की पहली और तीसरी तिमाही के लिए अलग-अलग बनाई गई। इन दोनों त्रैमासों में गर्भवती को किस-किस प्रकार की देखभाल की आवश्यकता हो सकती है, इन बातों को बहुत ही भावनात्मक ढंग से होने वाले बच्चे के माध्यम से प्रस्तुत किया गया। एक बेहतर प्रस्तुतीकरण के कारण लोगों का ध्यान सरलतापूर्वक उन महत्वपूर्ण मगर साधारण प्रतीत होने वाली बातों की ओर खींचा जा सका, जिन्हें मामूली समझकर नजरअंदाज कर दिया जाता है। पापा की चिट्ठी के माध्यम से भावी पिताओं पर किस प्रकार सकारात्मक प्रभाव पड़ा, इस पर सफलता की अनेक कहानियां भी प्राप्त हुईं। सफलता की एक कहानी इस प्रकार थी कि गोरखपुर जिले के सरदारनगर प्रखंड का एक भावी पिता मुम्बई में कार्यरत था। उसे जब यह चिट्ठी मिली तो उसने तुरंत अपनी पत्नी के बेहतर खानपान के लिए परिवार में पैसे भेजे। प्रसव के समय वह पत्नी के पास मौजूद था, उसे वक्त पर पास के स्वास्थ्य केंद्र में ले गया, जहां सुरक्षित प्रसव हुआ।

इस प्रकार बहुत ही कोमल ढंग से गर्भ एवं प्रसव जैसे मामले में पुरुषों को शामिल करने के प्रयास किए गए। 'पापा की चिट्ठी' जैसे प्रयास से पुरुषों के व्यवहार में वांछित परिवर्तन आने लगे, उन्हें समझ में आने लगा कि सुरक्षित प्रसव केवल महिलाओं का विषय नहीं है, इनमें पुरुषों की भागीदारी भी उतनी आवश्यक है। इस तरह के प्रयास से अनेक वर्जनाएं भी टूटीं (गर्भ एवं प्रसव को केवल महिलाओं का क्षेत्र समझने की वर्जना, पुरुषों द्वारा इन मामलों से दूर रहने की वर्जना)। यह व्यवहार परिवर्तन ही था जो पुरुषों में दिखने लगा था।

इस परियोजना के माध्यम से कुल मिलाकर ऐसा माहौल बनाने के प्रयास किए गए जिससे कि समाज का हर वर्ग, परिवार सदस्य सुरक्षित प्रसव में अपनी भूमिका समझे और इस मामले में अपनी जिम्मेदारी निभा सके। गर्भावस्था और प्रसव को केवल महिलाओं का क्षेत्र समझने की भूल को भी इस परियोजना के माध्यम से मिटाने के प्रयास किए गए। सुरक्षित प्रसव अब केवल गर्भवती की सास-जेठानी की जिम्मेदारी नहीं रहा बल्कि इसे पूरे परिवार (पुरुषों समेत) की जिम्मेदारी के रूप में स्थापित कर दिया गया। पापा की चिट्ठी और गृह भ्रमण जैसे माध्यमों से परिवार के पुरुषों की सहभागिता मातृ-शिशु स्वास्थ्य संबंधी मुद्दों पर बढ़ने लगी। आशा कार्यकर्त्रियों का काम बेहतर हुआ, नियमित हुआ। पंचायत की बैठकें नियमित रूप से होने लगीं, बैठकों में परियोजना कर्मियों तथा आशा कार्यकत्रियों की सहभागिता बढ़ने से पंचायत सदस्यों को भी मातृ-शिशु स्वास्थ्य के मुद्दों की जानकारी हुई। गृह-भ्रमण के दौरान अक्सर ही पचांयत प्रतिनिधि भी परियोजना कर्मियों/ आशा कार्यकत्रियों के साथ जाने लगे जिससे गृह भ्रमणों का प्रभाव बढ़ जाता।

मातृ समूहों की बैठकें नियमित रूप से होने लगी जिससे इन मुद्दों के संदेश नियमित रूप से घर-घर पहुंचने लगे। समुदाय की पहुंच पंचायत के *अनटाइड फंड* तक होने लगी जिसका इस्तेमाल पंचायत के विकास कार्यों में किया जाता। संस्थागत प्रसव को बढ़ावा देने के लिए इमरजेंसी ट्रांसपोर्ट सिस्टम की स्थापना की गई जिससे अधिकांश प्रसव स्वास्थ्य केंद्रों और अस्पतालों में होने लगे और मातृ-शिशु मृत्यु की संख्या में धीरे-धीरे कमी आने लगी।

यह सारा परिवर्तन परियोजना की समस्त गतिविधियों का सम्मिलित परिणाम था किंतु इस प्रक्रिया में व्यवहार परिवर्तन संचार को इसलिए अत्यंत

महत्वपूर्ण माना जाएगा क्योंकि इसके माध्यम से समुदाय के हर वर्ग एवं परिवार के हर सदस्य को जोड़ने के प्रयास किए गए । कुल मिलाकर यह अपने-आप में संपूर्ण प्रयास था जिसके सकारात्मक परिणाम भी हर स्तर पर देखने को मिले।

❑❑❑

चिट्ठी मेरे पापा के नाम की (पहली तिमाही)

मेरे प्यारे पापा !

मै आपकी संतान हूं और और जल्द ही आपकी जिंदगी का हिस्सा होने वाला हूं।

मुझे पता है कि आप अपनी तरफ से मुझे स्वस्थ रखने की पूरी कोशिश कर रहे होंगे। पापा मैं चाहता हूं कि आप जानें कि जब मैं मां के पेट में हूं तों आप मेरे अच्छे स्वास्थ्य और विकास के लिए बहुत कुछ कर सकते हैं। मैं और मां दोनों ही ऐसी स्थिति में हैं कि आप हमें उन सभी बीमारियों से दूर रखें जिनसे हमारी जान को खतरा हो सकता है और पूरा परिवार दुखी हो सकता है।

मां को इस स्थिति में विशेष देखभाल की आवश्यकता है। आपको उन्हें स्वास्थ्य केंद्र ले जाकर उनकी प्रसव पूर्व जांच अवश्य करानी चाहिए। अगर आप उनके साथ जाएंगे तो उन्हें बहुत अच्छा लगेगा। उन्हें टी.टी. की सुई अवश्य लगानी चाहिए और खून बढ़ाने के लिए आयरन की गोली भी खानी चाहिए। उन्हें शायद ये गोली खाने के लिए बार-बार याद दिलाना पड़े। क्या मैं आप से ऐसा करने के लिए भरोसा कर सकता हूं?

पापा... इन सबके अलावा मां को जिसकी सबसे ज्यादा ज़रूरत है वो है, आपका प्यार और समय। उनको आपसे कुछ प्यारी बातें सुनकर और अपनी परेशानी बताकर और आपके साथ खाना खाकर बहुत अच्छा लगेगा। मुझसे वायदा कीजिए कि आप ये सब करने के लिए कुछ समय ज़रूर निकालेंगे, ठीक। आपको पता है कि जब आप मां के साथ होते हैं तो मुझे भी पता चलता है। आप और मां मेरे लिए बहुत प्यारे हैं पर यह तो और भी अच्छा होगा कि सारे परिवार वाले मां का हाथ बंटाएं उनकी मदद करें और उनका ख्याल रखें।

और आप को पता है........पापा, आंगनबाड़ी में एक मातृ समूह है जो हर माह बैठक करता है। आशा और आंगनबाड़ी इस बैठक में आकर बहुत अच्छी-अच्छी बातें बताते हैं जिनसे हम दोनों को फायदा हो सकता है। क्या आप मां को इस बैठक में जाने को कहेगें?

मैं आप से प्यार करता हूं पापा। आपको तो पता भी नहीं कि मैं लड़का हूं या लड़की। लेकिन मुझे पता है कि आप फिर भी मुझसे प्यार करते हैं।

मै अब थक गया हूं ....और आराम करना चाहता हूं लेकिन मैं फिर आप से बात करूंगा। मेरा इंतज़ार करिएगा.......

आप की प्यारी संतान.....

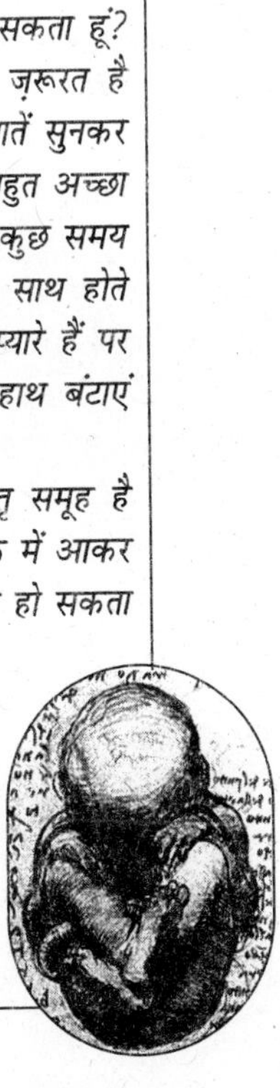

चिट्ठी मेरे पापा के नाम की (तीसरी तिमाही)

मेरे प्यारे पापा .....

मेरा आपके और मां के साथ बहुत प्यारा बंधन जुड़ चुका है और मैं अब दिन गिन रहा हूं जब मैं आप दोनों के साथ रहूंगा। मैं आपको उस प्यार और देखभाल के लिए धन्यवाद देना चाहता हूं जो आपने मुझे पिछले कई महीनों में दिया।

जैसा कि आप जानते है कि मां का प्रसव का समय निकट आ रहा है और इस समय उन्हें आपके प्यार, सहयोग और देखभाल की सबसे ज्यादा ज़रूरत है। यह मेरे और मां दोनों के लिए बहुत ही कठिन समय है क्योंकि इस समय कोई भी स्वास्थ्य समस्या या जटिलता हम दोनों के लिए खतरनाक हो सकती है। मगर आप चिंता मत करिए पापा, हम इसे थोड़ी सतर्कता और सावधानी से रोक सकते हैं जिससे मां को प्राथमिक स्वास्थ्य केंद्र ले जाया सके।

मुझे पता है कि आप पहले से ही मेरे जन्म की सब तैयारियां कर रहे हैं। आप मेरे और मां के लिए कुछ बचत कर सकते हैं। आप अपनी मासिक आय में से कुछ पैसे अलग रख लें जिससे मां को अस्पताल ले जाने के लिए गाड़ी वगैरह का इंतजाम किया जा सके। आप वी.एच.एस.सी. से भी सम्पर्क कर सकते है। मुझे पूरी उम्मीद है कि वह ऐसे व्यक्ति के बारे में बता सकता है, जो मां को अस्पताल ले जाते वक्त तुरंत गाड़ी दे सकता है। अगर सोच रखा है कि मेरा जन्म घर पर ही करवाएंगे तो दाई काकी से कह कर रखना है। सुरक्षित प्रसव के लिए प्रशिक्षित दाई का होना बहुत ज़रूरी है क्योंकि वह सफाई का ध्यान रखती है और आखिरी समय पर आने वाली परेशानियों को सुलझा सकती है, क्योंकि उस समय मैं और मां दोनों ही कोशिश कर रहे होंगे कि मैं इस दुनिया में सुरक्षित आ जाऊं।

पापा, स्वास्थ्य और बीमारियों से लड़ने की मेरी ताकत बढ़ाने के लिए जैसे ही मैं पैदा हो जाऊं, वैसे ही मुझे मां के स्तन से लगा देना। यह आवश्यक है कि मुझे मां का पहला दूध पिलायें जिससे मेरी बीमारियों से लड़ने की ताकत बढ़े और जैसा आप चाहते हैं, मैं वैसा स्वस्थ बच्चा बनूं। मुझे मां के पेट में बहुत आराम मिला, बहुत गरमाहट थी। इसलिए मुझे लपेट कर रखना और मुझे पहले कुछ दिनों तक नहलाना नहीं।

अब हमारे बीच कुछ ही दिनों की दूरी है, जल्द ही आप मुझे अपनी बांहों में पाएंगे। पूरी तरह स्वस्थ मैं आपको और पूरे परिवार को बहुत सारी खुशियां देना चाहता हूं।

मुझसे अब इंतजार नही हो पा रहा है। क्या आप मेरी उत्सुकता महसूस कर सकते हैं?

आप की प्यारी संतान......

अध्याय 13

व्यवहार परिवर्तन संचार की रणनीति का विकास

एक सुव्यस्थित एवं समय लगाने वाली प्रक्रिया होने के नाते व्यवहार परिवर्तन संबंधी संचार एक झटके में संपन्न नहीं हो सकता। यह एक निरंतर चलने वाली प्रक्रिया है। इस काम को क्रमबद्ध एवं सुव्यस्थित ढंग से संपन्न किए जाने की आवश्यकता है। लेकिन ऐसा करना तभी संभव है, जब इसके साथ एक अच्छा नियोजन भी हो। क्या किया जाना है (उदाहरणतया अभियान या कोई कार्यक्रम), उसका प्रभाव क्या होगा, क्या-क्या जोखिम/बाधााएं हो सकती हैं, किस ढंग और तरीके से काम किया जाएगा, समय-सीमा क्या होगी, किस व्यक्ति की क्या जिम्मेदारी होगी, आदि ढेरों ऐसे प्रश्न हैं, जिनका उत्तर हमारे पास तैयार होना चाहिए। इसे ऐसे समझा जा सकता है कि जब हम बाजार के काम से निकलते हैं तो किस दुकान से क्या और कितना सामान लेना है, किस दुकान से सिले हुए कपड़े लेने हैं, किस बैंक से कितने पैसे निकालने हैं, जैसे कामों की सूची ज़रूर बनाते हैं। यही नहीं, इस सूची के अतिरिक्त हम कुछ और भी तैयारियां करते हैं जैसे पैसे निकालने के लिए एटीएम कार्ड, सामान रखने के लिए थैला, दर्जी की रसीद, खुले पैसे आदि। यह छोटी-छोटी तैयारी हमें घर से बाहर निकलने के बाद सहायता करती है। स्वाभाविक है कि हर काम के लिए बार-बार अलग से बाज़ार जाना संभव नहीं होगा। इसलिए पूरे काम को इस ढंग से व्यवस्थित किया जाता है कि एक ही बार में यथासंभव सारे काम हो जाएं। यदि उन कामों की योजना बना ली गई है तो उनसे संबंधित तैयारी और संसाधन भी हमारे पास होने चाहिए। यदि कामों की सूची एक प्रकार से हमारी योजना का दस्तावेज है तो इस संदर्भ में हमारे संसाधन हैं, हमारे पास उपलब्ध पैसे, एटीएम कार्ड, उन दुकानों का पूरा पता, जहां पहली बार जाना है, दर्जी की रसीद आदि। यही सामग्रियां योजना को कार्यान्वित करने में सहयोगी होंगी। इस नाते ये हमारे संसाधन हैं जिनका योजना बनाते समय हमें ज़रूर ध्यान में रखना चाहिए क्योंकि संसाधनों के बिना कोई भी कार्य संपन्न नहीं किया जा सकता।

इस प्रकार की तैयारी 'रणनीति-निर्धारण' कहलाती है जिसे बड़े-से-बड़े और छोटे-से-छोटे काम के पूर्व अवश्य पूरा कर लेना चाहिए। व्यवहार परिवर्तन संचार के संदर्भ में इस रणनीति को 'व्यवहार परिवर्तन संचार रणनीति' कहा जाता है। यदि इसे संक्षिप्त रूप में समझा जाए तो व्यवहार परिवर्तन संचार रणनीति को एक ऐसे मेल के रूप में समझा जा सकता है जिसमें लक्षित समूह, उसके अनुरूप दिया जाने वाला संदेश, उस संदेश की विषय-वस्तु, संदेश दिए जाने का ढंग तथा माध्यम सब कुछ शामिल होते हैं जिनकी सहायता से व्यवहार परिवर्तन संचार के निर्धारित लक्ष्य हासिल किए जाते हैं। यह सारे शब्द रणनीति निर्धारण के महत्वपूर्ण घटक हैं, जिन्हें निम्नवत् रूप से समझा जा सकता है:

समस्या की पहचान-समस्या के रूप में हम एक सरल एवं चिर-परिचित उदाहरण लेते हैं। किसी गांव में बच्चे बार-बार दस्त का शिकार हो रहे हैं जिससे उनका स्वास्थ्य बुरी तरह प्रभावित हो रहा है। समुदाय से विभिन्न माध्यमों से बात करने पर पता चला कि लोग स्वच्छ पेयजल के प्रयोग के बारे में बहुत जागरूक नहीं हैं और कुएं/नलकूप का पानी बिना उबाले या छाने प्रयोग करते हैं। गंदे पानी के कारण लोगों को विशेषकर बच्चों को बार-बार दस्त की शिकायत हो रही है और उनका स्वास्थ्य चौपट हो रहा है। यहां समस्या के दो पहलू हैं। लोगों में जागरूकता की कमी, दूसरे गंदे पानी का प्रयोग। यदि पहली समस्या हल होती है तो दूसरी अपने-आप ही हल हो जाएगी, क्योंकि लोग जागरूक होने के बाद स्वच्छ पानी का प्रयोग करने लगेंगे, जिससे उनके बच्चों को दस्त की समस्या से छुटकारा मिल जाएगा।

उद्देश्य निर्धारण : दस्त की रोकथाम- यदि उस गांव में बच्चों को जल्दी-जल्दी होने वाली दस्त की बीमारी को एक समस्या के रूप में पहचाना गया है तो हमारे व्यवहार परिवर्तन संचार का उद्देश्य भी उसी के अनुरूप होना चाहिए। लेकिन यहां ध्यान देना ज़रूरी है कि उक्त उद्देश्य बिल्कुल सटीक हो, उसमें किया जाने वाला कार्य भी दिखना चाहिए, उस कार्य की समय सीमा भी झलकनी चाहिए और लक्षित समूह भी स्पष्ट होना चाहिए। इस प्रकार के उद्देश्य निर्धारण को अंग्रेजी में 'स्मार्ट' कहा जाता है जो दरअसल पांच अंग्रेजी शब्दों (*स्पेसिफ़िक* = स्पष्ट, *मेज़रेबल* = मापे जाने योग्य, *एॅचीवेबल* = प्राप्य, *रीयलिस्टिक* = यर्थाथवादी तथा *टाइमबाउण्ड* = समयबद्ध) के मेल का संक्षिप्त रूप है।

इस सूत्र को यदि दस्त वाले उदाहरण से जोड़ा जाए, तो निम्न रूप से उंद्देश्य निर्धारित किया जा सकता है:

''वाराणसी जिले के हरहुआ ब्लॉक के रसूलपुर गांव की 20 महिलाओं को 02 महीनों की अवधि में सुरक्षित पेयजल के प्रयोग (उबालकर/छानकर, ढंककर रखने एवं सफाई से प्रयोग) पर प्रशिक्षित करना, जिससे कि प्रशिक्षित महिलाएं सुरक्षित पेयजल के प्रयोग से बच्चों को दस्त एवं अन्य जलजनित रोगों से बचा सकें एवं गांव की अन्य महिलाओं को भी इस विषय पर जागरूक बना सकें।''

यदि इस उदाहरण का विश्लेषण करें तो रसूलपुर गांव की 20 महिलाएं इस कार्य का लक्षित समूह हैं, साथ ही गांव के नाम के उल्लेख से उद्देश्य में स्पष्टता आती है। बीस महिलाओं का आंकड़ा डालने से यह उद्देश्य मापे जाने योग्य भी हो जाता है क्योंकि दो महीनों की समय-सीमा के बाद यह मापा जा सकेगा कि प्रशिक्षण 20 महिलाओं को दिया गया; 20 से अधिक को या 20 से कम को। यही नहीं, यहां यह भी स्पष्ट है कि क्या गतिविधि की जानी है? उद्देश्य बताता है कि महिलाओं को प्रशिक्षण दिया जाना है, वह भी सुरक्षित पेयजल के रख-रखाव तथा प्रयोग पर। इस उद्देश्य के अंत में एक दीर्घकालीन उद्देश्य (लक्ष्य) भी स्पष्ट हो जाता है कि प्रशिक्षित महिलाएं बच्चों को जलजनित बीमारियों से बचाएंगी और यह सिलसिला आगे बढ़ेगा क्योंकि प्रशिक्षित महिलाएं अन्य महिलाओं को भी प्रशिक्षित करेंगी।

लक्षित समूह-समुदाय अपने-आप में बहुत विशाल होता है, जिसके अनेक उप-भाग होते हैं, जैसे बच्चे (बच्चों में भी अनेक उपसमूह हो सकते हैं, जैसे 0-1 वर्ष, 1-5 वर्ष, 6-14 वर्ष, आदि।), किशोर-किशोरियां, व्यस्क पुरुष, व्यस्क महिलाएं (महिलाओं के भी अनेक उप-समूह हो सकते हैं, जैसे गर्भवती महिलाएं, धात्री माताएं, बढ़ते बच्चों की माताएं) वृद्धाएं आदि। उक्त समाज में जो भी समस्या प्राथमिकता के आधार पर चुनी गई हो, उसी समस्या के दृष्टिगत लक्षित समूह चुना जाता है क्योंकि उक्त समस्या मोटे तौर पर तो समस्त समुदाय को प्रभावित कर सकती है किंतु कोई ऐसा विशिष्ट समूह होगा जो सीधे-सीधे उस समस्या से प्रभावित हो रहा होगा अथवा उस समस्या के निराकरण में उस समूह की भूमिका की संभावना मौजूद होगी। यदि किसी समुदाय में बहुत अधिक संख्या में बच्चों को दस्त हो रहे हों तो समस्या वैसे तो पूरे समुदाय की है किंतु उस आयु वर्ग के बच्चे इस समस्या

का लक्षित समूह हुए क्योंकि समस्या का प्रत्यक्ष प्रभाव उनपर पड़ रहा है। किंतु उन बच्चों की माताओं पर भी दूसरे ढंग से इस समस्या का प्रभाव हो रहा होगा जैसे बच्चों की बार-बार साफ-सफाई, उनके लिए खिचड़ी बनाने में समय की बर्बादी, आदि। इस समस्या के निराकरण में भी उन बच्चों की माताओं की बहुत महत्वपूर्ण भूमिका हो सकती है जैसे समुचित साफ-सफाई रखना, बच्चों की देखभाल में सावधानी आदि। बच्चों को यदि उबला या छाना हुआ पानी पिलाना है तो इस कार्य के लिए लक्षित समूह पिताओं का नहीं हो सकता, क्योंकि आमतौर पर माताएं ही बच्चों की देखभाल करती हैं। इस नाते माताओं को भी इस समस्या का लक्षित समूह माना जा सकता है।

संदेश- एक बार समस्या के दृष्टिगत लक्षित समूह की पहचान हो जाए तो यह समझना आसान हो जाता है कि उस समस्या के निराकरण के लिए उस समूह को क्या संदेश दिया जाना है, ऐसा क्या बताना है कि उसे समझकर उक्त समूह, उक्त समस्या के निराकरण में सहयोग दे सके। बच्चों के दस्त या ऐसी ही किसी बीमारी का उदाहरण यदि यहां दोबारा लें तो लक्षित समूह अर्थात् माताओं को यह समझाना आवश्यक होगा कि गंदे पेयजल के सेवन अथवा साफ-सफाई की कमी से उनके बच्चों को दस्त जैसी समस्या बार-बार हो रही है जिससे उनके स्वास्थ्य पर बुरा प्रभाव पड़ रहा है। यह संदेश गीत, स्लोगन, नारे या किसी अन्य रूप में भी दिया जा सकता है। संदेश संक्षिप्त एवं सरल होने चाहिए। उनके अंदर छिपा भाव ऐसा हो, जो सचमुच लोगों के दिलों को छू सके। मादा भ्रूण हत्या पर अंकुश लगाने के मुद्दे पर किसी सुंदर सी गुड़िया के चित्र के माध्यम से यदि कुछ ऐसा कहा जाए-

''मां, मैं हूं तुम्हारी अजन्मी बेटी। मुझे दुनिया में लाओगी न मां? मैं भी जीना चाहती हूं।''

या फिर, धूम्रपान की रोकथाम के लिए संदेश कुछ ऐसा हो कि एक तरफ एक खुशहाल परिवार और दूसरी तरफ धूम्रपान से हुए कैंसर से पिता की मृत्यु के बाद शोकाकुल बच्चे चित्रित हों। साथ में लिखा हो, **''किसे चुनेंगे आप?** यहां संदेशों को चित्र के माध्यम से और ध्यान आकृष्ट करने योग्य बनाने में भी रचनात्मकता की आवश्यकता है। संदेश जितना सरल, संक्षिप्त, सटीक और दिल को छूने वाला होगा, उतना ही प्रभावकारी होगा अन्यथा पोस्टरों और इश्तेहारों से तो किसी भी शहर की दीवारें भरी पड़ी होती हैं। इस भीड़ में जो अलग होगा, वही देखा-सुना-समझा जाएगा। इसलिए संदेश देने का माध्यम उपयोगी, प्रभावी एवं उक्त समुदाय के लिए

उपयुक्त होना चाहिए। संदेश दिए जाने का स्थान व समय भी लक्षित समूह के लिए उपयुक्त होना चाहिए। साथ ही, इन संदेशों को अलग-अलग समय पर अलग-अलग ढंग से दोहराए जाने की भी आवश्यकता होगी तभी उक्त संदेश लोगों के दिलों में घर कर पाएगा अन्यथा मात्र एक बार दिए गए संदेश को भूलने में जरा भी समय नहीं लगेगा। पल्स-पोलियो अभियान की सफलता का उदाहरण हमारे सामने है कि किस प्रकार बार-बार लोगों को समझाया जाता है कि बच्चों को पालियो से बचाने के लिए दवा ज़रूर पिलवाएं।

अभिगम- संदेश का रूप निर्धारित करने के पश्चात् यह भी तय किया जाना आवश्यक होगा कि उक्त संदेश को उसके लक्षित समूह तक पहुंचाने की पद्धति क्या होगी? अर्थात् संदेश केवल जानकारी के रूप में दिया जाएगा, शिक्षा के रूप में पहुंचाया जाएगा या उससे एक कदम आगे बढ़कर अभिप्रेरण अथवा मनोरंजन के रूप में? संस्थागत प्रसव की बात हमारे देश में बहुत दिनों से चल रही है। समय-समय पर सूचना प्रदाय एवं शिक्षा के माध्यम से समुदाय के लोगों को संस्थागत प्रसव का संदेश दिया जाता रहा है किंतु **राष्ट्रीय ग्रामीण स्वास्थ्य मिशन** के तहत इसे मौद्रिक प्रोत्साहन से जोड़ा गया है। इसमें संस्थागत प्रसव कराने वाली प्रसूता एवं इस काम में सहयोग देने वाली आशा कार्यकत्री को एक निश्चित प्रोत्साहन राशि दी जाती है। यह प्रोत्साहन राशि इसलिए रखी गई है कि संस्थागत प्रसव कराने से प्रसव संबंधी जटिलताओं में कमी आएगी, ज़च्चा और बच्चा की मृत्यु के आंकड़ों में कमी होती जाएगी (अस्पताल में बेहतर देखभाल के कारण)। यह हुई संस्थागत प्रसव पर संदेश दिए जाने की प्रोत्साहन पद्धति, जिसके फलस्वरूप इस राशि को पाने के लिए लोग संस्थागत प्रसव की ओर आकृष्ट हो रहे हैं।

माध्यम- यदि उक्त उदाहरण के संदर्भ में ही बात करें तो लोगों को संस्थागत प्रसव एवं प्रोत्साहन राशि के बारे में जानकारी देने के लिए पद्धति अथवा अभिगम के रूप में सूचना प्रदाय एवं प्रोत्साहन (राशि के रूप में) का सहारा लिया गया था किंतु उस पद्धति के अंतर्गत सूचना देने अथवा लोगों को संस्थागत प्रसव हेतु प्रोत्साहित करने के लिए विभिन्न माध्यमों का प्रयोग किया गया, जैसे दीवार लेखन, पंचायत की बैठकें, स्वास्थ्य केंद्रों में सूचना पटल, आशा कार्यकत्री का प्रशिक्षण और प्रशिक्षण पश्चात् आशा कार्यकत्री के माध्यम से समुदाय को इस बारे में सूचना देना। कुल मिलाकर संस्थागत प्रसव को बढ़ावा देने के लिए विभिन्न पद्धतियों एवं

विभिन्न माध्यमों का प्रयोग किया गया। तब जाकर कहीं समुदाय स्तर पर वांछित परिणाम आने शुरू हुए।

बच्चों के दस्त वाला उदाहरण लेकर संचार रणनीति की रूपरेखा को बेहतर ढंग से समझा जा सकता है:

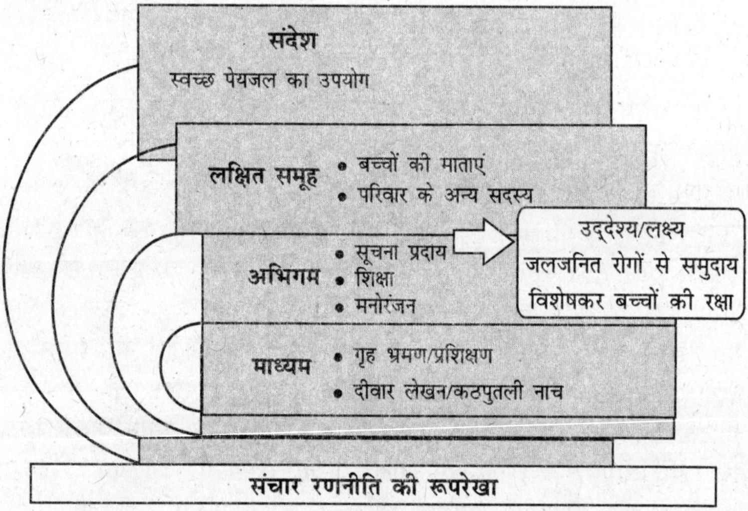

कैसी हो संचार रणनीति की रूपरेखा?

यह किसी समस्या अथवा उद्‌देश्य पर रणनीति की सैद्धान्तिक रूपरेखा का एक उदाहरण हुआ। यह रूपरेखा किसी भी अभियान का बिल्कुल शुरुआती कार्य होता है और अक्सर इस प्रकार का नियोजन शुरुआत की पहली–दूसरी बैठकों में ही कर लिया जाता है जिसमें संस्था के वरिष्ठ पदाधिकारी अथवा कार्यकर्ता भाग लेते हैं। सभागार अथवा बैठक कक्ष में बैठकर रणनीति बनाना तो सरल है। अगर कुछ कठिन है, तो उसे जमीन पर उतारना क्योंकि कार्यक्रम का धरातल–स्तरीय कार्यान्वयन अक्सर निचले स्तर के कार्यकताओं पर छोड़ दिया जाता है। यह उनके लिए ज़िम्मेदारी भी है और एक चुनौती भी। इसीलिए इस रूपरेखा को व्यवहार में लाने अथवा ज़मीनी स्तर पर उतारने के लिए एक सरल, सटीक एवं स्पष्ट कार्ययोजना बनानी चाहिए। इस कार्ययोजना को निम्नलिखित चरणों में बांटा जा सकता है:

- चरण 1 — आंकड़ों का संग्रहण
- चरण 2 — संचार उद्देश्यों का निर्धारण
- चरण 3 — रणनीति नियोजन एवं विकास
- चरण 4 — लक्षित समूहों का विश्लेषण एवं आवश्यकता आधारित विखण्डीकरण
- चरण 5 — माध्यम चयन
- चरण 6 — संदेशों की डिज़ाइनिंग
- चरण 7 — अभियान/कार्यक्रम का संचालन एवं अनुश्रवण
- चरण 8 — मूल्यांकन

संचार रणनीति की कार्ययोजना

चरण 1: आंकड़ों का संग्रहण- जिस क्षेत्र में, और जिस समुदाय के साथ काम करना है, काम शुरू करने से पहले उससे जुड़े विभिन्न पहलुओं को जान लेने से काम आसान हो जाता है। आंकड़ों का संग्रहण मुख्यतः जिन बिंदुओं पर होता है वह हैं-लक्षित समूहों की सामाजिक-आर्थिक पृष्ठभूमि, धर्म, भाषा, संस्कृति, तौर-तरीके, व्यवहार, सोच, क्षेत्र की विशेषताएं/समस्याएं, क्षेत्र के संसाधन, सूचना पाने के उपलब्ध माध्यम, लोगों द्वारा विभिन्न माध्यमों का प्रयोग अथवा विभिन्न माध्यमों के बारे में लोगों की पसंद/नापसंद (आगे चलकर माध्यमों के बारे में लोगों की पसंद-नापसंद से जुड़ी जानकारी उक्त समुदाय के लिए समुचित माध्यम चुनने में सहयोगी होगी), आदि। आंकड़ों के संग्रहण के लिए प्रायः 'सैम्पल'(नमूना) तकनीक का प्रयोग किया जाता है क्योंकि इस तकनीक से कम समय में प्रतिनिधि आंकड़े प्राप्त हो सकते हैं और उक्त समुदाय अथवा क्षेत्र के बारे में में भी जाना जा सकता है। आंकड़ों के संग्रहण के दौरान समुदाय के लोगों के साथ बना संबंध बाद के चरणों में भी काम आता है। संग्रहित आंकड़ों को तालिका एवं सारणी में क्रमबद्ध तरीके से प्रस्तुत किया जाता है। इन सुव्यवस्थित आंकड़ों के विश्लेषण की सहायता से प्रतिवेदन का निर्माण किया जाता है, जो एक प्रकार से उस रणनीति का आधार होता है।

चरण 2: संचार उद्देश्यों का निर्धारण- यह वही चरण है जिसकी चर्चा हमने रणनीति की रूपरेखा के संदर्भ में उद्देश्य निर्धारण के तहत की थी।

इसके तहत विस्तार से उद्देश्य निर्धारण के आवश्यक तत्वों (जैसे 'स्मार्ट') पर चर्चा की जा चुकी है। यही नहीं, हमने उद्देश्य निर्धारण का एक उदाहरण भी उक्त खण्ड में देख लिया है। इसलिए उन बातों की पुनरावृत्ति की यहां आवश्यकता नहीं है। बस यह याद रखना आवश्यक है कि संचार रणनीति के उद्देश्य भी हर उद्देश्य की तरह 'स्मार्ट' हों। उद्देश्य निर्धारण के पूर्व निम्नांकित प्रश्नों को ध्यान में रखा जाना अति आवश्यक है:

- इस उद्देश्य का लक्षित समूह कौन है?
- वह लक्षित समूह कहां स्थित है/कहां निवास करता है (अर्थात् लक्षित क्षेत्र)?
- उक्त समूह को लक्षित समूह के रूप में क्यों चुना गया है/चुने जाने का कारण क्या है?
- उस लक्षित समूह को किस प्रकार का संदेश दिया जाना है?

इन प्रश्नों का निर्माण और उनके उत्तरों की खोज के क्रम में हम अपने-आप ही एक *स्मार्ट* उद्देश्य तक पहुंच जाएंगे।

चरण 3: रणनीति नियोजन एवं विकास- उद्देश्यों के निर्धारण के बाद बारी आती है, उन्हें एक व्यावहारिक रूप देने की। यह चरण ही रणनीति विकास का वास्तविक चरण है। इस चरण पर निम्नलिखित दो बिंदुओं पर कार्य किया जा सकता है:

क) संचार अभिगम का चयन

ख) दिए जाने वाले संदेश के प्रकार का निर्धारण

अभिगम या अभिगमों के मिश्रण के चयन में यह देखने की आवश्यकता होगी कि इनकी सहायता से हमें अपने लक्षित समूह पर किस प्रकार का प्रभाव छोड़ना है? आंकड़ों के संग्रहण के बाद लक्षित समूहों के व्यवहार, आदतों, आदि की पहचान तो हो ही जाती है; उसी जानकारी के आधार पर अभिगम का चयन किया जा सकता है। कुछ जाने-माने अभिगम इस प्रकार हैं:

- लोगों के ज्ञान एवं जानकारी के स्तर में वृद्धि-इसके लिए जानकारी प्रदाय अभिगम उपयोगी होगी।
- लोगों को अभिप्रेरित करना- अभिप्रेरण एवं संवाद अभिगम।
- विशिष्ट तकनीकी ज्ञान अथवा कौशल प्रदान करना- इसके लिए शिक्षण-प्रशिक्षण अभिगम उपयोगी हो सकता है।

इन सभी मामलों में अलग-अलग तरीके अपनाने की आवश्यकता होगी क्योंकि प्रत्येक का लक्षित समूह अलग होगा, इसीलिए प्रत्येक लक्षित समूह के ज्ञान, कौशल, सोच, व्यवहार में भी भिन्नता होगी। यहां यह माना जा सकता है कि जैविक कृषि पर प्रशिक्षण प्राप्त करने आया हुआ कृषकों का समूह पहले से ही जैविक कृषि के लाभों से अवगत होगा। शायद यह ज्ञान उस समूह को तब मिला होगा जब प्रशिक्षण आयोजित करने वाली संस्था ने शुरुआती दौर में जैविक कृषि पर जागरूकता अभियान चलाया था। यह भी मान सकते हैं कि उसके बाद के चरण में संस्था ने प्रोत्साहन सत्र भी आयोजित किए थे, जिनके तहत चयनित कृषकों ने शैक्षणिक भ्रमण में भाग लिया, उन्होंने उन सफल कृषकों के लहलहाते खेत देखे और जैविक कृषि के माध्यम से उनकी आर्थिक स्थिति में आए सुधार की कहानी उनकी ज़ुबानी सुनी। यह सब कुछ अपनी आंखों से देखकर और कानों से सुनकर शैक्षणिक भ्रमण के प्रतिभागी कृषक भी जैविक कृषि अपनाने के लिए प्रेरित हुए और उक्त संस्था से अनुरोध किया कि उन्हें भी इस विषय पर प्रशिक्षण दिया जाए। यह कौशल प्राप्त करने और उसे अपनाने का चरण है जिसके लिए सीखने-सिखाने अर्थात् शिक्षण-प्रशिक्षण अभिगम का चयन किया जाता है।

अभिगम अथवा अभिगमों के निर्धारण के बाद समय आता है, संबधित संदेशों के प्रकार के निर्धारण का। यदि अभिगम के रूप में हमने जानकारी प्रदाय को चुना है तो यहां बिल्कुल बुनियादी प्रकार का संदेश दिया जाना चाहिए। यदि अभिप्रेरण अभिगम पर काम करना है तो एक कदम आगे बढ़कर प्रत्यक्ष संवाद, शैक्षणिक भ्रमण जैसे माध्यमों की सहायता से लक्षित समूहों को अभिप्रेरित किया जा सकता है (जैसा कि हमने ऊपर जैविक कृषि पर चयनित कृषकों के शैक्षणिक भ्रमण वाले उदाहरण में देखा)।

चरण 4: लक्षित समूहों का विश्लेषण एवं आवश्यकता आधारित विखण्डीकरण (*सेगमेन्टेशन*)- मोटे तौर पर लक्षित समूह की पहचान करने के बावजूद हर उप-समूह के लिए एक ही अभिगम अथवा एक ही माध्यम का उपयोग करना व्यावहारिक नहीं हो सकता क्योंकि प्रत्येक समूह की अपनी अलग विशेषताएं होती हैं, अपनी अलग आवश्यकता होती है। इसीलिए लक्षित समूहों को छोटे-छोटे समूहों में बांटा जा सकता है। बांटने के लिए भी विभिन्न आधार हो सकते हैं जैसे आयु, लिंग आदि।

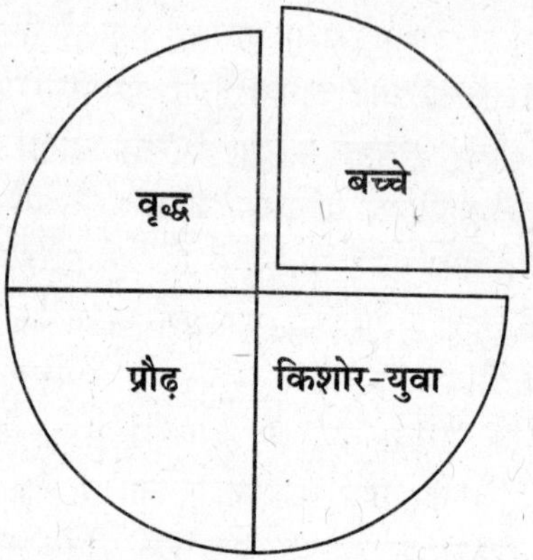

एक सामान्य विखण्डीकरण निम्नवत् रूप से किया जा सकता है:

उक्त विखण्डीकरण आयु के आधार किया गया है। स्वभाविक है कि जिस ढंग से युवाओं के साथ बातचीत हो सकती है, वही ढंग बच्चों के लिए नहीं अपनाया जा सकता, क्योंकि प्रत्येक उप-समूह का स्तर एक-दूसरे से भिन्न होता है।

चरण 5: माध्यम चयन- प्रत्येक उप-समूहों के भी उप-समूह बनाए जाने के विभिन्न कारण होते हैं। यदि 0-3 आयु वर्ग की आवश्यकता पोषण एवं स्वच्छता संबंधी देखभाल होगी तो 3-6 आयु वर्ग को विद्यालय भेजे जाने की ज़रूरत होगी। इसीलिए दोनों उप-समूहों के लिए न तो एक ही तरीका कारगर होगा, न एक ही माध्यम। इसीलिए 0-3 आयु वर्ग के बेहतर पोषण के लिए उनकी माताओं को जागरूक बनाया जा सकता है, जिसके लिए गृह भ्रमण, समूह बैठक जैसे माध्यम प्रयोग किए जा सकते हैं। विद्यालय जाने की उम्र के बच्चे एक तो स्वयं ही लक्षित समूह हुए, दूसरे उनके अभिभावक भी एक लक्षित समूह हैं जिन्हें बच्चों को विद्यालय भेजने के लिए जागरूक बनाने और अभिप्रेरित करने की ज़रूरत होगी। यदि यहां पर कठपुतली नाच का इस्तेमाल किया जाए तो बच्चे-बड़े दोनों ही को उसमें रुचि होगी और कार्यक्रम के बाद बैठक के माध्यम से दिए गए संदेशों पर चर्चा करने में आसानी होगी। इसीलिए माध्यमों का चयन पूरी तरह से लक्षित समूहों की पृष्ठभूमि पर आधारित होना चाहिए। संचार रणनीति विकास के दौरान इन छोटे-छोटे बिंदुओं पर ध्यान दिया जाना बेहद ज़रूरी है। इसके लिए दूर तक देखने वाली नज़र और दूर तक सोचने वाली सोच चाहिए।

चरण 6: संदेशों की डिज़ाइनिंग- अभी तक तो इस अध्याय में 'संदेश' के सैद्धान्तिक आयामों पर चर्चा की गई है। इस चरण पर आकर जब लक्षित समूहों की पूरी तरह पहचान हो चुकी है, उनके उप-खण्ड बांटे जा चुके हैं, उनके लिए उपयुक्त अभिगमों एवं माध्यमों की पहचान भी की जा चुकी है, तो अब बचे संदेश। पहले तो इन संदेशों के प्रारूप तैयार किए जाते हैं, फिर उनका पूर्व-परीक्षण किया जाता है। पूर्व-परीक्षण के लिए एक बार फिर एक छोटा सा सर्वेक्षण (40-50 लोगों के बीच अथवा आवश्यकतानुसार) किया जा सकता है।

पूर्व-परीक्षण के लिए किए गए सर्वेक्षण को एक उदाहरण की सहायता से समझते हैं। किसी राज्य में सामाजिक सुरक्षा के तहत सरकार द्वारा गरीब परिवारों के वृद्धजनों, विकलांगजनों एवं विधवाओं को दी जाने वाली पेंशन के बारे में जागृत करना है। इस रणनीति के तहत लक्षित समूह पूरी तरह स्पष्ट हैं अर्थात् वृद्धजन, दिव्यांग एवं विधवाएं। शहरी क्षेत्र में तो फिर भी लोगों का जागरूकता स्तर बेहतर हो सकता है लेकिन ग्रामीण क्षेत्रों में निरक्षरता एवं निर्धनता के कारण लोग आवश्यक जानकारियों से वंचित रह जाते हैं जिससे उनमें सूचना की ग़रीबी बढ़ती जाती है और इस गरीबी के कारण उनकी वंचनाएं भी बढ़ती जाती हैं। स्वाभाविक है कि इन मुद्दों की पहचान आंकड़ों के संग्रहण के दौरान हो गई होगी। यदि यह माना जाए कि ग्रामीण क्षेत्रों में इन समूहों तक सामाजिक सुरक्षा पेंशन की जानकारी पहुंचाने के लिए अन्तर्वैयक्तिक माध्यमों (समूह बैठकें, गृह भ्रमण तथा) तथा प्रचार सामग्रियों की पहचान की गई है तो चयनित कार्यकर्ता समूह बैठकें, गृह भ्रमण संपन्न कर सकते हैं और उन बैठकों/भ्रमणों के दौरान हैंडबिल, पर्चों, संदर्भ पुस्तिक. ाओं की मदद से लक्षित समूहों को बता सकते हैं कि उन्हें सामाजिक सुरक्षा के तहत कितनी, कब-कब और कहां से पेंशन मिलेगी?

इस संदर्भ में चित्र के माध्यम से एक संदेश दिया जा सकता है, ***'वृद्धजनों, दिव्यांगों एवं विधवाओं को मिलेगा उनका अधिकार, सामाजिक सुरक्षा पेंशन, खुशहाल जीवन का आधार'।*** इस संदेश को एक ऐसे चित्र के माध्यम से दिखाया जा सकता है जिसमें यह वृद्धजन अथवा दिव्यांगजन पंचायत भवन से रूपये लेकर खुशी-खुशी निकल रहे हों। साथ में यह भी लिखा हो कि इन समूहों को प्रत्येक महीने के प्रथम सप्ताह में पंचायत भवन से 500 रुपये (या सरकार द्वारा जो भी रकम दी जाती हो) प्रति माह की राशि सामाजिक सुरक्षा पेंशन के रूप में मिलेगी। इसके अतिरिक्त संपर्क सूत्र

के रूप में पंचायत सचिव अथवा सरपंच के बारे में बताया गया हो और यदि संभव हो तो उनका मोबाइल नम्बर भी दिया गया हो।

यह हुआ इस संदेश का प्रारूप जिसका पूर्व-परीक्षण अभी बाकी है। उक्त संदेश पर अधिक जानकारी एक चित्रमय पुस्तिका के माध्यम से अथवा संबंधित कार्यकर्ता के लिए आयोजित बैठकों के दौरान दी जा सकती है। पूर्व-परीक्षण के दौरान यह पता करने की कोशिश की जा सकती है कि क्या लक्षित समूहों को यह पता चला कि:

- सरकार उन्हें हर महीने सामाजिक सुरक्षा के नाम पर पेंशन देती है?
- यह रकम कितनी है?
- पेंशन कब और कहां से मिल सकती है?
- इस संबंध में जानकारी किस व्यक्ति/स्थान से मिल सकती है?

यदि पूर्व-परीक्षण के दौरान यह पता चलता है कि लक्षित समूहों तक वांछित जानकारी भी पहुंच रही है और उनमें से अनेक को पेंशन भी मिलने लगी है तो इसे उक्त संदेश की सफलता माना जाएगा। इस सफलता के बाद उक्त संदेश का बड़े पैमाने पर, बड़े क्षेत्र में प्रचार-प्रसार किया जा सकता है। वहीं अगर पूर्व-परीक्षण के नतीजे नकारात्मक आएं अर्थात् यह पता चले कि संदेश लोगों की समझ में नहीं आया और लोग पेंशन का लाभ नहीं ले पाए तो उक्त संदेश की विषय-वस्तु, चित्र और प्रस्तुतीकरण आदि में परिवर्तन किए जाने की आवश्यकता होगी।

चरण 7: अभियान/कार्यक्रम का संचालन एवं अनुश्रवण- यह वह चरण है, जहां तक पहुंचते-पहुंचते हर तत्व का एक निश्चित रूप निर्धारित हो चुका होता है। संदेश तैयार किए जा चुके हैं, पूर्व-परीक्षण के परिणामों के आधार पर उनमें वांछित परिवर्तन किए जा चुके हैं। अब बारी आती है, बड़े पैमानों पर उन संदेशों को लक्षित समूहों तक पहुंचाने की। इसके लिए आंकड़ों के संग्रहण के दौरान पहचाने गए (लक्षित समूहों की प्राथमिकता, उपलब्धता आदि के आधार पर) माध्यमों की सहायता से एक निश्चित अवधि तक निश्चित क्षेत्र में अभियान अथवा कार्यक्रम संपन्न किए जाते हैं। उद्देश्य के अनुसार इस अभियान की अवधि कुछ महीनों से लेकर सालों तक की हो सकती है। यदि विद्यालय में नामांकन का समय है और विद्यालय छोड़ चुके या विद्यालय न जाने वाले बच्चों का नामांकन कराना है तो नामांकन के समय से दो महीने पहले से अभियान चलाया जा सकता है। ऐसे अभियान की अवधि 2-3 महीनों से अधिक नहीं हो सकती। लेकिन अगले वर्ष फिर उसी समय पर

अभियान चलाए जाने की आवश्यकता होगी। यदि मुद्दा सुरक्षित मातृत्व अथवा जैविक कृषि का है तो इनके लिए कम-से-कम 3 से 6 वर्षों तक अभियान चलाने की आवश्यकता होगी क्योंकि कुछ मुद्दों को स्वीकार करने में समुदाय को बहुत अधिक समय लगता है, इसीलिए इनके परिणाम आने में भी समय लगता है। यदि यह पता करना हो कि सुरक्षित मातृत्व के अभियान के फल. स्वरूप मातृ एवं शिशु मृत्यु के वार्षिक आंकड़ों में कितनी गिरावट आई है तो इसके लिए कम-से-कम 3-4 वर्ष का समय चाहिए। सतत् अनुश्रवण भी इस अभियान का अंग होता है जिसके तहत यह पता किया जाता है कि अभियान सही दिशा में चल रहा है या नहीं। इसके लिए बैठकों, प्रतिवेदनों, क्षेत्र भ्रमण, समुदाय के साथ संवाद आदि का प्रयोग किया जाता है। अनुश्रवण के दौरान सामने आई समस्याओं का निवारण इस चरण पर किया जाता है। इसके लिए अक्सर ही काम करने के ढंग में भी परिवर्तन किए जाते हैं। इन सब प्रयासों के फलस्वरूप अभियान नामक रेलगाड़ी को फिर से पटरी पर लाया जाता है ताकि वह सही दिशा में दौड़ सके और सही मंजिल तक पहुंच सके।

अनुश्रवण प्रायः संबंधित संगठन द्वारा ही किया जाता है किंतु आवश्यकता पड़ने पर बाहर के विशेषज्ञों की सहायता भी ली जा सकती है। लगातार चलने वाला अनुश्रवण प्रायः उक्त अभियान चलाने वाले संगठन द्वारा ही किया जाता है जबकि मध्यावधि अनुश्रवण के लिए बाहरी विशेषज्ञ भी बुलाए जा सकते हैं। सहभागी अनुश्रवण के तहत लक्षित समूहों के प्रतिनिधि भी इस कार्य में भाग लेते हैं। मध्यावधि अनुश्रवण की आवश्यकता 3 वर्ष या उससे अधिक समय की अवधि के अभियानों के लिए होती है।

चरण 8: मूल्यांकन- इस समस्त प्रक्रिया का अंतिम चरण है, मूल्यांक. न। अभियान की समाप्ति के बाद मूल्यांकन के माध्यम से यह पता करने के प्रयास किए जाते हैं कि अभियान अपने निर्धारित उद्देश्यों की प्राप्ति में सफल रहा या नहीं। उदाहरणतया, यदि किसी सत्र में विद्यालय न जाने वाले कम से कम 100 बच्चों का नामांकन कराने का लक्ष्य निर्धारित किया गया है तो मूल्यांकन के दौरान यह देखा जाएगा कि अभियान की सहायता से 100 बच्चों का नामांकन हुआ या उससे कम। यदि यह आंकड़ा 70-80 प्रतिशत है, तो ठीक माना जाएगा अन्यथा अभियान की रणनीति में आवश्यक परिवर्तन करने होंगे। उसी प्रकार, सुरक्षित मातृत्व के 5 वर्षों के अभियान के मूल्यांकन के तहत यह देखा जाएगा कि अभियान शुरू होने के समय लक्षित क्षेत्र में मातृ एवं शिशु मृत्यु की दर क्या थी और उसमें कितने प्रतिशत की

कमी आई है? इसके लिए शुरुआती बेसलाइन आंकड़ों एवं समापन आंकड़ों की सहायता ली जाती है। आंकड़ों के लिए अभियान की शुरुआत के पहले, मध्यावधि में एवं समापन के समय सर्वेक्षण किया जाता है साथ ही अन्य द्वितीयक आंकड़ों (जनगणना, राष्ट्रीय परिवार स्वास्थ्य सर्वेक्षण आदि) का भी प्रयोग किया जाता है।

इस प्रकार के मूल्यांकन की प्रक्रिया कुल मिलाकर यह पता करती है कि अभियान किस हद तक अपने उद्देश्यों की प्राप्ति में सफल रहा। इसके लिए प्रायः बाहरी विशेषज्ञ बुलाए जाते हैं मगर संबंधित संगठन के प्रतिनिधि भी मूल्यांकन प्रक्रिया में भाग लेते हैं। सहभागी मूल्यांकन के तहत लक्षित समूहों के प्रतिनिधि भी इस कार्य में भाग लेते हैं। मूल्यांकन के परिणामों के आधार पर अगले अभियान की रणनीति निर्धारित की जाती है।

इस प्रकार की सुव्यवस्थित तैयारी के बिना समुदाय के साथ काम करना वैसा ही है, जैसे तैराकी सीखे बिना गहरे पानी में कूद पड़ना, क्योंकि समुचित तैयारी व्यवहार परिवर्तन संचार की आधारशिला है। पुस्तक के पूर्ववर्ती अध्याय यदि व्यवहार परिवर्तन संचार की सैद्धान्तिक जानकारी पर आधारित हैं तो प्रस्तुत अध्याय का उद्देश्य उस सैद्धान्तिक जानकारी को अमली जामा पहनाना अर्थात् उसके व्यावहारिक पहलुओं की जानकारीं प्रदान करना है।

❑❑❑

अध्याय 14

व्यवहार परिवर्तन संचार और पत्रकारिता

पत्रकारिता, प्रेस, मीडिया और चैनल ये कुछ ऐसे शब्द हैं, जो आम जनता में बहुत ज्यादा प्रचलित हैं। आम लोग मीडिया में ख़बर आने, अखबार में फोटो छपने और चर्चा में आने को उत्सुक रहते हैं। साथ ही, मीडिया में जो कुछ भी आ गया, लोग उस पर सहज विश्वास भी करते हैं। यानी, प्रचार और समाचार माध्यमों में आने वाली सामग्रियों का आम जनता पर काफी प्रभाव पड़ता है। इसलिए मीडिया न केवल लोगों के व्यवहार परिवर्तन में मदद कर सकता है बल्कि मीडिया को भी कुछ मामलों में अपने व्यवहार में परिवर्तन लाने की आवश्यकता है। सनसनीखेज ख़बरें देने के अलावा विकास और सामाजिक बदलाव, जो पत्रकारिता के प्रमुख उद्देश्यों में शमिल है, उसे अब प्राथमिकता में अनिवार्य रूप से शामिल करना होगा। सूचना प्रौद्योगिकी, विशेष रूप से मोबाइल संचार के उत्कर्ष के इस दौर में देश में मीडिया की लोगों तक पहुंच काफी बढ़ गई है और वे न सिर्फ समाचार देख-सुन रहे हैं, बल्कि उस पर अपनी त्वरित प्रतिक्रिया भी देते हैं। ऐसे में पत्रकारिता एक अकेला ऐसा क्षेत्र है जिसके माध्यम से लोगों को अपनी आदतों के बदलाव के बारे में प्रेरित किया जा सकता है। मीडिया अगर चाहे तो रातोंरात किसी ऐसे मुद्दे पर व्यापक जनसमर्थन खड़ा कर सकता है, जो लोगों से सीधे-सीधे जुड़ा है। हाल के दिनों में मीडिया में कुछ सकारात्मक बदलाव देखने में आए हैं। चाहे वह समाचार पत्र हों, रेडियो या टी.वी, स्वच्छता, बीमा योजना और बचत खाते खुलवाने जैसे मुद्दों पर अब सकारात्मक रिपोर्टिंग देखने, सुनने में आ रही है। ग्रामीण क्षेत्रों के प्रेरक व्यक्तित्व, ग्रामीण विकास और स्वास्थ्य जैसे मुद्दों पर मीडिया कवरेज बढ़ा है। चूंकि भारत में मीडिया स्वतंत्र है और उसे अपनी जिम्मेदारी का एहसास भी है, इसलिए अब हम अपेक्षा कर सकते हैं कि **मीडिया नकारात्मकता से सकारात्मकता की ओर**, धीरे-धीरे ही सही, कदम बढ़ाएगा।

अगर हम पत्रकारिता के उद्देश्यों की बात करें तो, पत्रकारिता के पेशे के प्रमुख कार्य होते हैं: (1) जानकारी देना, (2) जन-जागरूकता लाना (3) शिक्षा का प्रसार (4) रूढ़िवादिता एवं अंधविश्वास पर रोक लगाना

(5) जनमत निर्माण एवं (6) मनोरंजन। ये सारे कार्य विभिन्न मीडिया समूह अपने-अपने ढंग से करते हैं। कभी-कभी इन कामों में मनोरंजन का अंश अधिक हो सकता है तो कभी जनमत निर्माण का; लेकिन कुल मिलाकर इन समस्त कार्यों के साथ न्याय करना पत्रकारों का दायित्व भी है और उनके पेशे की मांग भी।

बदलते समय के साथ पत्रकारिता के दायरे में एक और काम जुड़ा है और वह है, लोगों के व्यवहार में सकारात्मक परिवर्तन लाना। यह परिवर्तन उन सभी वर्गों को लक्षित करता है, जिन तक पत्रकारिता से जुड़े माध्यमों की पहुंच है। किंतु समुदाय अथवा समाज के व्यवहार में परिवर्तन लाना तभी संभव होगा जब पत्रकारों का अपना व्यवहार लक्षित समूहों के व्यवहार में परिवर्तन लाने के लिए उपयुक्त हो।

पिछले कुछ वर्षों में पत्रकारों का रुझान नकारात्मकता की ओर देखा गया है जिसके तहत पत्रकार समाज में किसी मुद्दे पर प्राप्त हुई सफलता की ओर ध्यान न देकर 'क्या नहीं हुआ' के पीछे भागते हैं। इस प्रकार के रवैये से अक्सर ही जो अच्छा हुआ है, वह पीछे छूट जाता है और लोगों का ध्यान क्या नहीं हुआ/असफलताओं की ओर अधिक चला जाता है। जिससे हानि होती है, जन-सामान्य में नकारात्मक सोच उभरने के रूप में। स्वर्गीय राष्ट्रपति अब्दुल कलाम ने एक बार अपने एक भाषण में कहा था, *"हमारे देश का मीडिया इतना नकारात्मक क्यों है? हम एक महान देश के नागरिक हैं जहां सफलता की अनगिनत कहानियां मौजूद हैं। फिर भी हम सफलता की उन कहानियों को, अपने देश की शक्तियों को और अपनी उपलब्धियों को पहचानने से इंकार क्यों करते हैं?"* अपने कथन की पुष्टि के लिए उन्होंने अनेक उदाहरण भी दिए थे। उन्होंने बड़े ही गर्व से गिनवाया था कि विश्व का सर्वाधिक दुग्ध उत्पादन भारत में होता है। चावल एवं गेहूं की पैदावार के मामले में हम विश्व में दूसरे स्थान पर हैं। ऐसी अन्य सफलता की कहानियों के उदाहरण के माध्यम से उनका उद्देश्य यह कहना था कि इतनी अधिक उपलब्धियों के बावजूद भारत के मीडिया का रुझान क्यों नकारात्मक एवं आपराधिक समाचारों की ओर अधिक है? हम भारतीय मौत, बीमारी, आतंकवाद, अपराध जैसे नकारात्मक मामलों पर ही समाचार देखना-सुनना पंसद करते हैं, आखिर हम इतने अधिक नकारात्मक क्यों हैं?

पूर्व राष्ट्रपति के इस कथन को समझने के बाद यह कहा जा सकता है कि मीडिया के नकारात्मक रुझान के कारण लोगों का झुकाव नकारात्मकता

अथवा चटपटी खबरों की ओर अधिक होने लगता है। यहीं से पीत पत्रकारिता की शुरुआत होती है जो लोगों के निजी जीवन से जुड़ी खबरों पर आधारित होती है। ऐसी ही पीत पत्रकारिता का शिकार हुई थीं, इंग्लैंड की राजकुमारी डायना जो अपने निजी जीवन में पापराज़ी[1] की ताकझांक से बचने की कोशिश में एक हादसे की भेंट चढ़ गईं और इस क्रम में उनकी मौत हो गई। कुछ ऐसा ही मामला हाल में सामने आया था जब इंग्लैंड के राजकुमार विलियम और उनकी पत्नी कैथरीन (डचेज़ ऑफ कैम्ब्रिज) के हनीमून में मीडिया ने ताकझांक करने की कोशिश की थी।

केवल विदेशी ही नहीं, ऐसे सैकड़ों उदाहरण हमारे अपने देश में भी मिल जाएंगे। सबको पता है कि अभिनेता सलमान खान अपने स्वैच्छिक संगठन के माध्यम से सामाजिक काम करते हैं, अनेक ज़रूरतमंद लोगों की मदद करते हैं। मगर उनके इस सामाजिक काम पर समाचार अथवा आलेख बहुत कम ही देखने को मिलते हैं। उनके पिछले प्रेम प्रसंगों अथवा विवाह में हो रहे विलम्ब को आए दिन मीडिया में प्रमुखता से स्थान मिलता है। इस संदर्भ में एक और उदाहरण आता है पटना, बिहार के प्रोफेसर मटुक नाथ चौधरी का, जो वर्ष 2006 में अपनी ही एक शिष्या के साथ प्रेम प्रसंग के चलते समाचारों की सुर्खियों में आए थे। इस विचित्र प्रेम प्रसंग को मीडिया ने इतना अधिक तूल दिया कि मटुक नाथ और उनकी प्रेमिका के जीवन की निजता तार-तार हो गई। किसी के निजी जीवन में इतनी अधिक दखलअंदाजी के कारण पटना के तत्कालीन वरिष्ठ पुलिस अधीक्षक, कुन्दन कृष्ण को कहना पड़ा था कि इस मामले में मीडिया अपनी सारी हदें पार कर गया।

सनसनी पैदा करने वाले समाचार छापकर शायद पत्रकारों को लगता होगा कि उनका अख़बार बिकेगा, चैनल की टी.आर.पी. बढ़ेगी और बतौर पत्रकार उनकी छवि मज़बूत होगी। मगर सनसनी अथवा अपराधों के पीछे भागने वाले पत्रकार अक्सर यह भूल जाते हैं कि अपराध संबंधी खबरों को आवश्यकता से अधिक महत्व देकर वह एक प्रकार से अपराधों का महिमामंडन कर रहे हैं। इस महिमामंडन से आपराधिक प्रवृत्ति के लोगों को अपराध करने के लिए प्रेरणा मिल सकती है, जिससे समाज में अराजकता फैल सकती है। यही नहीं, इस चक्कर में ऐसे आवश्यक समाचार हाशिए पर ढकेल दिए जाते हैं, जिन्हें प्रमुखता से स्थान मिलना चाहिए।

[1]पापराज़ी एक विशेष प्रकार के स्वतंत्र फोटोग्राफर होते हैं, जो प्रायः बड़े लोगों के निजी जीवन से जुड़े फोटो लेने के प्रयास करते हैं।

पत्रकारों के रवैये में एक अत्यंत महत्वपूर्ण बात जिसका ध्यान रखा जाना आवश्यक है, वह है-प्रकाशित/प्रसारित किए जा रहे समाचार में नैतिकता का सम्मान। आरुषि तलवार-हेमराज दोहरे हत्याकाण्ड में मीडिया एवं पुलिस दोनों ने ही अपने-अपने हिसाब से हत्याकाण्ड की बख़िया उधेड़ी, विभिन्न व्यक्तियों के चरित्र पर शक की अंगुली उठाई गई । इस क्रम में मृतका के चरित्र तक पर गंदगी के छींटे पड़े। आखिरकार महिला आयोग को हस्तक्षेप कर यह कहना पड़ा कि छानबीन अथवा समाचार प्रकाशन के क्रम में ऐसा कुछ भी कहा या छापा नहीं जाए जिससे मृतका के चरित्र पर छींटे पड़ें क्योंकि मृतका इस हादसे की पीड़िता थी, आरोपी नहीं। इस प्रकरण में नए-नए समाचार परोसने और सनसनी मचाने के क्रम में मीडिया यह तक भूल गया था कि बिना किसी आधार के किसी भी जीवित या मृत व्यक्ति के बारे में ऐसा कुछ भी कहा या छापा नहीं जा सकता जिससे उसके चरित्र पर आंच आए। इस तरह के नकारात्मक तत्वों/प्रवृस्तियों को रोकना मीडिया की नैतिक ही नहीं, सामाजिक जिम्मेदारी भी है।

पत्रकारों की सामाजिक जिम्मेदारी के तहत कुछ और मुद्दों को भी शामिल किए जाने की आवश्यकता है। एक ऐसा ही मुद्दा है, हाल के वर्षों में उभरे 'स्टिंग ऑपरेशन' का। कुछ साल पहले उभरे पत्रकारिता के इस नए रूप को 'खोजी पत्रकारिता का बिगड़ा हुआ रूप' कहना बेहतर होगा। इसके तहत पत्रकार गुप्त कैमरा और गुप्त टेप रिकॉर्डर के माध्यम से सनसनी फैलाने वाले समाचार सामने लाते हैं। स्टिंग ऑपरेशन की कार्यप्रणाली की नैतिकता पर शुरू से ही सवालिया निशान रहा है क्योंकि इसका उद्देश्य 'शिकार' (संदिग्ध व्यक्ति) को अपने जाल में फंसाना होता है। इसमें कई बार निर्दोष व्यक्ति भी लपेटे में आ चुके हैं। इसीलिए सरकार ने स्टिंग ऑपरेशन पर शिकंजा कस रखा है। सरकार द्वारा शिकंजा कसा जाना एक अलग बात है लेकिन पत्रकारिता के इस रूप का उदय ही अपने-आप में गलत है। यहां पत्रकारों की यह नैतिक जिम्मेदारी है कि वह अपने पेशे में सत्य और नैतिकता का साथ न छोड़ें। सनसनीखेज़ ख़बर सनसनी मचाकर समाप्त हो जाएगी (जैसा कि स्टिंग ऑपरेशन से जुड़े लगभग सभी मामलों में हुआ) लेकिन सच पर आधारित इस पेशे में यदि झूठ और जालसाज़ी का प्रवेश हो गया तो यह सिलसिला बढ़ता ही जाएगा और यह पेशा अपनी गरिमा खो बैठेगा। किसी भी देश में यदि पत्रकारिता को एक ऐसे पेशे के रूप में अपनी पहचान बनानी है जो पूरी तरह से निष्पक्ष, सटीक एवं पूर्णतः सत्य पर

आधारित हो तो तथ्यों को विचारों से अलग करना होगा, तथ्यों को वैसे ही पेश करना होगा जैसे वे हैं, उनमें अपने विचारों अथवा कल्पनाओं का पुट मिलाए बिना। यह एक अन्य महत्वपूर्ण क्षेत्र है, जिसमे पत्रकारों के व्यवहार परिवर्तन की आवश्यकता है।

पत्रकारिता के क्षेत्र में व्यवहार परिवर्तन का एक और मुद्दा यह है कि यदि पत्रकारों का रुझान नकारात्मकता की ओर अधिक है तो संतुलन के लिए समाज की अच्छाइयों/अच्छे चलनों को सामने लाने का दायित्व भी पत्रकारो का ही होना चाहिए। कुछ समय पूर्व एक ऐसा ही अच्छा चलन सामने आया था, जब वर्ष 2014 में सुनामी जैसी हृदयविदारक त्रासदी के दस वर्ष पूरे होने पर कुछ मीडिया समूहों ने विशेष फीचर प्रकाशित/प्रसारित किए थे। उनमें यह बताया गया था कि बर्बादी के दस साल बाद किस तरह आज सुनामी प्रभावित समुदाय अपने प्रयासों से एक नए जीवन की ओर बढ़ रहा है। यह एक ऐसी जानकारी थी जिससे निराशा पर आशा की, और अंधेरे पर उजाले की जीत का संदेश सरलतापूर्वक समाज तक पहुंच सका। मीडिया का काम आतंकित या चिंतित करने वाले समाचार पहुंचाना ही नहीं, बल्कि नई उम्मीद का संचार करने वाले समाचार पहुंचाना भी है। सुनामी के दस वर्षों बाद नया जीवन शुरू करने की जद्दोजहद पर प्रकाशित फीचर एक ऐसा ही प्रयास था। मीडिया द्वारा समाज को सकारात्मक संदेश देने वाले ऐसे प्रयासों को और बढ़ाने की आवश्यकता है। ऐसे प्रयासों से एक सकारात्मक माहौल का निर्माण होता है, जन-सामान्य उस अच्छी शुरुआत को अपनाने की कोशिश करते हैं और इससे समाज में एक अच्छे बदलाव की शुरुआत होती है। ऐसी सफलता की कहानियां या अनूठे प्रयास हजारों-लाखों की संख्या में मौजूद हैं, गांव, गली-मोहल्लों, सड़कों पर ऐसे लोग मौजूद हैं जो कुछ अलग कर रहे

गर्भ में आते ही बेटियां गोद ले लेतीं हैं संदीप

हैं लेकिन उनकी इस कोशिश को सामने लाने वाला कोई नहीं है। समाज को कुछ सार्थक देने की ऐसी ही कोशिश कर रही संदीप कौर पर एक समाचार छपा था। संदीप कौर अमृतसर के सुल्तानविंड गांव में ट्रस्ट बनाकर 260 ऐसी बेटियों को गोद ले चुकी हैं जिनके माता-पिता ने लिंग परीक्षण के आधार पर उन्हें कोख में ही मार डालने का प्रयास किया था। आज वह सभी बच्चियां सुरक्षित रूप से संदीप कौर के पास रह रही हैं।

क्या ऐसी अन्य अनोखी कोशिशों का संदेश समस्त देश में फैलना नहीं चाहिए? यदि देश के कन्या भ्रूण हत्या या भ्रूण परीक्षण जैसे बुरे चलनों को प्रमुखता से स्थान मिलता है तो ऐसे अनुकरणीय उदाहरणों को क्यों नहीं? अनुकरणीय प्रयासों को सामने लाने से इस प्रकार की रुचि रखने वाले अन्य लोगों को भी प्रेरणा मिलेगी और वह भी अपने ढंग से अनुकरणीय प्रयास करेंगे। इस प्रकार समाज में एक अच्छी शुरुआत होगी जिसकी जड़ में मीडिया का योगदान होगा।

हाल के वर्षों में मीडिया में एक खबर बहुत आम हो रही है, वह है नवजात बच्चियों को उनके अभिभावकों द्वारा त्यागे जाने की खबर। नवजात बच्चियों को त्यागे जाने का कारण कुछ भी हो सकता है, बेटा-बेटी के बीच का भेद, बेटी के विवाह में होने वाला खर्च, मोक्ष दिलाने के लिए एक बेटा पाने की मजबूरी या फिर ग़रीबी जिसके कारण माता-पिता अधिक संतानों का बोझ नहीं उठा सकते और उन्हें छोड़ देते हैं, या तो मरने के लिए या फिर इस आस में कि कोई भला इंसान उनकी संतान को अपना लेगा। मीडिया ऐसी लावारिस बच्चियों के फोटो समेत समाचार कवर कर अपना कर्तव्य पूरा करता है लेकिन यह कर्तव्य यहीं समाप्त नहीं होता। इस कलंकित चलन के पीछे अनेक कारण एवं परिणाम हो सकते हैं जिन पर अभी समाज को पूरी तरह से जागरूक बनाए जाने की आवश्यकता है। ऐसे अभिभावकों को यह पता होना चाहिए कि परिवार से अलग किया जाना ऐसी बच्चियों के मानवाधिकारों का हनन है जिसके लिए दोषी अभिभावकों को कानून सजा दे सकता है। एक और बात, जो अभिभावकों को जाननी चाहिए वह है, भविष्य में ऐसी बच्चियों के शोषण की आशंका। घर से बिछुड़ी ऐसी बच्चियां आगे चलकर मानव व्यापारियों के चंगुल में फंस सकती हैं, वेश्यावृत्ति के दलदल में ढकेली जा सकती हैं जिससे उनका जीवन नारकीय हो सकता है। अगर बेटी त्यागने वाले अभिभावकों को इतनी दूर की सोच नहीं है तो उनमें यह सोच मीडिया ही विकसित कर सकता है। इस मामले में एक और बिंदु है, जिस

हिन्दुस्तान 18

गया में बुरे दिन के लिए भिखारियों ने बनाया 'मंगला बैंक'

40

20

पर मीडिया द्वारा पैरोकारी की आवश्यकता है। कन्या शिशुओं को त्यागने वाले अभिभावकों के विरुद्ध सख्त कानूनी कार्रवाई किए जाने की आवश्यकता है। कानून तो हैं, लेकिन लोगों को उनकी पूरी जानकारी नहीं है। इस मामले में समाज की भूमिका पर भी मीडिया प्रकाश डाल सकता है। उदाहरणतया, यदि किसी भी व्यक्ति ने किसी अभिभावक को शिशु त्यागते देखा हो अथवा उस बारे में उसे कोई भी जानकारी हो तो मीडिया के माध्यम से वह जानकारी दे सकता है। समाज के विभिन्न वर्गों को इस मामले में शामिल करने का लाभ यह होगा कि शिशु त्यागने वाले अभिभावक आगे चलकर ऐसा करने से डरेंगे।

ऐसी बच्चियों को गोद लिए जाने के लिए इच्छुक अभिभावकों से अपील करने अथवा उन्हें इस प्रक्रिया के बारे में जागरूक करने में भी मीडिया की महत्वपूर्ण भूमिका हो सकती है। मौजूदा समय में लावारिस मिली बच्चियों के बारे में समाचारों को ज़रूर कवरेज मिलता है लेकिन एक-दो दिनों के बाद यह कहानी समाप्त हो जाती है। इस संपूर्ण मुद्दे पर व्यापक और लंबे समय तक चलने वाले जागरूकता अभियान की आवश्यकता है जो केवल मीडिया ही निभा सकता है। केवल एक-दो समाचारों/आलेखों के प्रकाशन अथवा प्रसारण से ही पत्रकारों के कर्तव्य की इतिश्री नहीं हो जाती, उन्हें इस मामले में अपनी दीर्घकालीन भूमिका को समझते हुए अपने दृष्टिकोण तथा काम करने के ढंग में आवश्यक परिवर्तन करने होंगे।

पत्रकारों द्वारा समाज के अच्छे चलनों/सफलता की कहानियों को सामने लाने के संदर्भ में मैं एक और समाचार का ज़िक्र करना चाहूंगी। समाचार कुछ ऐसा था कि बिहार के गया जिले में भिक्षुकों ने किस प्रकार अपने बुरे दिनों से निपटने के लिए 'मंगला बैंक' नामक एक बैंक की शुरुआत की है।

राजस्थान के सीकर जिले में इलाज के अभाव में पति की मौत से आहत पत्नी ने पेश की अनोखी मिसाल

अस्पताल बनाने के लिए बुजुर्ग महिला ने बेचे खेत

उक्त समाचार में बैंक के शुरू होने के कारण, काम करने के ढंग, सहयोग प्रदान करने वाले व्यक्तियों की भूमिका, सदस्यों की संख्या से लेकर अन्य ज़रूरी जानकारियां प्रदान की गई थीं। समाचार में इस बात को भी शामिल किया गया था कि बैंक बनने से भिक्षुओं की सबसे बड़ी यह चिंता दूर हो गई कि अब बड़ी रकम के लिए उन्हें किसी के आगे हाथ नहीं फैलाना पड़ेगा। निश्चित रूप से इससे भिक्षुओं का आत्म-सम्मान झलकता है, साथ ही नजर आता है, भविष्य की चिंता दूर करने के लिए उठाया गया समुचित कदम। एक और सकारात्मक प्रयास पर समाचार आया था, राजस्थान में नीम का थाना, सीकर से। समाचार में बताया गया था कि किस प्रकार गांव में अस्पताल की कमी से आहत होकर एक बुजुर्ग महिला कोकली देवी ने अपने खेत बेचकर अस्पताल बनवाया। समाचार में विवरण दिया गया था कि गांव में अस्पताल न होने के कारण मरीजों को इलाज हेतु हरियाणा या जयपुर ले जाना पड़ता था। ऐसे ही एक बार उनके पति को इलाज के लिए बाहर ले जाना पड़ा जिस क्रम में उनकी मृत्यु हो गई। पति की मृत्यु के बाद कोकली देवी ने संकल्प किया कि उनके गांव का कोई भी व्यक्ति इलाज के अभाव में नहीं मरेगा। इसी संकल्प को पूरा करने के लिए उन्होंने खेत और फसल बेचकर गांव में एक अस्पताल बनवाया जिसमें बाद में सरकार द्वारा स्टाफ भी प्रदान किया गया। उस क्षेत्र के छह गांवों की पच्चीस हजार की आबादी पर यह इकलौता अस्पताल है। एक आम महिला का यह प्रयास किसी के लिए भी प्रेरणादायी हो सकता है

गया का मंगला बैंक हो या सीकर की कोकली देवी द्वारा अपने संसाधनों से जनसेवा के लिए बनवाया गया अस्पताल, यह सभी सुखद परिवर्तन लाने वाले प्रयास हैं। ऐसे प्रेरणादायी प्रयासों को ज़रूर ही समाज

के सामने लाया जाना चाहिए ताकि ऐसे प्रयासों का विस्तार हो सके। इस तरह के समाचारों के कवरेज से उक्त पत्रकारों की सकारात्मक सोच व 'कुछ नया', 'कुछ अच्छा' सामने लाने की कोशिश भी झलकती है। ऐसी सोच एवं ऐसी कोशिश का विस्तार तभी हो सकता है, जब समस्त पत्रकार समुदाय इस काम में साथ दें। पत्रकारों द्वारा इस परिवर्तन की शुरुआत हो सकती है अपनी सोच में बदलाव लाकर।

इस प्रकार यदि देखा जाए तो समाज में सद्प्रयासों के प्रचार-प्रसार की जिम्मेदारी भी मीडिया की ही है। इस नई जिम्मेदारी का सैद्धांतिक एवं प्रायोगिक दोनों ही प्रकार से समावेशन किया जाना चाहिए। पत्रकारिता पर पठन-पाठन कराने वाले संस्थानों की यह जिम्मेदारी बनती है कि वह इस तरह के मुद्दे पाठ्यक्रम में जोड़ें। इसके लिए पत्रकारिता के मुख्य पाठ्यक्रम में सामाजिक दायित्वों पर एक उप-पाठ्यक्रम एवं इंटर्नशिप को शामिल किया जा सकता है। जिस प्रकार सभी औद्योगिक समूह अनिवार्य रूप से *कॉरपोरेट सोशल रेस्पॉन्सिबिलिटी*-सी.एस.आर (कॉरपोरेट जगत की सामाजिक जिम्मदेारी) संपन्न कर रहे हैं, उसी प्रकार, पत्रकारिता जगत के लिए भी सामाजिक जिम्मेदारी अनिवार्य होनी चाहिए। व्यवहारिक स्तर पर प्रत्येक पत्रकार का यह नैतिक एवं सामाजिक ज़िम्मा बनता है कि वह अपने-अपने माध्यमों से अच्छे सामाजिक चलनों का प्रचार-प्रसार करे।

पत्रकारिता के क्षेत्र में व्यवहार परिवर्तन के लिए एक अन्य शर्त है, लीक से हटकर चलना । इस संदर्भ में बदले जाने योग्य एक लीक है, सरकार पर दोषारोपण करने या सरकारी कामकाज में कमियां निकालने की। सच्चाई यह है कि इस चलन या पत्रकारों की आदत के कारण सरकारी कामकाज की अच्छाइयां सामने नहीं आ पातीं। हालांकि इस मामले में एक बड़ा परिवर्तन देखने को मिला था 'स्वच्छ भारत अभियान' की कवरेज के सिलसिले में। सभी जानते हैं कि भारत सरकार का 'स्वच्छ भारत अभियान' एक अत्यंत ही पेशेवर ढंग से तैयार किया हुआ अभियान है, जिसे प्रभावकारी संचार नीति के कारण मीडिया में भी भरपूर स्थान मिला। लेकिन ऐसे असंख्य सरकारी प्रयास पत्रकारों की लीक पर चलने की आदत के कारण जनता के सामने नहीं आ पाते और जनता के दिल में सरकारी कामकाज के प्रति नकारात्मकता बैठती चली जाती है। लीक से हटकर चलने का एक उदाहरण मिलता है, बिहार राज्य महिला आयोग के एक समाचार से। उक्त समाचार के अनुसार, बिहार महिला आयोग के सदस्यों ने व्यक्तिगत रुचि लेकर एक अनाथ लड़की की

शादी के लिए लड़का खोजा। हालांकि इस तरह के कार्य आयोग के कार्यक्षेत्र में नहीं आते हैं मगर मानवीयता के नाते आयोग के सदस्यों ने यह क़दम उठाया। इस पहल को मीडिया में स्थान मिलना एक अच्छी शुरुआत माना जाएगा, क्योंकि अक्सर ही इक्का-दुक्का अच्छे प्रयासों को मीडिया में स्थान नहीं मिलता। ऐसी स्थिति में महिला आयोग या किसी भी ऐसे संगठन द्वारा की गई इस अच्छी शुरुआत को मीडिया में स्थान मिलना निःसंदेह उत्साहजनक माना जाएगा। इसके फलस्वरूप ऐसे सद्प्रयासों में वृद्धि होगी। इसका दूसरा लाभ यह होगा कि समाज भी इन सद्प्रयासों के बारे में जान पाएगा और समय पड़ने पर सहायता हेतु ऐसे संस्थानों के दरवाजे खटखटा पाएगा। ऐसे अच्छे कामों की शुरुआत अगर कहीं होती है तो मीडिया का दायित्व बनता है कि सरकारी तंत्र के प्रति पूर्वाग्रहों का परित्याग करें। ऐसा करके मीडिया एक सामाजिक मुहिम का प्रणेता बन सकता है। बस ज़रूरत है, पूर्वाग्रह रहित दृष्टि अपनाने की, जो कहीं-न-कहीं व्यवहार परिवर्तन का ही अंग है।

पटना, मंगलवार, 24 फरवरी, 2015
www.prabhatkhabar.com 04

अब नये रिश्ते बना रहा है महिला आयोग

संवाददाता, पटना

बिहार राज्य महिला आयोग न केवल पीड़ित महिलाओं को न्याय दिला रही, बल्कि दोनों परिवारों के बीच सुलह भी करा रही है. इससे पति-पत्नी के टूटे रिश्ते भी जुड़ रहे है. यहीं अब आयोग की ओर से अनाथ व असहाय कुंवारी लड़कियों की शादी भी करायी जायेगी. दरअसल कुछ इसी तरह के गुहार लोग लगा रहे हैं.

नहीं हैं लड़की के मां-बाप: बीते माह बेगूसराय के बछवाड़ा थाने के नारेपुर गांव के एक बुजुर्ग ने अपनी पोती की शादी कराने की गुहार महिला आयोग से लगायी. उन्होंने बताया कि मेरे बेटे और बहू की मृत्यु लाइलाज बीमारी से हो गयी है. ऐसे में मेरे सिवा इस दुनिया में मेरी पोती का कोई नहीं. बुजुर्ग होने के कारण अब मैं लड़का ढूंढने नहीं जा सकता. साथ ही इतने पैसे भी मेरे पास नहीं है कि पोती का धूमधाम से ब्याह कर सकूं. ऐसे में आप ही मेरी मदद कर सकती हैं.

तैयार हो गया आयोग : इस पर महिला आयोग द्वारा त्वरित कार्रवाई करते हुए लड़की की शादी कराने की बात कही गयी. आयोग द्वारा लड़की का पूरा बायोडाटा के साथ लड़के की तलाश की गयी. आयोग की सदस्यों द्वारा अपने-अपने स्तर से लड़की के लिए अच्छे रिश्ते की तलाश की गयी. लंबी तलाश के बाद हाजीपुर निवासी लड़के ने शादी करने की हामी भरी. आयोग की सदस्या रीना कुमारी ने कहा कि जल्द ही आयोग उसकी शादी करायेगा. लड़के की छानबीन भी की गयी है.

कहा जाता है कि डर एवं लालच दो ऐसे तत्व हैं, जिनका मानव व्यवहार पर बहुत अधिक प्रभाव पड़ता है। अगर इसे आज के पत्रकारिता के दौर से जोड़कर देखें तो सभी समाचार पत्रों/पत्रिकाओं को अधिक-से-अधिक पाठक संख्या का लालच है जबकि सभी टी.वी. चैनल टी.आर.पी.[2] बढ़ाने की दौड़ में शामिल हैं। इस होड़ में अक्सर ही सनसनी मचाने वाले समाचारों को स्थान दिया जाता है ताकि अधिक से अधिक दर्शक और पाठक आकर्षित हो सकें। सनसनी पैदा करने वाले ऐसे समाचारों को अक्सर ही या तो बढ़ा-चढ़ाकर प्रस्तुत किया जाता है या जल्दबाज़ी में उनकी वास्तविकता का सत्यापन नहीं किया जाता। ऐसी स्थिति में जनता भ्रमित होती है। यह

[2]टेलीविज़न रेटिंग पॉयण्ट

पत्रकारिता के पेशे के साथ अन्याय है क्योंकि इस पेशे का लक्ष्य सही और सटीक जानकारी देना है, जनता को गुमराह करना नहीं। इस सिलसिले में उस समय एक अच्छा उदाहरण सामने आया जब वर्ष 2015 के पूर्वार्द्ध में आए भूकंप के बाद भारत के प्रभावित राज्यों में अफवाहों का बाजार गर्म था। कोई कह रहा था कि कुएं का पानी लाल हो गया है, तो किसी ने कहा कि चांद उल्टा हो गया है। भूकंप के खौफ में जी रही जनता के लिए ऐसी अफवाहें निश्चित तौर पर घातक थीं। ऐसे में अपनी सामाजिक जिम्मेदारी समझते हुए अनेक समाचार पत्रों और टी.वी. चैनलों ने इन अफवाहों का खंडन किया। उक्त आलेखों/कार्यक्रमों में बहुत ही व्यवस्थित ढंग से समझाया गया कि किस प्रकार चांद का अलग-सा दिखना एक खगोलीय घटना है और क्यों आम जनता को ऐसी घटनाओं से आतंकित होने की आवश्यकता नहीं है? मैंने भी उक्त समय में भूंकप का प्रकोप और अफवाहें झेली थीं। मुझे आज भी याद है कि समाचार पत्रों और टी.वी. चैनलों के माध्यम से किए गए अफवाहों के खंडन ने किस प्रकार आम जनता के घावों पर ठंडे मरहम का काम किया। इस तरह की विषम परिस्थितियों में पत्रकारों की ज़िम्मेदारी और भी बढ़ जाती है। सही जानकारी प्रदान करना भी जन-सेवा है। उक्त घटना के समय जनता को सही जानकारी देकर और भयमुक्त सामान्य माहौल बनाने में पत्रकारों की भूमिका निश्चित रूप से सराहनीय है। एक बेहतर समाज के निर्माण में मीडिया की ऐसी ही तटस्थ, भयमुक्त एवं लालचरहित भूमिका की आवश्यकता है।

पत्रकारिता के क्षेत्र में व्यवहार परिवर्तन की आवश्यकता के संदर्भ में एक और अहम मुद्दा है, पत्रकारों द्वारा समाज से जुड़ने का। अक्सर ही पत्रकारों की रुचि केवल शहरी मुद्दों अथवा शहरी क्षेत्रों में होती है। उनके इस रुझान के कारण भारत जैसे गांवों में बसने वाले देश की पत्रकारिता में ग्रामीण मुद्दों को प्राथमिकता नहीं दी जाती। इसीलिए एक प्रकार से टी.वी. एवं समाचार पत्रों जैसे मुख्यधारा के माध्यमों को सच्चे मायनों में जनसंचार के माध्यम का दर्जा नहीं दिया जा सकता क्योंकि देश की तक़रीबन 70 प्रतिशत जनता ग्रामीण क्षेत्रों में रहती है जिसके मुद्दे अक्सर ही राष्ट्र/राज्य स्तरीय समाचार पत्रों एवं निजी टी.वी. चैनलों में स्थान नहीं पाते। तो फिर कैसे ऐसे माध्यमों को जनमाध्यम कहा जा सकता है? ऐसी ही उपेक्षा के फलस्वरूप सामुदायिक रेडियो एवं सामुदायिक समाचार पत्र जैसे वैकल्पिक समाचार पत्रों का उदय होता है। दरअसल ऐसे वैकल्पिक माध्यमों का उदय प्रचलित जन-माध्यमों द्वारा की गई उपेक्षा के विरुद्ध एक आवाज है। गांवों में बसने वाली

लगभग 70 प्रतिशत आबादी की उपेक्षा करने का अर्थ है, देश की बहुसंख्यक आबादी और उसके विकास के प्रमुख मुद्दों की उपेक्षा करना। जब पत्रकारों का रुझान शहरी क्षेत्रों की ओर होगा तो स्वाभाविक रूप से ग्रामीण क्षेत्र के महत्वपूर्ण सामाजिक मुद्दे उनसे छूट जाएंगे (ऐसा सचमुच हो भी रहा है)। लिंग आधारित भेदभाव, बुनियादी सुविधाओं का अभाव, निम्न साक्षरता दर, उच्च शिशु मृत्यु दर, उच्च मातृ मृत्यु दर, घरेलू हिंसा, पंचायतों की दयनीय स्थिति आदि ग्रामीण क्षेत्रों के कुछ ऐसे आवश्यक मुद्दे हैं, जिन पर पत्रकारों की लगातार नजर होनी चाहिए, इन मुद्दों पर जन-जागरूकता बढ़ाने के लिए इससे संबंधित समाचार बराबर दिए जाते रहने चाहिए। साथ ही, पत्रकारों द्वारा यह भी प्रयास किए जाने चाहिए कि उनके इन प्रयासों में जनप्रतिनिधि, सरकारी अधिकारी, स्वैच्छिक संगठन आदि भी पूरी तरह शामिल हों। इसके लिए समय-समय पर विशेष जागरूकता अथवा पैरोकारी अभियानों की आवश्यकता होगी। इस तरह के साझा प्रयासों के बाद ही आशा की जा सकती है कि ऐसे सामाजिक अथवा विकास के मुद्दे राष्ट्र-स्तर के मुद्दे बनेंगे और उनपर नीति निर्माताओं द्वारा समुचित क़दम उठाए जा सकेंगे।

इस संदर्भ में टी.वी. कार्यक्रम 'सत्यमेव जयते' का नाम लिया जा सकता है। सामाजिक मुद्दों पर आधारित इस कार्यक्रम ने बाल यौन उत्पीड़न, कन्या भ्रूण हत्या, दहेज, जातपांत, महिलाओं पर तेज़ाब से किए जाने वाले हमले, जैविक कृषि, नारी सुरक्षा, सड़क सुरक्षा समेत अन्य प्रासंगिक मुद्दों को उठाया। आम जीवन से जुड़े होने के बावजूद इन मुददों के अदृश्य पहलुओं की ओर समाज का ध्यान नहीं जाता है। इस कार्यक्रम ने इन सामाजिक मुद्दों के ऐसे ही अनछुए पहलुओं को छुआ जिसके फलस्वरूप समाज के एक निश्चित वर्ग में जनचेतना का विकास हुआ, जो किसी भी सामाजिक आंदोलन की पहली सीढ़ी है। दिलचस्प बात यह थी कि कार्यक्रम ने केवल सामाजिक मुद्दों से जुड़ी समस्याएं ही नहीं गिनाईं, बल्कि यथासंभव उनके निराकरण पर भी चर्चाएं कीं। इन परिचर्चाओं में विषय-विशेषज्ञों, प्रभावित लोगों से लेकर आमजनों तक के विचार आमंत्रित किए गए। विषय-मूलक कड़ी (एपिसोड) के प्रसारण के बाद उसके बारे में आम जनता की राय/प्रतिक्रिया भी सामाजिक मीडिया तथा कार्यक्रम की वेबसाइट के माध्यम से मांगी गई। सामाजिक मीडिया तथा वेबसाइट के माध्यम से बहुत लोगों ने अपनी आपबीती सामने रखी कि किस प्रकार उन्होंने कार्यक्रम द्वारा पेश किए गए मुद्दों को अपने दैनिक जीवन अथवा कामकाज में लागू किया।

यह पूरी तरह से एक सहभागी प्रक्रिया थी जो किसी भी पत्रकार अथवा मीडिया समूह के लिए प्रेरणास्रोत हो सकती है।

इस कार्यक्रम के माध्यम से निर्माता आमिर खान ने एक बात तो स्पष्ट कर दी कि जब उनके जैसा फिल्म अभिनेता, जिसका पत्रकारिता के पेशे से कोई सरोकार नहीं है, सामाजिक मुद्दों को इस तरह से सामने ला सकता है और आम जनता को सरलतापूर्वक जोड़ सकता है तो पेशेवर रूप से प्रशिक्षित पत्रकार क्यों नहीं? यहां मेरा उद्देश्य न तो आमिर खान का महिमामंडन करना है, न ही उनके कार्यक्रम का। अगर कुछ प्रशंसा के योग्य है तो अति महत्वपूर्ण सामाजिक मुद्दों का उठाया जाना, उन पर जन-चेतना की अलख जगाना और जनसामान्य को उनपर समुचित कदम उठाने के लिए प्रेरित करना! ऐसे ही प्रयास यदि पत्रकारों एवं मीडिया समूहों द्वारा नियमित रूप से किए जाएं तो ऐसे अनेक सामाजिक मुद्दे हैं, जिनका निराकरण केवल जनचेतना जगाकर किया जा सकता है।

पत्रकारिता पर अनेक दबाव समूह काम करते हैं, जो उसे स्वतंत्र ढंग से काम नहीं करने देते। 'मीडिया घराने', जो किसी-न-किसी व्यावसायिक समूह से संबंधित होते हैं, अपने व्यावसायिक हितों को नहीं छोड़ सकते, इसलिए सीमित समय और सीमित स्थान में वे उन खबरों को अधिक महत्व देते हैं, जिनसे टी.आर.पी बढ़ते हो या अखबार का प्रसार और अंततः उनको मिलने वाले विज्ञापनों की संख्या में वृद्धि हो। मीडिया समूह का निहित स्वार्थ या किसी राजनीतिक दल या वैचारिक समूह के प्रति झुकाव भी स्वतंत्र पत्रकारिता में बाधा है। निचले स्तर पर आएं, तो अधिसंख्य पत्रकारों की नौकरी 'पक्की' न होने के कारण वे अनेक प्रकार के समझौते करते हैं। अनेक पत्रकारों पर अपना भविष्य सुरक्षित रखने के लिए 'वैकल्पिक स्रोतों' से धन कमाने के आरोप भी लगते रहे हैं। फिर उनके अपने भी वैचारिक झुकाव हो सकते हैं, जिनके कारण वे कुछ खास ख़बरों को अधिक प्राथमिकता देते हैं, जिनसे उनके व्यक्तिगत हित सधते हों। ऐसे में विकास पत्रकारिता या सकारात्मक पत्रकारिता करने का उद्देश्य पीछे चला जाता है।

ऐसे अनेक मुद्दे और क्षेत्र हैं, जिनमें पत्रकारों की बेहतर भूमिका हो सकती है। लेकिन इस बेहतर भूमिका को निभाने के लिए उन्हें अनेक परिवर्तनों से गुज़रना होगा। सबसे पहला मुद्दा तो यह समझना है कि पत्रकारिता को लाभ कमाने वाले व्यवसाय के रूप में न देखकर एक ऐसे पेशे के रूप में देखे जाने की आवश्यकता है, जिसके माध्यम से समाज की सेवा भी की

जा सकती है और समाज को सकारात्मक रूप से बदला भी जा सकता है। पत्रकारिता के माध्यम से एक सकारात्मक बदलाव की शुरुआत किस प्रकार हो सकती है, यह हमने नवजात बच्चियों को त्यागे जाने वाले प्रसंग में देख और समझ लिया है। एक और परिवर्तन जो पत्रकारों में आना ज़रूरी है, वह है प्रकाशन/प्रसारण पूर्व खबरों को ठोंक-बजाकर परखने का। स्टिंग ऑपरेशन के मामले में ऐसा हो चुका है कि कुछ निर्दोषों को भी इसके जाल में फंसाया गया। कानून के मामले में एक कहावत है कि भले ही सौ गुनहगार बच निकलें, लेकिन किसी एक बेगुनाह को सजा नहीं होनी चाहिए। लगभग यही बात पत्रकारिता के क्षेत्र में भी लागू होनी चाहिए कि भले ही अपराधियों को निर्दोष ठहरा दिया जाए लेकिन किसी निर्दोष पर कुछ भी ऐसा प्रकाशित/प्रसारित नहीं किया जाना चाहिए, जिससे उसकी छवि एक गुनाहगार की बन कर रह जाए। आज की 'गला-काट' प्रतिद्वन्द्विता के युग में ख़बरें पाने के चक्कर में अक्सर पत्रकार स्टिंग ऑपरेशन जैसे हथकंडे अपना बैठते हैं जिसकी चपेट में कभी-कभी निर्दोष भी आ जाते हैं। ऐसा करना अनैतिक भी है और अमानवीय भी, क्योंकि मीडिया द्वारा अपराधी के रूप में प्रस्तुत किया गया निर्दोष व्यक्ति समाज में हमेशा अपराधी ही माना जाएगा। 'मीडिया ट्रायल' यानी मीडिया द्वारा अदालत की भूमिका में सुनवाई करके किसी को भी दोषी ठहरा देने की प्रवृत्ति को बदलना होगा।

सोच के साथ दृष्टिकोण में भी परिवर्तन की बात यहां की जा सकती है। किसी भी मुद्दे पर समाचार देने के दूरगामी परिणामों तक पत्रकारों की दृष्टि होनी चाहिए। इसलिए, किसी भी मुद्दे को केवल कवरेज या स्थान भरने के लिए उठाना उचित नहीं है। कुछ ऐसे भी मुद्दे होते हैं जिन पर लंबे समय तक 'फॉलो-अप' की आवश्यकता होती है। ऐसे मुद्दों पर केवल एक बार का प्रकाशन/प्रसारण पर्याप्त नहीं होता, बल्कि उनके पीछे लगातार लगे रहने की आवश्यकता होती है, क्योंकि सामाजिक स्तर पर कोई भी परिवर्तन एक दिन में नहीं आता।

अक्सर पत्रकार तात्कालिक लाभ न देखकर समाज के हित में काम करना भी चाहें तो उनके नियोक्ता की विभिन्न नीतियां उनका रास्ता रोकती हैं। इसलिए मैं यहां केवल क्षेत्र में उतरकर कार्य करने वाले पत्रकारों (संवाददाता, रिपोर्टर) के काम करने के ढंग में बदलाव की ही बात नहीं कर रही, यहां तो एक बड़े परिवर्तन की आवश्यकता है जो नीति स्तर से लेकर क्षेत्र स्तर तक हो। मीडिया समूहों की नीतियां ऐसी होनी चाहिए जिनकी मदद

से सामाजिक विकास में मीडिया की अहमियत समझते हुए मीडिया समूह एवं पत्रकार अपनी भागीदारी सही ढंग से निभा पाएं।

व्यवहार परिवर्तन के मामले में पत्रकारों की भूमिका की तुलना अनेक लोगों से की जा सकती है। उन्हें न्यायाधीश की तरह निष्पक्ष होना चाहिए क्योंकि न्यायाधीश कभी व्यक्ति का नहीं, बल्कि सच्चाई का पक्ष लेते हैं, उनका निर्णय हमेशा इंसाफ के पक्ष में होता है। पत्रकारों को ऐसे चिकित्सकों की तरह होना चाहिए जो मरीजों की अमीरी-ग़रीबी, जात-धर्म नहीं देखते, बस उनका रोग देखते हैं और समान भाव से सेवा करते हैं। उन्हें ऐसे माता-पिता के समान होना चाहिए जो अपनी संतानों में भेदभाव नहीं करते। समाज के हित में बेहतर सोच, व्यापक दृष्टिकोण, काम करने के ढंग में परिवर्तन, सही-गलत के बीच के अंतर की परख, मामले की गहराई तक पहुंचने की क्षमता और सच को सच के रूप में सामने लाना, कुछ ऐसे परिवर्तन हैं जिन्हें आज के पत्रकारों को अपनाने की आवश्यकता है। यही सारे परिवर्तन मिलकर पत्रकारों में व्यवहार परिवर्तन की शुरुआत करेंगे। इस परिवर्तन की शुरुआत मीडिया समूहों के स्तर पर नीतियों में वांछित परिवर्तन से होनी चाहिए और इसका प्रसार पत्रकारों तक होना चाहिए जिससे उनके व्यवहार में वांछित परिवर्तन आ सकें और उस सकारात्मक परिवर्तन के बलबूते पर समाज सकारात्मक रूप से बदल सके।

❑❑❑